DU CONTINENT PERDU
À L'ARCHIPEL RETROUVÉ

Le Québec
et l'Amérique française

TRAVAUX DU DÉPARTEMENT DE GÉOGRAPHIE DE L'UNIVERSITÉ LAVAL

1. *Les Cent-Îles du lac Saint-Pierre*, par Rodolphe DE KONINCK, 1970, 125 pages.

2. *Les conditions du développement agricole au Québec*, par Hugues MORRISSETTE, 1972, 173 pages.

3. *Essais de géomorphologie structurale*, par Gilles RITCHOT, 1974, 400 pages.

4. *Espace social et mobilité résidentielle*, par Pierre CLICHE, 1980, 183 pages.

5. *Le développement inégal dans la région de Québec, contribution cartographique et analytique*, sous la direction de Rodolphe DE KONINCK, Robert LAVERTUE et Jean RAVENEAU, 1982, 108 pages.

6. *Du continent perdu à l'archipel retrouvé : Le Québec et l'Amérique française*, sous la direction de Dean R. LOUDER et Eric WADDELL, 1983, 312 pages.

DU CONTINENT PERDU
À L'ARCHIPEL RETROUVÉ

Le Québec
et l'Amérique française

publié sous la direction de
Dean R. LOUDER et Eric WADDELL

TRAVAUX
DU
DÉPARTEMENT
DE
GÉOGRAPHIE
DE
L'UNIVERSITÉ
LAVAL

6

LES PRESSES DE L'UNIVERSITÉ LAVAL
QUÉBEC, 1983

*My father told it to me one day
over beers in a bar in Manchester
[New Hampshire] as though he were
giving me an inheritance. One of
my uncles, the one who'd gone to
California, had taken the easy northern
route across Ontario and the prairies,
then down the west coast lumber trails,
without missing a single French messe
along the way. All America is riddled
like Swiss cheese, with pockets of French.*

Clark BLAISE, *Tribal justice*, 1975.

PRÉFACE

Le choc a coïncidé avec la première victoire du Parti québécois, en 1976, et il perdure. Par force, des deux côtés de la barricade institutionnelle, on a soudain entendu monter la voix d'une francophonie vivante hors Québec, au Canada anglais d'abord, puis, plus timidement, aux États-Unis. Elle disait autre chose que ce que les indépendantistes croyaient, et autre chose encore que ce que les fédéralistes voulaient croire. Une existence et des intérêts différents. Une mer de contradictions aussi, impossible à explorer sans d'abord comprendre, ainsi que commence à le permettre cet ouvrage.

Le Québec, en cette fin de XXe siècle, avait fait son deuil de l'Amérique française. Il avait, bien sûr, délaissé depuis longtemps le rêve conquérant et évangélisateur du continent, mais aussi laissé à leur sort, dans une brume commode où la culpabilité ne perçait plus que de loin en loin, ceux qui s'entêtaient à vivre en français hors frontières.

Dans les préceptes de base d'un mouvement indépendantiste qui voyait enfin poindre le grand jour de « notre État français », la franchise se voulait brutale : hors Québec, point de salut. Réduits aux statistiques des recensements décennaux, les francophones, auxquels on laissait le nom de « Canadiens français » comme pitance, ne servaient plus qu'à illustrer le livre de l'apocalypse. Ils étaient le témoignage de l'ethnie morte, ou agonisante pour n'avoir pu dominer son territoire, comme nous étions invités à le faire. Au mieux, et sans égard à leurs racines, on leur concédait l'existence rachitique d'une « diaspora » à laquelle il faudrait un jour proposer une loi du retour.

Ailleurs qu'en ces milieux militants, et chez leurs adversaires, on les avait, plus simplement, oubliés. Certes, en se bilinguisant, l'État fédéral leur avait donné une plus grande visibilité au Canada anglais, mais à la façon d'un protectorat. Une complaisance paternelle, assortie d'allocations plus généreuses, assurait le parler français. Périodiquement, on subventionnait des réunions de famille au charme folklorique, tandis que sur le terrain, la vie, les institutions ne cessaient de se détériorer. Ils avaient un destin de papier, celui du rapport Laurendeau-Dunton, dont la « quête de l'égalité » entre deux peuples fut remise aux archives. Et celui des rapports bureaucratiques d'une mini-section de ministère qui se targuait de définir mieux qu'eux les conditions de leur bien-être.

Quant à la francophonie américaine, elle n'existait plus que dans le tourisme des mémoires, vaguement louisianaise, et définitivement exclue.

Puis il a fallu refaire les comptes. La longue bataille référendaire a fait de la francophonie canadienne hors Québec une denrée politique. D'un côté, on stigmatisait le péché de son abandon, et on cherchait à offrir aux Québécois une image moins superficielle qu'une simple parenté linguistique avec laquelle renouer. De l'autre, on cherchait à rallier à la cause souverainiste des groupes qui pouvaient témoigner mieux que quiconque des effets quotidiens de la domination, et dont la frustration vibrait plus clairement que la nôtre.

Cela s'appelle, politiquement, de l'utilisation. Brutale et souvent machiavélique dans les coulisses des pouvoirs adversaires, flatteuse et souriante sur les tréteaux de la bataille. Nous en serions restés là, au lendemain de mai 1980, s'il n'avait fallu compter avec cette francophonie elle-même qui s'était donné imperceptiblement, à la faveur de ce choc, les moyens de parler en son nom propre, de refuser l'annexion à l'une ou l'autre cause.

Certes, ce n'est pas gagné. Comme on le verra tout au long de cet ouvrage collectif, qui rassemble des diagnostics au mieux inquiets et souvent défaitistes, l'histoire a fait une oeuvre que les sursauts les plus vivaces ne sauraient défaire. Je n'y vois qu'un véritable acquis, une presque certitude. L'oeil d'analyste qui se pose aujourd'hui sur cette francophonie a cessé de ramener son existence à ses liens avec le Québec, et la lui reconnaît en propre. Pour le reste, les illusions peuvent bien continuer à voisiner la désespérance. Il ne nous revient pas, si nous renonçons enfin à toute forme de colonialisme intellectuel ou autre, de décider de l'avenir d'autrui.

À travers cette lecture, toutefois, surgissent des questions passionnantes, historiques et actuelles.

Le passé de la francophonie nord-américaine, quand on cesse de le scruter sous l'angle de l'abandon du Québec et des vieux règlements de compte, devient moins mystique. Le « caractère national » — si tant est qu'il ait existé — ne se résume plus. Cette histoire n'est pas celle des coureurs du continent, aventureux ou simplement mobiles, et par là plus fascinants que les sédentaires anglo-saxons qui ne se déplaçaient que pour mieux s'installer un jour dans la richesse. Elle n'est pas non plus celle d'un peuple prompt à se satisfaire de la fragile sécurité de l'occupation d'une terre à l'Ouest, ou d'un minable emploi industriel au Sud, sous la houlette d'une Église aussi frileuse que dominatrice. Elle est celle d'un groupe distinct par sa langue et par ses origines plus lointaines sur le continent, qui a participé à tous les courants du siècle passé et présent, qui contenait en ses rangs toute la diversité des peuples qu'il côtoyait. Et qui se trouve, de ce fait, confronté aujourd'hui au problème lancinant de l'éclatement de l'identité, maintenant que la langue, à des degrés divers, ne le sépare plus instinctivement.

Ce n'est pas par hasard que, au moment où cette histoire multiple se donne enfin à lire dans toute sa richesse, elle achoppe sur le présent.

Les uns, inspirés par le mouvement de retour aux sources qui vient d'agiter l'Amérique, font l'hypothèse d'une sorte de renaissance ethnique fondée en grande partie sur la reconstitution des communautés plus restreintes comme mode de vie, et la renaissance de certaines institutions, dont l'école et les instruments culturels. Les autres, penchés plus particulièrement sur le sort des groupes les plus petits et les plus dispersés dans certains grands centres, n'osent plus que croire en la réhabilitation du passé dans la mémoire d'individus qui, tout en n'étant plus de langue maternelle française à proprement parler, se réconcilieront avec leurs origines. D'autres enfin se demandent si certaines communautés canadiennes, au grain plus serré, et au support institutionnel plus solide, pourront envisager de « vivre en français » au sens le plus plein et le plus quotidien.

Quel que soit le degré d'espérance qu'on se permette, les écueils restent énormes. Les plus anciens, les plus classiques n'ont pas fini de jouer. L'assimilation continue, plus forte que les barrages artificiels qu'ont enfin jetés les gouvernements. Et l'organisation du travail dans la société post-industrielle n'est pas plus tendre aux racines que celle de la société industrielle dont chaque texte, ici, rappelle l'influence déterminante dans la désagrégation des communautés.

Plus nouvelle, pointe une inquiétude qui tient au « mouvement francophone » lui-même, c'est-à-dire au large et indéniable souffle de renouveau qui a brisé nos conceptions folkloriques de la francophonie nord-américaine, et surtout canadienne. Il ne fait pas de doute que nul ne peut prétendre, au Québec — et en France — parler désormais au nom d'une réalité qui ne nous appartient pas. Les véritables interlocuteurs se manifestent, organisés, actifs, politiques, revendicateurs. Mais s'agit-il d'une francophonie d'élite, reliée aux lieux limités (universités, agences, organisations communautaires) où le « vivre en français », tout en restant possible, ne saurait déborder ? Les autres francophones, la majorité, deviendront-ils une classe arrêtée qui, sans se renier désormais, n'aura malgré tout d'autre choix que de parler sa langue maternelle en langue seconde, possédant tout au plus un lien ténu et somme toute lointain avec un univers culturel qui se bâtit ailleurs ?

Et de là la question, inévitable mais à peine présente à une francophonie toujours ramenée à ses anciennes batailles, du rapport de la langue à la culture. Au moment où les cultures les plus puissantes, en Europe et ailleurs, voient s'effriter leurs frontières « nationales », s'immergent dans un confluent d'influences qui n'ont plus de nom, la prétention à une identité culturelle définissable, reconnaissable, a de moins en moins de sens. N'est-ce pas, pourtant, le rêve auquel s'accroche la francophonie militante ? Si le monde culturel ne se décompose plus désormais qu'en grandes civilisations — européenne, américaine, orientale — peut-on encore songer à recouvrer une singularité autre que marginale ? À l'origine de ces communautés francophones dispersées, l'isolement a protégé, puis il a détruit. Il est trop tôt pour savoir si le village global va les nourrir, ou les rejeter dans un nouvel oubli. Mais ces questions, que le Québec ose à peine poser lui-même aujourd'hui, sont encore plus lancinantes pour des groupes qui viennent à peine de se redonner des instruments culturels plus accordés au temps présent.

« Multiplicité de prophètes et pénurie de croyants », écrit Eric Waddell à propos de la Louisiane. Les auteurs de cet ouvrage ne m'en voudront pas si je les range chez les prophètes, en hommage, tout en laissant aux intéressés, dans une incertitude solidaire, le soin de décider eux-mêmes de leurs croyances.

Montréal, mars 1983.   Lise BISSONNETTE
                                                                                          Le Devoir

AVANT-PROPOS

L'idée de publier un jour un livre sur l'Amérique française commença à germer dans nos esprits le 12 avril 1978, à la Nouvelle-Orléans, lors du 74ᵉ congrès de l'Association des géographes américains. Ainsi formulée à l'antipode continentale du Québec, elle fut couvée au cours de nombreux périples, en Nouvelle-Angleterre, en Acadie, au pays des Illinois, dans l'Ouest canadien et le Midwest américain, et nourrie de l'appui enthousiaste de nos collègues à Québec et d'échanges passionnants avec plusieurs des éventuels auteurs avant d'enfin se réaliser. Résumons les étapes franchies.

Le congrès de la Nouvelle-Orléans était l'occasion rêvée de faire le point sur nos recherches entamées en Louisiane depuis déjà un an et d'expliquer également l'intérêt que portaient les Québécois à cet État lointain. Nous y avons donc organisé deux séances spéciales, « La Louisiane française : analyses of Cajun country and culture » et « l'Amérique française : fact or fiction », auxquelles ont participé plusieurs de ceux qui collaboreraient à ce livre. La réaction aux exposés fut des plus favorables, et il nous a donc paru important de poursuivre l'élan amorcé ce jour-là.

Au trimestre d'hiver de 1979, on offre pour la première fois au Département de géographie de l'université Laval un cours « expérimental » portant ce titre peu reluisant : « La géographie des minorités francophones en Amérique du Nord ». L'objectif est de lever le voile sur la francophonie hors Québec, cette francophonie qu'on avait reléguée aux oubliettes dans la foulée de la Révolution tranquille et la montée du nationalisme québécois. L'accès à la documentation disparate sur les « minorités » s'avère extrêmement difficile pour les étudiants. Il faudrait un manuel ! On reçoit alors du rédacteur des *Cahiers de géographie du Québec* une invitation à préparer un numéro spécial sur l'Amérique française, inspiré en grande partie des communications présentées à la Nouvelle-Orléans. L'ampleur de l'ouvrage donne naissance à deux numéros qui paraissent en 1981 : *Le Québec et l'Amérique française, I Le Canada, la Nouvelle-Angleterre et le Midwest*, et II, *La Louisiane* (*Cahiers de géographie du Québec*, volume 23, numéros 58 et 59, 1979).

Entre-temps le cours prenait graduellement sa forme actuelle. Son titre devient *Le Québec et l'Amérique française*, afin d'éviter tout esprit paternaliste évoqué par le mot « minorité » mais aussi pour tenir compte de la position du Québec vis-à-vis de cette diaspora continentale à laquelle on fait constamment allusion.

Si, avec les *Cahiers*, nous avons pu régler un problème majeur, il ne fallait pas pour autant sombrer dans le livresque. Nous portions une insistance particulière sur la « pertinence » et l'actualité du cours, cherchant par le fait même à réinsérer les étudiants dans leur propre histoire : des films, dont la merveilleuse série d'André Gladu, *Le Son des Français d'Amérique*, mais aussi de nombreux visiteurs, des porte-parole de la Fédération des Francophones hors Québec (FFHQ), du *Farog Forum*, de l'Association canadienne d'Éducation de langue française (ACELF), du Secrétariat permanent des peuples francophones (SPPF), ainsi que quelques individus porteurs de vibrants témoignages. Grâce au cours, nous avons fait la connaissance d'André Gladu lui-même, montréalais et nationaliste formé à l'École des Beaux-Arts, mais aussi ardent défenseur d'une culture populaire qui déborde de loin les limites du Québec. Nous avons également bénéficié de la visite de Steffan Duplessis du Maine, franco-américain de la cinquième génération, pour qui ce passage à Québec constituait un véritable pèlerinage, et d'Adrien Bérubé, d'Edmundston, nationaliste acadien qui a su faire de ses connaissances géographiques une véritable arme de combat. Pour ne pas nous limiter aux témoignages des autres, nous proposons aux étudiants de rédiger, comme travail du trimestre, l'histoire de leur propre famille en s'arrêtant sur « ceux et celles qui sont partis ». D'un coup, les lectures, cours et films prennent vie : parenté à Lewiston, Lowell, Manchester et Woonsocket, à Welland, Sudbury et Détroit, à St-Boniface, Falher et Gravelbourg; conversations animées avec la génération des grands-parents; découverte de lettres et de photos dans le grenier.

Et pour compléter, l'excursion qui deviendra presque obligatoire. Partir à la découverte des racines, des souvenirs, des semblables « hors frontières ». En 1979, c'est la Nouvelle-Angleterre — Orono, Lewiston, Biddeford et Manchester — et, en 1980, le Nouveau-Brunswick — République du Madawaska, Moncton, Côte acadienne et baie des Chaleurs. En 1981, périple devient séjour, également en Acadie, à l'Université Sainte-Anne sur la baie Sainte-Marie. Et tout dernièrement nous étions au Manitoba et au nord du Minnesota, où une population de souche québécoise, vieille et vieillissante, nous a accueillis avec beaucoup d'émotion dans le sous-sol de ses églises à Terrebonne et à Gentilly.

Voilà ! Depuis cinq ans nous avons, en compagnie de nos étudiants, parcouru, et, même d'une certaine façon, déterré une Amérique française dont parle si peu l'histoire québécoise, mais qui lui est pourtant si rattachée. Et ce que nous retenons le plus de cette expérience, c'est que l'Amérique française fut façonnée moins par les coureurs de bois, les voyageurs et les missionnaires, que par les gens du peuple : le travailleur du textile résidant du Petit Canada à Lowell, le pêcheur de l'Acadie, le trappeur et le travailleur offshore de la Louisiane, le mineur du Missouri, le cultivateur du Minnesota et du Manitoba, le Métis cantonné dans sa réserve au Dakota du Nord... C'est un univers en mutation constante et dont la carte ne sera jamais achevée. La nouvelle Floride « québécoise » en est un témoin frappant.

Les pages qui suivent présentent donc cette Amérique « inédite », une Amérique qui n'était pas seulement à découvrir mais qui nous a également aidés à mieux appréhender le Québec d'aujourd'hui. Nous espérons qu'il en sera ainsi pour les lecteurs de ce recueil, dont l'inspiration vient des deux numéros des *Cahiers*, mais dont le traitement de l'Amérique française est plus complet et mieux équilibré. Puissent-ils y trouver des éléments de réponse à leurs questions sur les « minorités francophones d'Amérique », se sensibiliser aux particularités de chaque îlot de l'archipel et réfléchir à la place qu'occupe le Québec dans la trame de la francophonie nord-américaine.

Pour mener cet ouvrage à terme, nous avons dû compter sur la collaboration de plusieurs. Nous leur devons une reconnaissance sans borne. Aux auteurs nous exprimons notre gratitude, notamment à Christian Morissonneau qui a trouvé au fond de son imagination combien féconde le titre même du recueil. Luc Bureau et Jean Raveneau, tous deux professeurs au Département de géographie de l'université Laval, n'ont cessé d'insister sur la nécessité de publier ce livre « important ». Tout ce qui est graphique, de la page couverture à la carte la plus petite, est l'oeuvre du personnel du Laboratoire de cartographie de l'université Laval, Isabelle Diaz, Andrée G.-Lavoie, et Serge Duchesneau travaillant sous la direction de Louise Marcotte. Nous ne pouvons qu'admirer leur originalité, leur créativité et leur tenacité. Restent les étudiants, qui nous inspirent chaque année, et surtout la multitude de francophones éparpillés à travers ce grand continent, qui ne cesseront jamais de nous émerveiller.

Québec, mars 1983.   D.R.L. et E.W.

LES AUTEURS

ANCTIL, Pierre

Institut québécois de recherche sur la culture, Montréal

BRETON, Roland J.-L.

Mission de coopération, Yaoundé, Cameroun

DORAN, Claire

Ministère des affaires intergouvernementales, Québec

GOLD, Gerald L.

Département d'anthropologie, Université York, Toronto

JUTEAU-LEE, Danielle

Département de sociologie, Université de Montréal

LALONDE, André

Département d'histoire, Université de Régina

LAROUCHE, Alain

Anthropologue, St-Félicien

LEBLANC, Michael

Anthropologue, Abbéville, Louisiane

LEBLANC, Robert A.

Département de géographie, Université de New Hampshire, Durham

LOUDER, Dean R.

Département de géographie, Université Laval, Québec

McQUILLAN, D. Aidan

Département de géographie, Université de Toronto

MARTEL, Gilles

Faculté de théologie, Université de Sherbrooke

MORISSONNEAU, Christian

Département de géographie,
Université du Québec à Montréal

RAVAULT, René-Jean

Module de psycho-sociologie de la communication, Université du Québec à Montréal

VERNEX, Jean-Claude

Département de géographie,
Université de Genève

VILLENEUVE, Paul-Y.

Département de géographie,
Université Laval, Québec

WADDELL, Eric

Département de géographie,
Université Laval, Québec

INTRODUCTION

Dean R. LOUDER, Christian MORISSONNEAU
et Eric WADDELL

LE CONTINENT PARCOURU

Dès leur installation permanente le long du Saint-Laurent au début du 17e siècle les Français ont débordé la vallée de ce grand fleuve pour l'aventure continentale. Selon Salone : « À peine peuplée la petite France du Saint-Laurent commence à essaimer à travers le continent » (La colonisation de la Nouvelle-France, Rééd. Le Boréal Express, 1970). Cette migration s'explique en grande partie par la très profitable traite des fourrures, mais aussi par la composition même des pionniers. Les premiers arrivants ne semblent pas être tirés en grand nombre du monde agricole ou artisanal de la mère-patrie : ils sont pour la plupart des journaliers, des gens très peu sédentaires. La terre attirait peu et les seigneurs ne purent pas retenir les partants vers les Pays d'en Haut (l'Ouest). Les coureurs de bois ont eu une influence sur le genre de vie et les valeurs qui dépassent certainement leur nombre. La course des bois ne peut pas se mesurer dans des termes seulement quantitatifs.

Les administrateurs français (intendants et gouverneurs) s'inquiètent et se réjouissent à la fois de cette dispersion car, tout en satisfaisant à l'impérialisme de la France, elle affaiblit la colonie sur les rives du Saint-Laurent. Ainsi débute l'ambiguïté de l'élite québécoise dans sa perception de la mobilité en terre d'Amérique. Commence aussi la continuité socio-économique québécoise qui est la rupture, par la présence même de types d'activité économique successifs provoquant des migrations. Les Français se dispersent vers l'immense région frontière dans un contexte pré-industriel et pré-capitaliste, et pratiquent une agriculture de subsistance assortie d'activités économiques diverses : fourrures, chasse, pêche. À la diversité des activités économiques correspond un mode d'occupation extensif du territoire. Après l'agro-pelletier du 18e siècle et du début 19e viendront l'agro-forestier et l'agro-minier des décennies suivantes, c'est-à-dire une conjoncture et une combinaison socio-économiques permettant ou obligeant les Français d'Amérique à une mobilité trans-continentale. À l'apogée de la Nouvelle-France, des individus ou des groupes français s'installèrent, plus ou moins temporairement, de la mer d'Hudson à la Louisiane et des Rocheuses à l'Acadie où un mince foyer de peuplement, basé sur la pêche, l'agriculture et la forêt, s'était très tôt établi. Celui-ci durerait jusqu'à la Déportation de 1755 qui précéda de quatre ans la conquête de la Nouvelle-France par les Britanniques.

La Conquête ne change rien puisque les mêmes rapports socio-économiques demeurent. Seuls les patrons changent. Le commerce de fourrures a besoin de traitants, de commis et de voyageurs — des gens façonnés par l'espace immense et par la culture amérindienne. Ainsi les Français deviennent des Canadiens et les coureurs de bois des voyageurs. Pendant plus d'un siècle ils jouent le rôle d'intermédiaires entre une Europe et une Côte Est vivant à l'heure du mercantilisme et un Ouest qui vivait à l'état de la chasse et de la cueillette. Au fur et à mesure que cette frontière se transforme ils deviennent guides, interprètes et charretiers — avec leurs énormes convois de mulets qui se déplacent entre le Texas et l'Assiniboine, jusqu'à la venue de la voie ferrée.

Ce mode de vie impliquait l'établissement de bonnes relations avec les Indiens des Plaines. De cette entente et fréquentation est né le groupe métis qui allait tant inquiéter l'élément anglophone canadien alors que prenait forme un autre noyau français à l'ouest de l'Ontario. Des hommes nouveaux apparurent qui parlaient le cri et d'autres langues indiennes aussi bien que le français, langue que tout pelletier, même américain, devait apprendre. Cette réalité distingue le Canadien français du pionnier américain qui, à la recherche des terres, n'entre en contact avec l'Indien qu'avec la violence armée. Ainsi les explorateurs américains, annonceurs d'un nouvel ordre économique, se servent des Canadiens pour faciliter leur pénible avance continentale. Lewis et Clark, au début du 19e siècle, rencontreront des Charbonneau, Drouillard, Tabeau, Garreau, etc., dans leur long périple. Charbonneau, avec son épouse indienne, accompagna comme guide les explorateurs. Certains Canadiens parcouraient déjà les Rocheuses, vivant à l'indienne. Les Américains les appelèrent les *mountain men*.

Le peuple demeura insouciant des nouvelles frontières, considérant qu'il était chez lui partout en Amérique du Nord. La famille constituait le médiateur de la mobilité. L'absence de conscience territoriale proprement laurentienne — la vallée du Saint-Laurent étant le territoire consacré par l'histoire — était compensée selon l'élite par une conscience paroissiale. D'ailleurs l'Église s'employa, dès les débuts du 19e siècle, à épauler cette présence canadienne-française en fondant des paroisses dites nationales un peu partout dans l'Ouest. Ces îlots de francité et de catholicisme virent naître par la suite des sociétés Saint-Jean-Baptiste et d'autres organisations à caractère ethnique.

LE CONTINENT PERDU, MAIS L'ÎLE AGRANDIE

L'échec était inévitable; le continent ne pouvait pas devenir français et catholique sur de telles bases. Dès le milieu du 19e siècle on prévoyait l'intégration totale de l'Ouest à l'intérieur de l'État moderne et du système capitaliste. Les fondements juridico-économiques de la présence française et métisse dans l'Ouest s'effritaient. Le commencement d'un peuplement massif d'origine européenne ne faisait que ressortir la faiblesse démographique des francophones — « le petit nombre » comme répétait avec inquiétude l'historien François-Xavier Garneau — éparpillés à travers un immense espace. L'arrivée de Protestants toujours plus nombreux brisait l'hégémonie de l'Église catholique tandis que la présence d'Irlandais en nombre grandissant menait à une lutte pour le pouvoir à l'intérieur même de l'Église. Comme raisonnement ces derniers insistaient que, pour assurer son avenir en Amérique du Nord, le catholicisme devait parler anglais et se dissocier des préoccupations « nationales » des Canadiens français. Seuls quelques îlots demeurèrent, survivances fragiles de l'empire conquis.

Le territoire québécois, confiné dans les limites étroites de la région laurentienne (1763), devient réserve insulaire, cerné stratégiquement par l'océan anglo-saxon. Le peuple ne ressentant pas la dépossession continentale et pressé par la nécessité se déplaça davantage lorsque s'industrialisa la Nouvelle-Angleterre, surtout à partir des années 1860. Ce n'était plus la fourrure, la forêt ou la mine qui faisait se déplacer les Canadiens français mais l'usine, la « facterie » comme ils disaient. La frontière était devenue urbaine et industrielle, en plein capitalisme sauvage. Il serait parti 700 000 gens du Québec entre 1850 et 1930. La mobilité devint véritable saignée démographique.

Cette fois, l'élite qui se réjouissait que les vagabonds continentaux perpétuent l'idée d'une Amérique française, hors du ghetto où voulait les maintenir, et les mieux assimiler, l'administration britannique, s'inquiète de cette partance démesurée. La perception du mouvement n'est quand même pas unanime. Trois courants d'idées expansionnistes se précisent (continentale, canadienne, nordique) dès le dernier tiers du 19e siècle.

Certains se réjouissent de cet expansionnisme territorial même forcé des Québécois en terre américaine y voyant une juste revanche sur l'accident de la Conquête. La nostalgie du continent perdu habite une grande partie de l'élite. L'exode vers les États-Unis qui dépeuple les campagnes québécoises est même vu comme un gage de vitalité. *Le New York Times* (août 1889), dans un éditorial alarmiste, écrit :

> ... mais si ces Canadiens devenaient assez nombreux ou se faisaient naturaliser en nombre suffisant pour tenir la balance du pouvoir aux États-Unis, alors ils seraient un danger pour nous, parce qu'ils pourraient demander et obtenir une législation favorable à leurs intérêts particuliers, qui sont séparés des nôtres et même hostiles à l'intérêt général du pays.

C'est précisément ce que certains Québécois pensaient. À cause du nombre, de l'homogénéité et de l'unanimité du groupe en Nouvelle-Angleterre, le vieux rêve impérialiste se poursuivait. L'abbé Casgrain, par exemple, assuré de la fin de l'Amérique anglo-saxonne protestante, voit les Catholiques du Nord rejoindre les Catholiques du Sud (les Mexicains) à travers la Mer Rouge anglo-protestante :

> Ici, comme en Europe, et plus vite encore qu'en Europe, le protestantisme se meurt. Fractionné en mille sectes, il tombe en poussière, et va se perdre dans le rationalisme. Bientôt — pour nous servir d'une expression du Comte de Maistre — l'empire du protestantisme, pressé du côté du Golfe Mexicain et du Saint-Laurent, fendra par le milieu; et les enfants de la vérité, accourant du nord et du midi, s'embrasseront sur les rives du Mississippi, où ils établiront pour jamais le règne du catholicisme.

> (*Histoire de la mère Marie de l'Incarnation*, Québec, Desbarats, 1864, p. 69).

Quelques-uns, comme Mgr Taché, prêchent l'occupation de l'Ouest, donc le repli sur le Canada, mais le Canada entier.

LA TERRE PROMISE

D'autres membres de l'élite gagent davantage sur l'expansionnisme en terre neuve *tout en restant au Québec :* le continent est perdu mais la mobilité du peuple se poursuit et s'accentue, on peut la canaliser et l'orienter en bâtissant un ailleurs ici, dans un Québec dont on repousse les bornes. On regarde alors vers le Nord encore neuf et vide d'Anglais. Cette élite construit un mythe nourri de symboles signifiants pour un peuple menacé dans sa survie. Ce territoire sans limite au nord de la vallée laurentienne devient *Terre promise*. On va pouvoir agrandir l'île québécoise et même aller jusqu'au Pôle Nord. Cette région, front pionnier de la survivance, acquiert de multiples significations (Morissonneau, *La Terre promise : le mythe du Nord québécois*, Montréal, Hurtubise HMH, 1978).

1. La survivance
   C'est un ailleurs intouché par les Anglo-saxons, dont pas d'assimilation possible. On se fortifie et on se conserve, à l'abri, entre soi. Donc, la communauté demeure tout en élargissant son territoire.

2. Le développement
   Pour rassurer l'avenir de cette Terre promise, on prône un développement global et indigène mariant des modèles américains avec des idéaux et valeurs français et québécois.

3. La géopolitique
   Cette Terre promise du Nord fait revivre une nostalgie française et québécoise du continent perdu (voir l'esprit de revanche de Rameau de Saint-Père, *La France aux colonies*, Paris, Jouby, 1859).

4. La mission religieuse
   Le Québec poursuit sa mission providentielle d'étendre le catholicisme en terre d'Amérique tout en dérivant géographiquement au Nord.

5. La construction d'un territoire national
   Le mythe du Nord c'est le mythe fondateur de l'Etat-Nation québécois.

L'histoire nous apprend que ce repli stratégique sur le Québec a été une demi-réussite. Les assises géopolitiques des Canadiens français furent renforcées et leur survie assurée, mais du point de vue économique c'est l'échec : le développement se fait par le capital étranger à partir des seules ressources naturelles.

Pour ce qui est des îlots francophones, deux constatations majeures peuvent être tirées de l'expérience du 19e et de la première moitié du 20e siècles : l'appui aux minorités venait uniquement du Québec — en termes de ressources et d'idéologie — et l'unique cadre institutionnel qui véhiculait cet appui était celui de l'Église catholique. L'État central n'était nullement présent. En effet, dans le cas des minorités, il était souvent opposé à la présence catholique et française. Pour Ottawa, un Canada français suffisait; il n'était surtout pas question de ce pays binational et bilingue préconisé par les Métis en 1870. C'est le gouvernement fédéral qui a pendu Riel, et les autres provinces qui ont assuré la fermeture des écoles françaises.

Face à cette opposition, l'Église catholique, sans abandonner tout à fait les minorités, investit plutôt au Québec et met la sourdine à sa mission continentale. Mais ce fut pendant la période d'après-guerre que les rapports entre le Québec et les îlots francophones s'effondrèrent véritablement. Il y eut d'abord l'effondrement de l'Église elle-même. De quelque 2 000 prêtres ordonnés au Québec en 1947 on est tombé à 80 en 1970. Faute de ressources, l'Église se retira de plusieurs milieux et abandonna largement sa vocation sociale et éducative. Il y eut ensuite la submersion de certains îlots. La représentation des Franco-américains du centre et de l'Ouest des États-Unis au sein du Conseil de la Vie Française en Amérique, par exemple, prend fin en 1957 avec la mort de Mgr Primeau de Chicago.

La rupture entre le Québec et l'Amérique française est surtout accentuée par une préoccupation sans cesse grandissante chez le premier de ses propres problèmes de survivance. La lutte se fait dorénavant à l'intérieur du seul espace politique francophone du continent. À la fin des années 60 on s'inquiète de la stagnation de la population québécoise — un taux de natalité le plus faible au pays, une population qui arrive à peine à se reproduire et un solde migratoire déficitaire. De plus, l'assimilation commence à faire des ravages, surtout auprès des allophones dont la presque totalité est attirée vers la minorité anglophone; elle commence même à gruger suffisamment la population francophone pour que les démographes annoncent que celle-ci deviendra minoritaire à Montréal avant la fin du siècle. La loi 63 consacrant le libre choix linguistique en matière d'éducation ne viendra que confirmer les pires hypothèses.

Ainsi préoccupé de son propre sort, et très démuni, le Québec perd tout intérêt pour les îlots francophones. On évoque à haute voix l'assimilation certaine de ces populations tout en proposant souvent le retour au Québec de ceux qui tiennent à leur francité, allant parfois jusqu'à invoquer une possible « loi de retour » à l'israëlienne. Pour la première fois de leur histoire, les minorités se retrouvent sans appui ou point de repère et en même temps menacées de disparition totale.

L'ARCHIPEL RETROUVÉ

Au début des années 60, l'État commence à prendre la relève de l'Église. D'une mission spirituelle sont nées plusieurs missions séculières. Ainsi le gouvernement fédéral, désireux de créer une nouvelle identité proprement canadienne pour faire face au géant américain et à la relance du nationalisme québécois, précise, à travers sa Commission royale sur le bilinguisme et le biculturalisme, le concept de deux peuples fondateurs et de deux langues officielles « d'un océan à l'autre ». Côté américain, le Fédéral s'intéresse de plus en plus au sort de ses propres minorités ethniques afin de mieux défendre ses intérêts internationaux :

> Our country faces a dangerous trend. Our international responsibilities as a nation and the international dimensions of our domestic problems are on the increase. Vital national interests

Figure 1

DU CONTINENT PERDU...

LE CONTINENT PARCOURU

LE CONTINENT PERDU

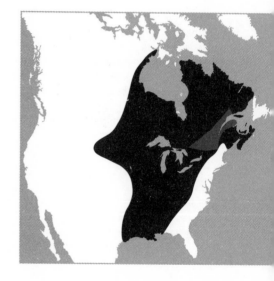

L'Amérique française avant le traité d'Utrecht, 1713

L'île québécoise au traité de Paris, 1763

...À L'ARCHIPEL RETROUVÉ

LA TERRE PROMISE

L'ARCHIPEL RETROUVÉ

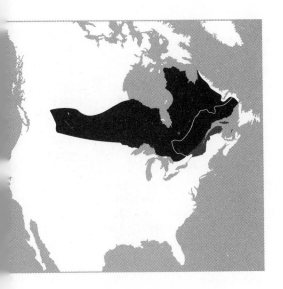

Visions de Labelle et de Buies, 1889

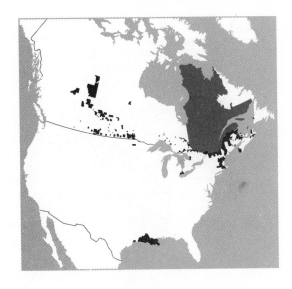

Les îlots francophones
(10% et plus de gens de langue maternelle française),
1970 (États-Unis), 1971 (Canada)

such as military security, export markets, the furtherance of human rights, the supply of energy, these and many others require the skilful management and understanding of a democratically conditioned population. But as the horizons of our interest expand our capacity to manage them contracts. Foreign language enrollments decline, requirements for international competence are reduced, and evidence of essential ignorance and misunderstanding increases.

Ethnic interests as a domestic asset. How can we take advantage of our large number of people whose mother tongue is not English, whose different cultures will enrich our society? Can their languages become a more stable part of our system of education? Can we promote the use of their languages and understanding of their cultures without damaging the necessary coherence of our social fabric?"

(J.A. Perkins, Chairman, Commission on Foreign Language and International Studies, février 1979).

Vers la même époque, l'État québécois commence à s'intéresser aux minorités, cette fois dans une perspective d'indépendance nationale. Pendant les années 60, les amorces d'une politique « étrangère » québécoise passent forcément par le tout nouveau ministère des Affaires culturelles; cette politique vise tout naturellement la francophonie américaine. « Pour créer le Québec, il faut se reconnaître d'abord chez les autres, tout en leur rendant service et en étant disponible », disait Guy Frégault, l'historien et grand commis d'État qui a bâti ce ministère.

En même temps, émerge, plus ou moins timidement, le renouveau ethnique et linguistique un peu partout en Amérique, sinon dans le monde, chez les groupes politiquement, économiquement et socialement voire même géographiquement défavorisés. Les francophones sont de la partie et les groupes (îlots) cherchent à s'appuyer les uns sur les autres. Plusieurs organisations naissent de ces événements — associations provinciales, la Fédération des francophones hors Québec (FFHQ), CODOFIL, CODOFINE, tandis que d'autres comme l'ACELF connaissent un nouvel essor.

La plupart des organisations se penchent tout naturellement vers le Québec et surtout ce Québec des années 1970 doté d'un territoire politiquement fort, riche en histoire et en train de régler ses problèmes internes (par le biais d'un gouvernement nationaliste, et d'une législation linguistique qui rendent les francophones majoritaires chez eux). Même une organisation comme la FFHQ, née d'une initiative fédérale — mais craignant de devenir l'otage de ce même État — cherche à intensifier ses relations avec le Québec et souhaite un Québec fort. De même, au Nouveau-Brunswick, certains Acadiens cherchent une expression territoriale et politique de l'Acadie perdue.

Si le Québec sert de source d'information et d'inspiration pour les populations francophones de l'Amérique du Nord lui, à son tour, se tourne vers ces îlots en quête d'appui à son projet politique et national. Dans le cas des rapports Québec-Louisiane, où des liens commencent à se forger à partir de 1968, on assiste à des jumelages de villes, à l'échange de musiciens, à la création d'un programme permanent de formation pédagogique en langue française, à l'établissement à Lafayette d'une délégation officielle du Québec, à l'engagement de jeunes Québécois pour enseigner le français dans les écoles primaires de la Louisiane, etc.

De ces rapports sont nés, d'une part une meilleure compréhension de la démarche québécoise, une caution morale peut-être, et sûrement la révélation que son gouvernement n'est pas fait de « wild-eyed radicals » (comme le disait René Lévesque à Pont-Breaux, Louisiane, en janvier 1979), et d'autre part, chose inattendue et pas tout à fait appréciée chez un certain establishment, la radicalisation de certains jeunes Louisianais. Venus parfaire leur français à Jonquière au Québec certains élèves découvrent pour la première fois qu'il y a une idéologie attachée à la langue. Bref, certains se politisent jusqu'à contester un mouvement officiel en Louisiane (CODOFIL) qui ne vise qu'à valoriser une version internationale de la langue française et un héritage amputé de toute sa force, en somme un mouvement sans racines et sans dimension sociale.

CONCLUSION

Nous nous retrouvons aujourd'hui en pleine période de retrouvailles au sein de l'archipel francophone en Amérique et même si nul ne peut prédire l'avenir certaines constatations s'imposent.

Le FFHQ publient plusieurs documents fort audacieux dont *Les Héritiers de Lord Durham* et *Pour ne plus être sans pays*.

Sous le prétexte de célébrer l'arrivée de Champlain à Québec en 1608, le gouvernement du Québec organise, en 1978, la première de ce qui deviendra une fête annuelle, celle du Retour aux Sources et invite par l'entremise d'annonces dans les journaux de tous les îlots, du Texas jusqu'à la Nouvelle-Angleterre et à travers le Canada, les gens de souche canadienne-française à venir y assister. La deuxième fête, tenue en juillet 1979, fut annoncée en primeur par ce même gouvernement à l'occasion de la deuxième Conférence annuelle des Franco-américains à Providence, Rhode Island, en mai 1979.

Au mois d'octobre 1979, à l'occasion de la Convention d'orientation nationale des Acadiens organisée par la Société des Acadiens du Nouveau-Brunswick, les congressistes se prononcent en faveur de la création d'une onzième province, un territoire légalement reconnu dans lequel ils ne seraient plus minoritaires. La Nouvelle-Acadie, pourrait-elle jouer un certain rôle face à sa propre diaspora ?

Au Québec, la mode aidant (!), existe un engouement remarquable pour cette Amérique française — des livres, des numéros spéciaux de revues (*Forces*, numéro spécial, n° 43, 1978), des émissions à la radio et à la télévision, des films, des disques, etc. Le chansonnier louisianais Zachary Richard fait fureur, Sylvain Lelièvre chante « Kérouac », le groupe Garolou « Aux Illinois », et Georges Langford « Acadiana »...

Pour ce qui est d'une certaine élite les intentions sont claires et appréciées de part et d'autre. Selon René Lévesque, premier ministre du Québec :

Plus le Québec sera français et sûr de lui, et solide, plus la francophonie nord-américaine s'en ressentira et plus les retombées seront bénéfiques. Toute notre histoire est là pour nous l'enseigner si on veut bien l'écouter un peu.

(Fête du Retour aux Sources, cité dans *La Presse*, 5 juillet 1978)

Selon le défunt Wilfrid Beaulieu, éditeur du *Travailleur*, le dernier journal francophone de la Nouvelle-Angleterre :

Non seulement je ne crains pas que le Québec devienne souverain, mais je m'en réjouis de tout mon coeur. M. Lévesque a bien raison de dire que nous, des minorités francophones aux Etats-Unis ou des provinces maritimes, ou des provinces de l'Ouest, seront d'autant plus forts et capables de nous défendre, que le Québec sera fort et capable de nous aider dans nos luttes.

(Fête du Retour aux Sources, cité dans *Farog Forum*, 1 (6), octobre, 1978).

Finalement, puisque ce phénomène de renaissance ethnique n'est pas limité aux francophones, les autres ethnies suivent de près ce qui arrive au Québec. Les Chicanos surtout, de la Californie et du Sud-ouest américain, n'ignorent pas ce qui arrive au Québec parce qu'eux aussi ont une conscience territoriale, sont catholiques et presqu'inassimilables — en somme une force montante.

Même les tenants du pouvoir au Québec ont une vision historique qui déborde les limites de la francophonie américaine. Un ancien proche conseiller de René Lévesque ne matière référendaire, écrit dans un texte inédit :

> We should all spend the coming months learning to adjust Quebec francophones to the fact that they are just one more territorial majority in North America along with White Americans in the U.S. and English-speaking Canadians in Canada and soon to be joined, perhaps, by the Inuit in the North, Blacks in the Southern Belt, Chicanos in the South West and Indians in their own territories. Quebecers have become a majority, so what!

> (D. Latouche, "Collective and Individual Rights in the New Québec Constitution",
> Manuscrit inédit, 1979).

Ainsi, d'après certains, on reviendra à la notion de l'abbé Casgrain ou presque, où une Amérique anglophone, centralisante et capitaliste, se morcellera dans un continent de petites patries faites à la mesure de l'homme où l'on vivra enfin cette convivialité tant recherchée par Illich et d'autres.

I

Le peuple dit ingouvernable du pays sans bornes : mobilité et identité québécoise

Christian MORISSONNEAU

L'identité québécoise a été maintes fois analysée et l'est encore. C'est qu'elle ne s'appréhende pas facilement car beaucoup mieux saisissable par l'art que par l'analyse rationnelle. Et puis surtout, l'identité fait problème quand il y a crise ou menace, quand elle est mise en question; elle devient alors projet, elle est un construit. Il est évident que s'est bâtie ici une culture américaine singulière mais dont certains aspects ont été niés par les définisseurs de situation qui préféraient des aspects idéaux correspondant à leur projet socio-politique. Nous voudrions, dans ces quelques lignes, montrer que la mobilité mériterait d'être mieux connue car elle est essentielle dans l'explication de la continuité des comportements de ce peuple dit ingouvernable.

LA MOBILITÉ VÉCUE :
UNE IDENTITÉ QUI SE FAIT[1]

L'historiographie de la Nouvelle-France, qu'elle le constate ou le déplore, s'entend pour insister sur le phénomène des déplacements, à l'échelle continentale, d'une proportion élevée de la population[2]. Les gains prodigieux occasionnés par la traite des fourrures expliqueraient ces migrations saisonnières (un an ou deux) des jeunes hommes et leur dédain pour le travail agricole. L'attrait de la fourrure n'explique pas entièrement la mobilité du français en terre américaine; nous le verrons plus loin. Et les historiens nous présentent, à l'envi, les preuves de cet engouement aux répercussions sociales importantes : les remontrances des missionnaires inquiets de la mauvaise influence des trafiquants immoraux qui utilisent l'alcool comme objet de troc; la correspondance embarrssée des administrateurs (gouverneurs et intendants), soucieux officiellement d'implantation et de colonisation, et non de dispersion et de commerce plus ou moins régularisé, mais en même temps intéressés à l'expansion territoriale; les plaintes des seigneurs propriétaires, perplexes devant la quasi-désertion des colons et les lents progrès de l'agriculture dans des lots à peine cultivés. L'historiographie traditionnelle insistait sur les deux composantes essentielles de l'implantation française en terre d'Amérique : l'évangélisation et la colonisation agricole. L'historiographie contemporaine nous présente une colonie avant tout commerciale parce que pratiquement aux mains des compagnies beaucoup plus intéressées aux profits d'une colonie pourvoyeuse qu'au développement autonome de celle-ci et à l'accroissement de sa population. Un point demeure constant : une poignée de Français (70 000 environ, en 1760), peu grossie par l'immigration, se trouve dispersée sur tout un continent, de l'Acadie aux Rocheuses et de la mer d'Hudson à la Louisiane. Un fort noyau est ancré dans la plaine laurentienne; le reste est formé de petits groupes ou d'individus isolés. La mainmise « politique » sur les possessions françaises par l'Angleterre n'arrête pas pour autant la mobilité. La fourrure et l'aventure attirent toujours et les Canadiens français sont reconnus comme les meilleurs traiteurs par leur longue familiarité avec le milieu physique et avec les Amérindiens. Il se pourrait même que ces Canadiens aient été les premiers Occidentaux à pratiquer la guérilla, cette stratégie de coups de mains guerriers, demandant une bonne connaissance de l'environnement, une grande mobilité et le rejet du lourd encadrement de l'armée régulière.

Les Pays d'en Haut, très tôt, ont été auréolés de mystère et de fascination : c'était le pays de l'aventure, de la vie libre, du gain rapide et abondant; le Canadien en rêvait comme d'une région qui le libérerait des routines de la sédentarité, des contraintes sociales et qui l'enrichirait rapidement. Une région vierge était à la porte, ce que l'Europe occidentale ne connaissait plus depuis le Moyen Âge, époque des grands défrichements. Elle devint le lieu privilégié pour le rite de passage du jeune *Homo canadiensis*. L'« homme véritable » empruntait beaucoup à un passé garant de sa liberté, de son esprit d'indépendance, de sa débrouillardise, de son originalité : celui du coureur de bois qu'il avait été. Ce capital, sans cesse enrichi par les récits et les souvenirs, accroissait le mérite du porteur. Absorbés par une nouvelle vie plus attirante, certains coureurs de bois adoptèrent pour toujours les Pays d'en Haut : la légende s'empara d'eux. L'histoire ferait connaître ces nouveaux « sauvages ». Le coureur de bois fait partie de l'héritage héroïque et mythologique de la culture canadienne-française.

Près de lui, et lui succédant dans ce panthéon des héros anonymes, apparaissent deux autres types d'hommes aventureux que seul un pays neuf pouvait engendrer, images humaines de nouveaux rapports économiques : le Voyageur et l'Homme de chantier (bûcheron et draveur).

La régénération par la fuite dans la nature, dans la « sauvagerie », fait partie d'une imagerie fort ancienne de la pensée occidentale qui séparait la culture et la nature en deux systèmes clos et irréconciliables. En Nouvelle-France, le coureur de bois trahissait cette polarité transmise depuis des siècles par les normes des classes dirigeantes et obligatoirement acceptée, puisque fondement d'un type de société ayant transformé l'homme sauvage en homme domestique[3]. Il n'y avait rien de nouveau sous le soleil, puisque cette séparation datait de la révolution néolithique, avec la naissance des villes et la division du travail. Le coureur de bois jetait dans le Grand Fleuve sa défroque d'homme civilisé et s'habillait de neuf en s'habillant sauvage[4]. La forêt et l'Indien, la nature et la vie primitive transformaient l'individu en un homme nouveau (donc signifiant une régression de la culture à la nature), ayant troqué les valeurs de la société hiérarchique pour celles d'une société égalitaire sinon libertaire. La « licence des moeurs » qui offusquait les missionnaires et à laquelle s'abandonnaient les trafiquants blancs n'est vraiment pas le trait le plus éminent de la vie sauvage. Cette « licence » institutionnalisée pouvait surprendre et séduire le sujet subalterne d'une civilisation qui faisait du travail la valeur suprême et du plaisir une faute tout en le réservant à l'élite du pouvoir. Mais le plus important des traits culturels rencontrés, et le plus dangereux, parce que le plus éloigné des conceptions sociales de l'Occident, était l'égalitarisme apparent des tribus indiennes. Le coureur de bois se rendait trafiquer dans ces collectivités, et souvent y prenait compagne, adoptant la plupart des coutumes ou se fixant définitivement dans une vie nouvelle, sans les contraintes de sa société[5]. On comprend les relations ambiguës, fermes puis plus tolérantes, des dirigeants de la Nouvelle-France avec un tel type d'homme, facteur d'expansion, intermédiaire obligé entre l'Indien et la compagnie commerciale, et en même temps contestataire des valeurs fondamentales.

La colonie naissante eut tôt à faire face au problème de la mobilité sinon du nomadisme de sa population. Les immigrants, en effet, dans leur très grande majorité, n'étaient ni artisans ni cultivateurs. La plupart étaient des manoeuvres et des journaliers; d'autres d'anciens soldats demeurés au pays. On comprend mieux la remarque de l'intendant Hocquart : « Le Canadien n'aime pas le travail de durée et qui attache ». L'historien Hamelin trouve l'explication « non seulement dans l'origine de la population canadienne, mais dans l'influence d'un milieu qui favorisait ses tendances héréditaires »[6].

Il a pu se développer au Canada français une tradition anti-autoritariste dirigée contre le pouvoir temporel et même celui, spirituel, du clergé, propagée par ces aventuriers, coureurs de bois et voyageurs, que le clergé, garant du pouvoir temporel en ce pays, fit tout ce qu'il put pour contrer, par le contrôle direct et idéologique. Il n'y réussit qu'en partie. Une culture nouvelle naissait en terre d'Amérique[7]. Après la Conquête, le clergé fut même sur la défensive, des paroissiens refusant de payer la dîme et certains s'abstenant de la messe et des sacrements. Le vent anti-autoritariste soufflait sur les paroisses; l'esprit du coureur de bois, un instant, triompha de l'autorité cléricale. Mgr Lartigue devait s'en souvenir lorsqu'éclatèrent les troubles de 1837. Cette fois, le peuple indiscipliné saurait trouver la voie de la raison. Le « pacte » entre le conquérant et le clergé en sortit renforcé. Le nationalisme deviendrait l'apanage du seul groupe clérical qui lui donnerait sa définition et son orientation.

La liberté de chasser sur tout un territoire, dans des forêts giboyeuses non contrôlées par quelque seigneur, est un trait important du nouveau genre de vie. Cette Amérique permet la chasse : elle permet le libre mouvement dans la nature et la consommation de la viande en quantité. Tout le monde peut être « braconnier », ou plutôt la notion n'existe même plus.

Plusieurs Frontières s'établirent ainsi dans l'espace-temps canadien-français : celle du coureur de bois, du voyageur, du forestier et celle du défricheur. On remarque facilement une continuité dans le type d'homme façonné dans cet environnement géo-culturel, dans un même espace, mais exploité différemment selon l'époque, l'espace étant le temps inscrit dans le monde de l'homme historique.

En se rappelant que les représentants des premières Frontières étaient le coureur de bois et le voyageur, sans oublier que le forestier coexiste souvent avec le défricheur, ou que ces deux types cohabitent chez le même homme, nous insisterons maintenant sur le type idéal ou mieux, idéalisé de la Frontière québécoise. En effet, hiérarchiquement, juste aux côtés du prêtre, se place le défricheur (ou colon); c'est avec la croix et la charrue que l'on conquiert le territoire neuf, qu'on s'y implante et qu'on y assure la pérennité de la « race ». Nous retrouvons la filiation entre l'opposition nature-culture et l'opposition défricheur-habitant (et ouvrier). Le clergé, qui s'inquiétait de l'influence néfaste du coureur de bois sur la société canadienne naissante, appréhendait pareillement les dangers de la vie des camps forestiers. Mgr Bourget, très vite alarmé par les grands foyers d'« indomestication » que ces camps représentaient dans la vallée de l'Outaouais, voulait dépêcher force missionnaires au milieu d'eux, et manquant de bras, appela le renfort des Oblats qui ouvrirent des missions spécialement consacrées aux chantiers. Au Québec, les remises en question sociales sont presque toujours venues de certains groupes de la population plus que d'intellectuels isolés, en opposition ou révolte contre une société contraignante. Arthur Buies demeure le seul exemple, au XIXe siècle, d'un littéraire féroce et ironique, critique des institutions; il finit par se « convertir » aux valeurs dominantes et devint le propagandiste que l'on sait.

On peut avancer que la tradition anti-étatiste et anti-autoritariste provient en grande partie de l'influence de ces hommes anonymes qui n'ont pas écrit une ligne, ni beaucoup discouru, en rupture de civilisation pendant une longue partie de leur vie.

Pour un représentant des classes subalternes d'Europe, la liberté des moeurs, si impressionnante qu'elle soit, ne peut peser plus que l'égalitarisme social, dans ce monde sauvage sans aristocrates, gardiens des titres de propriété, sans clergé menaçant du feu de l'enfer tout contrevenant de l'ordre établi.

L'explication d'un homme nouveau en Nouvelle-France réside certes dans un espace immense, sans confinement, permettant une grande liberté de mouvement et un rapport à la terre singulier : elle se retrouve aussi dans le contact avec l'Indien. Cette dernière explication, pourtant plus pertinente, est absente dans l'hypothèse de Turner, sur la Frontière américaine et pour cause. Les relations entre les pionniers américains et les Indiens semblent avoir été le plus souvent conflictuelles. Cette différence ou antagonisme entre les deux univers culturels, pratiquement absent dans l'univers canadien-français, distingue déjà l'homme américain de la Frontière du Québécois de la forêt. Importance fondamentale déjà entrevue mais qu'il nous faut rappeler, d'autant plus que la vie partagée avec l'Indien et le métissage relativement fréquent ont marqué la culture québécoise. On peut opposer les images du Long Sault et de Lachine, mais précisément c'était en temps de guerre contre un seul groupe et l'imagerie grossissant l'ennemi indien et sa barbarie fait partie d'un héritage construit tout comme celui de l'atavisme paysan du Québécois. Cette culture nouvelle ajoute aux valeurs dominantes orthodoxes, un courant hétérodoxe, en contradiction apparente, coexistant toujours, à la fois dans la société et dans le vécu quotidien.

Le courant hétérodoxe a été entretenu par les hommes de la forêt. En effet, la Nouvelle-France, de l'Acadie au Mississippi et de Québec aux Grands Lacs, est d'abord une immense forêt, depuis le trafiquant de fourrure jusqu'à l'ouvreur d'abattis. La part nomade a été exploitée par la littérature québécoise en moindre quantité que la part sédentaire (il s'agissait là surtout d'oeuvre de propagande), mais les types créés demeurent dans la conscience populaire comme auréolés du même mystère que celui de la forêt d'où ils viennent et où ils retournent le plus souvent. Le Survenant, une création littéraire, est entré dans le langage courant. Il pourrait être un homme de chantier ou défricheur, peu importe, il est l'homme que la forêt a fait naître ou plutôt régénéré, qu'elle a transformé, a ensauvagé, a rendu nomade. Le défricheur, qu'on nous a tant de fois représenté dans le roman rural québécois comme le héros stoïque de la colonisation, comme celui qui s'installe, se fixe à la terre, se « sédentarise » en devenant « habitant », appartient fondamentalement à la galerie nomade et doit être enlevé du portrait de famille agricole. L'agriculture est faite pour et par le sédentaire. La terre comme l'usine attache l'homme; le vagabond se détourne des deux entraves. Il s'enfonce dans le bois ou il erre sur la route et sur le rail. Le défricheur ne monte pas dans le Nord « faire de la Terre ». Sans qu'il le sache, coule en ses veines le même sang que celui du coureur de bois, son aïeul, et si ce n'est pas par atavisme qu'il s'attaque à la forêt, c'est que les veillées de sa jeunesse s'illuminent des histoires et « menteries » sur la vie libre et aventureuse de celui qui part. Très tôt, dans sa vie, le jeune rural entend exprimer par les anciens, avec la même foi sinon la même intensité, l'attachement à la terre et l'attirance du départ; on lui offre deux modes de vie institutionnalisés dans le rapport homme/nature et non vus comme antagonistes, qu'on accorde souvent selon les saisons : l'hiver le chantier et l'été la ferme. C'était faire la part à deux tendances fondamentales qui avaient divisé autrefois les peuples en nomades et sédentaires et que l'homme québécois pouvait satisfaire de façon saisonnière. Celui-ci ne devint jamais (ou en très petit nombre) l'homme du terroir que l'Europe, l'Extrême-Orient ou l'Afrique connaissent. La terre ne fut occupée que superficiellement. L'homme abandonna à la femme le jardin. Le Français jardinier n'a pas fait souche en terre nouvelle. L'île d'Orléans, elle-même, symbole de l'appartenance et lieu consacré du monde paysan, a entretenu jusqu'à la fin du XIXe siècle, plus de liens avec le fleuve et la mer qu'avec la terre (marins, pilotes, pêcheurs). Ici la mer, là-bas le bois, le nomade ne se fait pas terrien.

Les ressources, en général éloignées du foyer de peuplement, ont permis ou obligé et entretenu cette tradition de mobilité, avec l'émergence d'activités et de personnages nouveaux, images de rapports économiques nouveaux : à la fourrure, le bois, les facteries, les lots de colonisation, les grands chantiers, s'associent des hommes obligés de « mouver » : le coureur de bois, le voyageur, le bûcheron, le « coureux de facteries », le colon, le « gars de chantier ». Ne s'implante donc pas au Canada français une tradition de sédentarité aussi vivace que celle de mobilité : la continuité socio-économique québécoise est plutôt la rupture, par la présence même de ces types d'activité économique successifs qui provoquent les migrations. Il n'est pas besoin de faire appel au goût de l'aventure, c'est-à-dire à un trait psychologique, pour expliquer ce nomadisme mais les conjonctures sociales et économiques depuis trois siècles suffisent à le déterminer. Il était nécessaire, il est maintenant dans la culture.

LA MOBILITÉ NIÉE :
UNE IDENTITÉ CONSTRUITE

Mais les Québécois ne sont pas tout à fait peuple de l'espace. Ils ne l'occupent pas, ils le parcourent. Ils sont peuple de passage non de l'enracinement. Il nous faut ici distinguer entre le peuple et l'élite : un peuple en mouvance et une élite qui la nie. Nous entendons par élite, les définisseurs de situation, les donneurs de sens, les gardiens de la culture. Au XIXᵉ siècle, ce rôle fut tenu de façon exemplaire par les membres du clergé et quelques notables de la plume et du discours, en général représentants de la petite bourgeoisie besogneuse, sur la route du pouvoir encore encombrée par les clercs et les « conquérants » anglais. La mobilité est autant une continuité dans sa manifestation que dans sa négation. On s'inventa un peuple enraciné, un peuple de la terre. L'identité paysanne fut davantage un projet qu'une réalité tirée de l'observation[8]. La fin du XVIIIᵉ et le début du XIXᵉ siècles connurent quelques noyaux géographiques où émergeait une paysannerie. L'économie marchande allait balayer ce monde en gestation. La culture de mobilité, de toutes façons, a modelé davantage les comportements que celle de sédentarité. À moins que de ces deux cultures opposées soit née la contradiction québécoise elle-même que l'élite tente d'assumer et qui rend ce peuple « ingouvernable ».

Au XIXᵉ siècle, la mobilité se poursuit et avec les années 1840 le contexte devient drame : la mouvance individuelle et temporaire devient départ familial et définitif à partir des terres indivises et surpeuplées à la fois. L'industrialisation, par le capitalisme sauvage, commence ses beaux jours en Nouvelle-Angleterre avec l'implantation de l'industrie du textile : les manufactures remplacent la forêt, l'homme des bois s'enferme dans le bruit et la poussière de l'usine. Les « coureurs de facteries » demeurent fixés, pour un temps plus ou moins long, dans les petites maisons toutes semblables dans des rues semblables près des semblables manufactures, dans un paysage sans plus d'arbre qu'un désert de pierre. Au même temps l'élite, qui connaît le message paternaliste de Lord Durham, s'inquiète. C'est que Lord Durham souhaite et propose, pour le bien-être de la collectivité canadienne, l'assimilation au groupe anglais qui seul saura lui faire partager les bienfaits du progrès, la faire entrer dans l'histoire d'abord, dans le bon sens ensuite. La sentence durhamienne « Ce peuple n'a pas d'histoire » doit se traduire par « ce peuple n'est pas dans l'Histoire ». Ici l'aristocrate libéral rejoint les bourgeois révolutionnaires Marx et Engels lorsqu'ils parlent des minorités nationales qui disparaîtront, encombrantes, a-historiques, « poussières de l'histoire »...

L'élite québécoise ne put faire le front commun que les chercheurs critiques actuels s'imaginent qu'elle fit. Certains de ses membres, justement à cause de l'assimilation menaçante, continuèrent d'emboucher la trompette expansionniste. En continuant de se répandre, on élargira le foyer initial laurentien aux États-Unis, et la Nouvelle-Angleterre ne sera qu'un Québec d'En Bas. La majorité, cependant, mit de côté ses visées territoriales étrangères, et songea plutôt à canaliser la mouvance qu'à la laisser se disperser. Elle nia la mobilité du peuple même si elle aidait ses desseins géopolitiques. Elle s'en servit sans la reconnaître. Et il y eut entente à valoriser l'unité d'un lieu social et culturel : la paroisse. Le curé Labelle tout comme l'agent recruteur du Massachusetts exaltèrent cette structure religieuse, qui pouvait arrêter les nomades dans leur errance et les attacher à un coin de pays catholicisé par le fait même qu'il était paroisse. C'est que la paroisse tissait le lien invisible mais qui devait être tenace d'un pouvoir spirituel et aussi temporel. La catholicité non seulement serait sauvée mais élargirait son domaine territorial. Le prêtre est certes gardien des valeurs, son définisseur et son porte-parole, mais aussi véritable chef temporel par un pouvoir sans cesse élargi au sein du groupe identifié par le nom du saint patron de l'église.

Un des drames québécois du XIXe siècle s'esquisse dans le double problème qui n'en devint rapidement qu'un seul : la menace de l'assimilation telle que perçue par l'élite et la mouvance du peuple. Les ressources (les manufactures) étaient encore lointaines et pouvaient attirer les candidats permanents au départ. L'assimilation commencée le long du Saint-Laurent s'élargissait alors de celle d'outre-frontières.

Le paysage laurentien, du moins les villes petites et grandes, prend forme étrangère, les manufactures et les grands commerces sont signalés par leur nom anglais. L'employé canadien-français travaille pour l'étranger dans des structures visibles qui occupent l'espace. Cet espace est effectivement occupé et signifié par l'Autre, et de plus en plus. Le Canadien voit littéralement son espace dominé par l'Anglais : il habite des quartiers souvent aménagés par son patron industriel anglophone. Le paysage urbain lentement s'acculture et prend signification anglaise. L'Estrie, par exemple, est divisée en cantons, et la nature, d'abord occupée par les loyalistes et autres grands propriétaires, est aménagée, donc signifiée à l'anglo-saxonne. Il ne reste que l'étroit ruban laurentien à demeurer signe de la présence française et catholique, mais les villes perdent de plus en plus leur homogénéité d'antan. Et le territoire rural commence à se vider de ses habitants, partis dans toutes les directions américaines.

LA DÉCOLONISATION MANQUÉE[9]

L'élite divisée entre expansionnistes extérieurs et expansionnistes intérieurs, tous atteints de la même nostalgie du continent perdu (Amérique française), inventa la stratégie de colonisation, stratégie avant tout géo-politique, qui a sans doute servi l'expansion du capital dans les régions périphériques mais à laquelle on ne peut la réduire[10]. Elle visait, entre autres, à canaliser la mobilité du peuple, à le rendre sédentaire, peut-être comme réservoir de main-d'oeuvre, sûrement pour le garder dans l'État-nation qui se construisait par l'élargissement des frontières intérieures et les significations qu'on lui donnait. Le mythe qu'on a construit est une parole chaude qui donne du sens (direction et signification), qui donne espérance, qui donne valeur à un territoire « neuf » vu comme répulsif pour l'occupation permanente. Le Nord est rapidement devenu pour une large fraction des leaders colonisateurs et discoureurs, la région d'élection de ce mouvement de conquête. À la même époque, au moins deux groupes socio-religieux dans le monde connaissaient la même menace dans leur identité (que cette menace fut réelle ou pas, importe peu), et réagissaient en suivant les mêmes voix de l'imaginaire : les Boers inquiets devant l'impérialisme britannique en Afrique du Sud, et les Mormons persécutés aux États-Unis; les deux groupes s'enfoncèrent dans la « sauvagerie » vers la Terre promise, ainsi que le prêchaient leurs leaders religieux.

Au Québec, la parole mythique n'est pas qu'agriculturiste : la Terre promise c'est avant tout une terre « neuve » à occuper par l'ethnie pour qu'elle se conserve et s'y fortifie : le territoire laurentien est trop exposé à l'arrivée des migrants anglophones, et au développement du capitalisme industriel sous la seule égide étrangère. Le territoire neuf colonisé sera occupé et développé intégralement par les indigènes. Ceux-ci seront des hommes libres, car propriétaires terriens, et la terre rend libre. Il n'y a pas que les radicaux du temps, les Rouges, à s'inspirer des idées américaines. L'abbé Provost qui ouvre la Mattawinie en 1862, connaît l'Américain Jefferson et son idéologie agrarienne[11]. Pour lui, les Canadiens français doivent s'attacher à leur terre, ils doivent apprendre que la liberté véritable n'est pas celle du mouvement dans l'espace, donc de leur nomadisme, mais de la propriété du sol, qui dégage du pouvoir d'un seigneur ou d'un patron d'usine. La course des bois et plus tard la course des « facteries » n'est pas le fait de l'homme libre. Elle est le fait d'un homme de la nécessité. Seul le propriétaire terrien décide par lui-même et peut exercer un véritable rôle politique dans une démocratie naissante. Il a quelque chose à perdre... Il n'est pas le détaché du sol qui habite (si peu) les rives du Saint-Laurent. Les notables refusèrent l'américanité géographique et culturelle pour le peuple en même temps que certains s'inspiraient, de façon ambiguë, de l'idéologie agrarienne des hommes politiques américains et de la pratique des hommes d'affaires pour un développement intégral.

Toutes proportions gardées, le clergé colonisateur poursuit le même projet que le clergé évangélisateur du Régime français, qui a toujours essayé d'« arrêter » et d'encadrer les Indiens nomades en créant des réserves. L'ouverture des régions neuves se fit selon le modèle structurel agricole de la paroisse et du rang car il fallait, comme première étape, fixer les gens sur le sol et qu'ils assurent leur subsistance. Ce défi ressenti comme tel par les leaders colonisateurs fut de mettre forme pérenne signifiante à un espace neuf seulement parcouru, qui risquait d'être occupé et développé par l'Anglais toujours plus puissant économiquement et toujours plus impérialiste.

Mais cet espace neuf ne fut que ponctuellement approprié par les représentants de l'ethnie canadienne-française. La forêt fut concédée aux compagnies anglo-saxonnes et les chutes d'eau harnachées par d'autres compagnies aussi étrangères; suivirent les usines et les manufactures, aux cheminées et chevalets bien visibles, créatrices de quartiers et même de villes entières aux rues rectilignes où s'entassaient les nouveaux prolétaires dociles, petits-fils des coureurs de bois maintenant sédentaires dans la ville, lieu du monde bourgeois (peut-être le seul vrai nomade !).

L'espace du « vieux peuplé » était disputé et devenait le lieu de l'assimilation; l'espace « neuf » ne se laissa pas plus approprier matériellement. Les colons ne devinrent pas les agriculteurs qu'on attendait d'eux. Ils « mouvèrent » encore. Les Québécois donnèrent la preuve à travers la colonisation qu'ils n'étaient pas maîtres de l'espace. L'Anglais en fit l'appropriation matérielle, c'est-à-dire formelle. Le Canadien français se l'appropria symboliquement. Les cantons nouvellement ouverts, quand ils le furent par des arpenteurs pressés par les leaders francophones, reçurent une avalanche de noms français : l'Abitibi, fraîchement cantonnée, fut baptisée de noms de régiments et d'officiers de la Nouvelle-France. La toponymie est véritablement prise de possession symbolique : le nom renvoie à son inventeur et à sa culture. Le nombre des hagionymes dans notre toponymie signifie conquête du sol par le groupe français et catholique. Le référentiel britannique des noms de lieux des Cantons de l'Est rappelle la conquête passée des anglophones. Les églises que les missionnaires-colonisateurs s'empressèrent de bâtir, en général sur le point culminant de la paroisse, sont davantage des marques dans le temps que dans l'espace. Les croix de chemin et les clochers balisent en effet notre enracinement et notre permanence dans l'histoire à défaut qu'ils le soient dans l'espace. L'abbé Groulx, un des définisseurs de l'ethnie et constructeurs d'identité, ne pouvait pas mieux caractériser cette appropriation de la durée qu'il traduisait sans doute en véritable occupation matérielle de l'espace : « Ce qui nous distingue ou nous particularise... Ce qui est à nous, exclusivement à nous, c'est cette chevauchée spirituelle, cette théorie de croix latines dont nous avons marqué partout notre occupation du sol, théorie de clochers avec des répliques de toute sorte, aux carrefours des routes... et parfois jusqu'au front de nos montagnes » (*Nos responsabilités intellectuelles*, Secrétariat de l'A.C.J.C., 1928, p. 39). Les signes formels de l'appropriation économique, dans les mêmes limites paroissiales, sont, à tout le moins, le chantier où des *foremen* ou des commis parlent anglais et souvent la « shop », la facterie, la mine, le moulin qui portent raison sociale anglaise et *boss* anglophones. Pour parler autrement, les signes de l'économique sont étrangers; demeurent les signes de la culture que l'Anglais — inconséquemment — abandonna au peuple conquis : la foi, signifiée par les églises et la langue par les écoles, si modestes fussent-elles. Le drame qui se joue dans l'espace québécois est bien celui-ci : il est matériellement c'est-à-dire formellement à l'Anglais.

En Abitibi — c'est là le véritable échec du développement de ce deuxième Nord québécois plus que l'agriculture en crise — le paysage témoigne des appartenances symboliques et matérielles : d'un côté le clocher, de l'autre le *shaft* de la mine. Ce monde fondamentalement divisé est visible : le Québécois qui l'habite ne peut pas ne pas ressentir ce déchirement. Il n'est pas chez lui : il est de passage. La tradition de mobilité accentue ce divorce et en même temps le relativise. Qu'importe au nomade que l'espace ne lui appartienne pas : la mouvance possible lui suffit. Une des significations profondes de l'histoire québécoise tient dans cet énoncé.

Le lieu par excellence où le Québécois s'est fixé n'est pas un point dans l'espace. On a trop écrit sur la paroisse : l'homme d'ici n'avait pas beaucoup plus de conscience frontalière que de conscience paroissiale. Le véritable lieu de la durée est davantage temporel que spatial : c'est la famille. La parenté (la famille étendue), dispersée sur le continent et non confinée à la vallée laurentienne, accueille le nomade de la famille, d'où qu'il vienne. Parallèlement à la structure d'accueil paroissiale élevée par les prêtres soucieux de pérennité spirituelle et temporelle, s'édifie cette structure biosociale qui perdure. C'est elle qui constitue le véritable réseau de migration, intégrant l'individu où qu'il allât, invitation à partir sans dépaysement trop grand car on demeure en famille, c'est-à-dire entre soi, même chez les autres. Hier, la famille, aujourd'hui davantage la « gang », c'est toujours un même groupe qui partage des significations et des symboles communs. C'est que la « gang » est rassurante parce qu'homogène. C'est elle qui constitue le véritable petit pays, le pays mobile, celui qui fonde la solidarité (ancrage dans l'histoire, si faible soit-il), et nie la géographie. Ainsi le peuple gardait son identité, dans son instabilité même.

UN PEUPLE SANS FRONTIÈRES

La mobilité évitait l'assimilation en terre étrangère et la stratégie cléricale de sédentarisation par la paroisse n'a pas été une réussite dans le combat pour la survivance à l'extérieur des frontières. Ce sont les marginaux ruraux, ceux qui vivaient à l'écart des quartiers urbains qui évitaient l'anglicisation, alors que le curé continuait de prêcher le rassemblement autour de l'église dans la ville anglo-saxonne. La paroisse, relative réussite cléricale dans le monde rural, a échoué à préserver le groupe ethnique de l'assimilation dans les villes. L'héritage des déplacements continentaux de nos ancêtres rejette les points cardinaux en dehors des limites québécoises. S'agit-il d'un pays qui n'existe pas, qui n'existe plus ? Ceci, de toutes façons, n'a pas de sens pour un peuple sans frontières. Le Sud, qui signifiait la ville et l'usine de la Nouvelle-Angleterre, signifie maintenant la Floride et le soleil, donc jamais un Sud québécois (ou toujours un Sud à devenir québécois). L'Ouest signifie encore les Prairies, la Colombie-Britannique ou la Californie : il est tout aussi hors de notre territoire. Où est l'Est ? Il reste le Nord, où effectivement l'élite a mis du sens, et où les notables de la politique en mettent encore avec la même parole mythique. En se donnant un lieu évacuateur des tensions socio-économiques, c'est du même anti-mythe du Sud qu'il s'agit. Le nomade, obligé ou volontaire, part toujours : hier vers les Petits Canada de Woonsocket ou de Manchester, aujourd'hui vers les Petits Québec de Miami. Le Québec, avec son peuple mouvant, est assurément un pays sans bon sens, il est tout autant un pays sans bornes, un pays « invisible ». La tradition nomade populaire empêche l'émergence d'une conscience territoriale affirmée. Le projet de souveraineté-association a peut-être souffert de cette méconnaissance de l'identité québécoise. On ne peut parler de borner à de nouvelles frontières étatiques un peuple qui a toujours ignoré les anciennes. Appeler les gens des Québécois au lieu de Canadiens ne leur donne pas plus le sens de la territorialité « québécoise », mais il permet

Figure 1

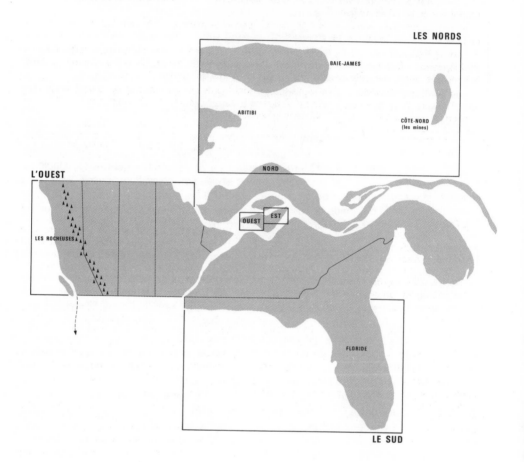

L'ESPACE DES QUÉBÉCOIS

L'ESPACE DES QUÉBÉCOIS

Le Nord. Il s'agit d'un espace cardinal multiple. Il n'y a pas un seul lieu où ce point cardinal donne sens, mais au moins quatre, selon celui qui en parle.

1) *Le Nord de Montréal.* Les Montréalais, à la fin du XIXe siècle, avaient le Nord sauvage à leur porte, plus exactement à Saint-Jérôme. Le curé Labelle et son prosélytisme aidant, le Nord allait être celui de Montréal. Pour les gens de la métropole, aller dans le Nord c'est encore aller à Sainte-Adèle ou au Mont-Tremblant.

2) *L'Abitibi-Témiscamingue.* « Aimez-vous ça le Nord ? », demandent les gens de Rouyn ou de La Sarre à ceux qui les visitent.

3) *L'arrière-pays minier de la Côte-Nord.* Les villes minières sont dans le Nord, pas les gens de la côte qui, eux, regardent vers le mer.

4) *La Baie-James.* Il ne s'agit pas de la Baie de James mais de la région qu'on ouvre au développement hydroélectrique et où travaillent des milliers d'hommes. C'est le quatrième Nord dans le temps, le dernier-né, celui dont on est le plus fier parce qu'il promet le plus...

Le Nord est équivoque. Ses significations sont lourdes et les notables de la politique le répètent. Toujours Terre promise, il est la direction et le lieu privilégiés du développement et de l'appropriation fragile d'un territoire national dans la construction de l'État.

L'Ouest. Le consensus populaire se fait, comme pour le Sud, sur un vague et immense espace fort éloigné des frontières de l'État. Pour tous, il s'agit des Prairies et des Rocheuses, donc au Canada, dans les Provinces dites de l'Ouest. Pour certains, cet espace cardinal s'élargit à la Californie qui a toujours attiré le peuple mouvant au moins depuis la ruée vers l'or en 1848.

Pour les Montréalais, l'Ouest, c'est la partie bourgeoise et anglophone : le West Island. Certains le perçoivent comme l'espace du dominant ou du possédant, opposé à l'Est, espace du dominé ou du prolétaire. Les Montréalais possèdent ainsi leurs espaces cardinaux, qu'ils imposent au reste du Québec. Ils leur donnent des significations qui se veulent celles d'un microcosme québécois.

L'Est. Pas d'Est au Québec ou seulement pour les technobureaucrates qui planifient un soi-disant Est du Québec auquel rien ni personne ne s'identifie si ce n'est leurs projets étatiques.

Il est vrai qu'on vient toujours de l'Est et qu'on va vers l'Ouest (le mythe fondamental de l'Occident). L'Est signifierait-il, pour les Québécois, l'Ancien pays qu'on veut oublier (la preuve par l'absurde : le slogan de la province : Je me souviens) ? L'Est qui a abandonné ses enfants français, serait-il repoussé, à son tour, par ses rejetons américains qui regardent, depuis plus de deux siècles, vers l'Ouest ?

Si l'Est émerge quelque jour dans la conscience québécoise, il sera un espace cardinal extra-étatique : il signifiera la quête des racines, la nostalgie des origines européennes, peut-être une régression nourrissante, sûrement un refus de l'américanité. Cet Est ne sera pas populaire.

Il est un Est dont on nous parle beaucoup, c'est celui de Montréal auquel des Montréalais donnent une intense connotation populiste. À l'Est du boulevard Saint-Laurent, commence le Québec du peuple des travailleurs urbains, francophones et joualisants. Cet Est devient l'espace où habite le « monde » représentatif du Québec actuel, aliéné jusque dans sa langue. Il signifie recherche d'une identité québécoise *hic et nunc*.

Le Sud. Le consensus populaire se fait sur une région à l'extérieur des frontières étatiques : Miami et la Floride. Le Mexique deviendra peut-être une extension de cet espace cardinal, ce sud là sera, pour longtemps encore, celui d'une élite. Il signifiera la latinité retrouvée.

Pas de Sud au Québec. Il est vrai qu'on l'appelle Cantons de l'Est, où il est démontré qu'on a été géographié par les autres, c'est-à-dire par le Haut-Canada du XIXe siècle.

à une nouvelle classe socio-politique, la technocratie, de renforcer son pouvoir à travers l'autorité et les contrôles sans cesse accrus de l'État. Il renforce la légitimité de la construction de l'État-Nation. Ce peuple ne confond pas la durée avec l'enracinement. En d'autres mots, l'espace-temps populaire n'est pas celui des idéologues. Il ne se confond pas avec celui des politiciens, les nationalistes et les autres. Il n'est pas davantage celui des géographes : les cartes ne le représentent pas et ne peuvent le faire. Il est celui du déplacement, du rythme, donc de la durée. Et cette durée doit se comprendre plus musicalement qu'architecturalement.

Les insuccès des groupes de gauche à politiser et à mobiliser les classes ouvrières s'expliquent en partie par l'existence, en tout temps, quelque part, d'un espace (en campagne ou en ville), vers où partir, recommencer, échapper à la contrainte du moment (le patron, les conditions de travail, la « job qui fait pas », le logement trop petit/trop grand). La colonisation des années de crises (les années 1930) avait permis la paix sociale, par le déversement d'urbains sans travail dans les terres neuves. Mais, individuellement, les départs s'étaient toujours faits, et individuellement, beaucoup de mécontents au lieu de déboucher sur un engagement politique visant à un changement social, se contentaient de « mouver » d'un quartier à l'autre, du rang à la ville, de la « facterie » au lot neuf, ou de la ville à une autre ville quand les conditions objectives/subjectives de la vie quotidienne devenaient critiques ou conflictuelles. Nous ne disons pas que tous participaient de cet esprit mais que le départ (la fuite) pouvait toujours être une des formes de la contestation socio-politique. Les idéologues du XIXe siècle qui s'inquiétaient des désordres sociaux que pouvait engendrer l'entassement, dans les villes industrielles, des masses laborieuses exploitées, avaient tort de s'inquiéter et surtout de vouloir régler le problème de la prolétarisation urbaine en terme de conquête agricole. Depuis trois siècles, au Québec, les hommes peuvent partir, ou pensent pouvoir partir, vers un ailleurs, mais cet ailleurs n'est pas une construction politique idéale, il est en un lieu qu'on peut toujours atteindre et abandonner. Le nomade n'est pas plus intéressé aux utopies radicales, espaces-temps qui n'existent pas, qu'aux nostalgies réactionnaires, espace-temps qui n'ont jamais existé.

La culture profonde des Québécois les prépare-t-elle, les engage-t-elle, avec facilité, dans la culture du capitalisme ? Le peuple d'ici, peu conservateur, adaptatif, à l'aise dans le changement précisément parce que mobile, ajouterait-il à sa propre mobilité, maintenant beaucoup plus discrète, celle des biens de consommation et même des signes et symboles toujours renouvelés ? On serait passé de l'homme mouvant à l'homme consommateur ?

NOTES

[1] Cette première partie de l'étude s'inspire de notre livre *La Terre promise : le mythe du Nord québécois*, Montréal, HMH, Hurtubise, 1978.

[2] Voir, pour l'importance économique et sociale de la mobilité du Français en Amérique, E. Salone, *La colonisation de la Nouvelle-France*, Trois-Rivières, Le Boréal Express, 1970, 1re éd., 1905. G. Frégault, *La civilisation de la Nouvelle-France, 1713-1744*, Montréal, Fides, 1969. J. Hamelin, *Économie et société en Nouvelle-France*. Québec, Les Presses de l'Université Laval, 1960. R.M. Saunders, The emergence of the Coureurs de bois as a social type, *Canadian Historical Association Annual Report*, p. 22-23, 1939. Aussi le travail fondamental de Louise Dechêne, *Habitants et marchands de Montréal au XVIIe siècle*, Montréal, Plon, 1974. Pour Salone, Frégault et Hamelin, l'explication de cette mobilité réside dans la population migrante elle-même, où il n'y avait pratiquement pas d'agriculteurs ni de véritables artisans, donc pas de tradition sédentaire.
Voir aussi, malgré un certain manque de perspective, pour l'ampleur du nomadisme continental : BROUILLETTE, Benoît (1979) *La pénétration du continent américain par les Canadiens français*, Montréal, Fides, 1re éd., 1939.

[3] Nous empruntons à S. Moscovici, la traduction originale « sauvage-domestique » de l'opposition « nature-culture » dans son livre *Hommes domestiques et hommes sauvages*. Paris, Union générale d'éditions, 1974.

[4] Notons l'étymologie intéressante du mot « sauvage ». Il vient du bas latin *Salvaticus*, altération du latin *silvaticus* (de *silva*, forêt). (A. Dauzat et *alii, Nouveau dictionnaire étymologique et historique*, Paris, Larousse, 1970). Ainsi l'homme sauvage est l'homme des bois. Il y a une relation linguistique qui en dit long, reprenant l'opposition nature-culture, et qui la fixe dans la conscience linguistique du sujet parlant. L'homme des bois est, sans appel, l'ennemi de la civilisation (sous-entendre de l'ordre établi).

[5] On appelait « hommes libres », ce qui paraît significatif, les hommes qui ne revenaient pas à la civilisation...

[6] HAMELIN, Jean, *op. cit.*, p. 107 (voir note 2).

[7] Si l'on se réfère au père Charlevoix, parlant des « créoles du Canada » : « La légèreté, l'aversion du travail assidu et réglé et l'esprit d'indépendance en ont fait sortir un grand nombre de jeunes gens et ont empêché la colonie de se peupler. Ce sont les défauts qu'on reproche le plus, et avec le plus de fondement, aux Français canadiens. C'est aussi celui des Sauvages. On dirait que l'air qu'on respire dans ce vaste continent y contribue ». (*Histoire et description générale de la Nouvelle-France*,... Paris, Chez Pierre-François Giffard, 1744, 6 vol.).

[8] Les romans de la terre, de la *Terre paternelle* (1846) à *L'appel de la terre* (1919), ne sont pas réalistes; ils sont descripteurs d'une identité construite. Une exception : *Trente arpents* de Ringuet (1938). De l'abbé Groulx : *Rapaillages* (1916) et *La naissance d'une race* (1919) à Esdras Minville *L'Agriculture* (1943), les intellectuels entonnèrent le même chant sur l'habitant (paysan). Le plus curieux est que les dits et écrits et surtout la pratique des grands leaders colonisateurs (Labelle, Provost, Caron) sont beaucoup plus équivoques sur la vocation de l'ethnie.

[9] MORISSONNEAU, C. et ASSELIN, M. (1980) « La colonisation au Québec : une décolonisation manquée ». *Cahiers de géographie du Québec*, 61 : 145-155.

[10] MORISSONNEAU, C. (1978) « La colonisation équivoque ». *Recherches sociographiques*, XIX (1) : 33-53.

[11] PROVOST, Th-S. (1883) *La bourse et la vie*. Joliette, Imprimerie du Collège.

II

La Franco-Américanie
ou le Québec d'en bas

Pierre ANCTIL

UN CERTAIN QUÉBEC DU XIXᵉ SIÈCLE

Une lecture de l'histoire du Québec au XIXᵉ siècle nous a habitués à y voir avant tout une succession de combats menés pour la survivance, pour le maintien du fait français et catholique sur place. La conclusion de François-Xavier Garneau à son *Histoire du Canada* de 1848 a influencé plusieurs générations de chercheurs et d'écrivains : « Que les Canadiens soient fidèles à eux-mêmes; qu'ils soient persévérants, qu'ils ne se laissent point séduire par le brillant de nouveautés sociales et politiques... Pour nous une partie de notre force nous vient de nos traditions; ne nous en éloignons pas, ou ne les changeons que graduellement. » (Garneau, 1859, 360 p.) Pendant tout le XIXᵉ siècle, l'idéologie dominante du ruralisme réclame pour le Québec qu'on y entretienne le sous-développement chronique et la stagnation : c'était là le prix à payer pour conserver une certaine identité nationale, avec sa langue et sa culture particulière. On a cru qu'au Canada français le désir d'enrichissement matériel et l'usage de techniques innovatrices gâteraient l'esprit et les valeurs des cultivateurs.

Pour la petite bourgeoisie du Québec au XIXᵉ siècle et sa faction cléricale catholique, ce conservatisme devenait essentiel : leur clientèle traditionnelle ne pouvait leur être arrachée qu'en aliénant et en dissociant la masse populaire de ses racines culturelles. Autrement, un Québec français très rural, isolé de toute influence étrangère, encouragerait son « élite ». Après tout les Québécois trouveraient bien une certaine consolation à se rendre compte qu'au moins, c'étaient les leurs qui contrôlaient le peu d'activité économique qu'ils parvenaient à générer. Le thème nationaliste a pris sans cesse de l'ampleur au XIXᵉ siècle auprès de la petite bourgeoisie : il fallait susciter l'avènement de ce vague ensemble politique, la nation québécoise, qui avait pris forme avec la chute de la Nouvelle-France, comme par accident[1].

Avec les années, les thèmes et les nuances du nationalisme ont varié au Québec, selon les circonstances et les personnalités. Henri Bourassa, par exemple, préférait faire passer la doctrine catholique d'abord, pour éviter les tendances du gallicanisme (Bourassa, 1929). Lionel Groulx, par contre, chérissait l'idée d'une mission divine de civilisation pour la nation française d'Amérique (Groulx, 1950). Mais, depuis la révolte des Patriotes jusqu'à la deuxième guerre mondiale, c'est la même idéologie qui reste opérante : le nationalisme comme solution ultime aux conditions défavorables de la petite bourgeoisie du Québec français. De cette manière on espérait obtenir une trève, un abri face au capitalisme à grand monopole.

Au Québec, une des trouvailles de la petite bourgeoisie fut d'entreprendre la colonisation des terres marginales de la vallée du Saint-Laurent. C'est dans ce mouvement que le nationalisme trouva son application la plus parfaite, y engageant même par périodes l'État provincial lui-même. À partir de ce qui avait été le terroir limité des seigneuries de l'ancien régime, au XIXᵉ siècle les fermes se sont étendues à des régions très élargies et inconnues auparavant : l'Estrie, le Saguenay-Lac-Saint-Jean, la Gaspésie et les Laurentides (le Nord). (Drapeau, 1863, Buies, 1880).

Longtemps, la création d'une agriculture en expansion a semblé une solution permanente à l'instabilité de la population québécoise : une grande partie du territoire actuel du Québec a été occupée pour la première fois au cours des décennies de colonisation. Pendant toutes ces années, l'idéologie de la petite bourgeoisie et du clergé catholique est restée résolument anti-urbaine et anti-industrielle. On pourrait même avancer que sous le couvert de toute une imagerie religieuse, s'exprimait une volonté de limiter l'emprise du capitalisme sur le Québec. Au XIXᵉ siècle, la petite bourgeoisie a réussi le tour de force de maintenir au Québec une frontière interne en plein développement, tandis que partout ailleurs dans l'est du continent se poursuivait un abandon massif des exploitations agricoles au profit de l'Ouest.

Le discours dominant de la petite bourgeoisie québécoise avait un but précis au XIXe siècle : il visait à forger une nation francophone indépendante et cohérente comme jamais auparavant. Dans leur lutte de classe historique contre les marchands anglais et le capitalisme de monopole qui avaient pris le contrôle de l'État canadien, le seul avantage des petits bourgeois sur le terrain économique devait venir de l'avènement d'une nation québécoise. Par cette stratégie, il fallait élever les diverses coutumes et traditions hétérogènes des travailleurs agricoles au rang de culture nationale, au moyen de modes d'expressions culturelles unanimes. On reprendrait ainsi la langue de l'administration coloniale de Paris au XVIIIe siècle, et les symboles de deux siècles de présence française en Amérique. L'idéologie nationaliste allait toutefois devoir compter avec certaines contingences historiques au XIXe siècle : l'industrialisation massive du nord-est des États-Unis et l'arrivée en très grand nombre d'émigrants d'origine européenne.

L'ÉMIGRATION

L'émigration apparaît au XIXe siècle comme un des éléments fondamentaux de l'histoire du Québec. Sans l'exode massif vers le sud, la ruralisation et la poussée du nationalisme petit bourgeois n'auraient pas pu se manifester avec autant de force dans la vallée du Saint-Laurent. Au siècle dernier, l'exode rural allait devenir une condition profonde de la naissance de l'idéologie nationaliste. Pourtant, peu d'auteurs ou d'historiens ont saisi l'ampleur historique du passage des Québécois outre-frontière. Ceci ne nie pas le fait que le Québec ait connu un début d'industrialisation et d'urbanisation au XIXe siècle; mais par rapport à l'expansion puissante de l'économie de la Nouvelle-Angleterre, ce phénomène est resté insignifiant. (Linteau et alii, 1979 : chap. 4).

En 1865, au terme de la guerre civile américaine, le Québec faisait figure de région sous-développée et marginale en Amérique du Nord. La main-d'oeuvre potentielle des campagnes n'y avait pas encore été exploitée. Les ouvriers salariés ne pouvaient souvent profiter que d'une embauche saisonnière, combinée avec l'agriculture et l'élevage sur des terres éloignées des marchés. Au Québec, les cultivateurs formaient une réserve de travailleurs peu influencés par la pénétration d'objets manufacturés ou un échange monétaire généralisé. Comme le phénomène de l'émigration nous le révèle, le Québec d'alors se compare avec justesse avec l'Irlande ou avec les autres paysanneries arriérées d'Europe du nord. La tendance historique de prolétarisation des masses rurales s'y dessine de la même manière, par la perte d'une grande partie d'une population agricole au profit de centres industriels éloignés, déjà en pleine expansion économique et avides de main-d'oeuvre bon marché.

Malgré notre peu de connaissance des statistiques démographiques franco-américaines, il apparaît certain toutefois, qu'au XIXe siècle, dans les campagnes l'exode vers les États-Unis a de beaucoup excédé les départs vers Montréal, Québec ou d'autres villes canadiennes (Vicero, 1971; Lavoie, 1972). Dans la décennie 1860-70, suite aux effets déséquilibrants de la guerre civile américaine, environ 20% de la population québécoise a pu traverser la frontière pour trouver de l'emploi dans la production industrielle. Entre 1880 et 1900 une nouvelle vague d'égale proportion a quitté le territoire du Québec. Enfin, la Première Guerre Mondiale et la prospérité des années vingt ont entraîné une autre émigration, plus réduite que la précédente. Aujourd'hui, environ cinq millions de citoyens américains sont de descendance ou d'origine québécoise, dont deux millions et quart vivent en Nouvelle-Angleterre. Un peu plus d'un million réside autour des Grands Lacs et le reste se trouve dispersé dans toute la république. (Abramson, 1973).

Je me propose de montrer les traits originaux de ce fragment de la migration québé-coise, en prenant l'exemple de Woonsocket, au Rhode Island. Je me sers bien sûr de la documentation écrite mais aussi et abondamment des sources orales : plusieurs informa-teurs m'ont en effet été très utiles dans la reconstitution de la pratique sociale de l'exode rural vers les villes manufacturières de Nouvelle-Angleterre. Par un examen de la question québécoise en Nouvelle-Angleterre, on peut saisir un aspect de notre expérience histo-rique, soit la décomposition de la paysannerie, ou le procès d'industrialisation et d'urbani-sation d'une masse indifférenciée de petits producteurs agricoles. L'exode vers la Nouvelle-Angleterre révèle beaucoup les tendances de la société québécoise au XIXe siècle, entre autres parce que c'est d'abord là qu'a commencé la prolétarisation des cul-tivateurs de la vallée du Saint-Laurent.

L'ESSOR DE LA FRANCO-AMÉRICANIE

Le façonnement de l'idéologie dominante par l'émigration est d'autant plus important au XIXe siècle, que la nation du Québec français allait être séparée en deux zones territo-riales d'égale valeur. Pendant quelques décennies s'est maintenue une perception géo-graphique du Québec qu'on peut appeler : « la théorie des deux foyers nationaux ». D'une part, les Québécois canadiens vivant du sol dans une proportion beaucoup plus grande que leurs concitoyens d'origine britannique, et dont la petite bourgeoisie détenait un mor-ceau de l'État canadien : la province de Québec. D'autre part, les Franco-Américains, dont l'immense majorité étaient des prolétaires, émigrants récents intégrés à une économie en expansion rapide, où entraient en compétition une multitude de groupes ethniques (le terme Franco-Américain est apparu seulement vers 1900) : « Longtemps on a pensé que les Canadiens établis aux États-Unis étaient perdus pour nous et que notre race était desti-née à y périr... Vous êtes restés Canadiens-français de cœur, d'esprit, aussi Canadiens que nous, car, comme je l'ai répété souvent au Canada, des deux moitiés que composent le peuple canadien-français, la meilleure moitié, à mon sens, est celle des États-Unis » (Bellerive, 1908, p. 170).

Pour se convaincre de la validité d'une telle interprétation historique, il suffit de consulter les nombreux guides franco-américains publiés au tournant du siècle dernier (Bélanger, 1916; Bourbonnière, 1887; Belisle, 1911). En 1891, date de publication du précieux annuaire du père Hamon, il y avait 11 journaux publiés en français en Nouvelle-Angleterre, 86 paroisses nationales avec clergé québécois, 70 paroisses mixtes avec des francophones. En tout 300 000 Franco-Américains avaient été énumérés et recensés dans les diocèses du nord-est des États-Unis. Sans compter, à la même époque, 35 couvents et maisons religieuses tenus par des ordres québécois ou français, spécialisés dans l'édu-cation bilingue pour 26 050 étudiants de niveau primaire (Hamon, 1891). Par ailleurs, d'après D.M.A. Magnan, vers 1908, le nombre des paroisses franco-américaines avait grimpé à 207 en Nouvelle-Angleterre. Presque 800 000 personnes y participaient au culte à la manière québécoise, avec 130 institutions d'éducation à teneur religieuse pour 61 500 enfants (Magnan, 1913). Enfin, dans l'édition de 1931 du fameux guide franco-américain de Bélanger, on reconnaissait aux États-Unis une population d'origine québécoise d'un peu plus de deux millions d'âmes (Bélanger, 1931). Ces francophones entretenaient 498 églises de toutes sortes et 237 écoles paroissiales bilingues pour 115 000 enfants, placés sous la responsabilité d'un clergé fort de 3 120 membres. Après la Deuxième Guerre Mon-diale, l'émigration en provenance du Québec s'est trouvée réduite de beaucoup, et le rythme de fondation de nouvelles paroisses franco-américaines a fléchi considérablement. Déjà, depuis le début de la Crise économique, le nombre de personnes nées à l'étranger décroissait dans l'ensemble de la population franco-américaine.

Figure 1

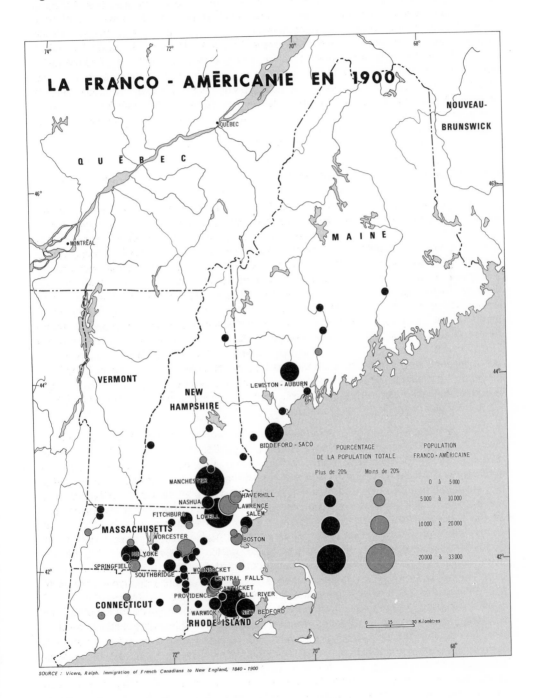

SOURCE : Vicero, Ralph. Immigration of French Canadians to New England, 1840 - 1900

Les employeurs industriels ont souvent assez bien accueilli les nouveaux arrivants, quelle que soit leur provenance, puisque leur présence signifiait presque toujours que le salaire moyen versé aux ouvriers resterait assez bas. Mais pour la bourgeoisie commerçante de vieille souche anglaise et protestante aux États-Unis, les émigrants apparaissaient une menace aux institutions démocratiques établies. Pour ces gens conservateurs et élitistes, l'émigration successive d'Irlandais, de Québécois et de Méditerranéens risquait d'ébranler les fondements de la vieille société d'inspiration agraire et puritaine. Ceux d'entre eux qui ont écrit, nous laissent des témoignages de l'impact du mouvement québécois d'exode vers les centres manufacturiers. Ainsi, Egbert C. Smyth émet l'opinion en 1892 que si les Canadiens français venaient en grand nombre, c'est qu'ils devaient faire partie d'un plan d'infiltration catholique pour étendre la règle de l'obscurantisme aux États-Unis. L'auteur croyait sincèrement que la force des regroupements paroissiaux et l'absolutisme du clergé rendraient les ouvriers québécois impossibles à assimiler (Smyth, 1892). La même année, le *New York Times* reprenait dans un éditorial cette idée de l'ignorance et de la tenacité des peuplements québécois en Nouvelle-Angleterre (Anon., 1892).

UN CAS : WOONSOCKET AU RHODE ISLAND[2]

À Woonsocket, dans le nord de l'état du Rhode Island, 70% de la population est d'origine québécoise aujourd'hui, soit environ 35 000 personnes sur un total de 50 000 : « To the visitor, the most striking aspect of modern Woonsocket is the French character of the city, which makes it different from most communities South of the border. People of French-Canadian extraction make up to three quarters of the population. A great many of these are bilingual, but French is the prevailing tongue. It is heard in the streets, shops, mills and parks. There are French newspapers, French « talkies » in the theaters and French radio programs » (Workers of the Federal Writers' Project, 1937, p. 311). En Nouvelle-Angleterre, au début du XXe siècle, la plupart des villes industrielles de taille moyenne possédaient d'importantes minorités québécoises. Woonsocket, au Rhode Island, détenait le plus haut pourcentage de Franco-américains aux Etats-Unis; Rumilly va jusqu'à appeler cette ville : « Le Québec de la Nouvelle-Angleterre » (Rumilly, 1958 : 166).

On retrouvait à Woonsocket tous les traits principaux des zones d'émigration québécoise, dont le plus important : une grande concentration d'ouvriers industriels francophones. En 1910, 67% du groupe franco-américain appartenait au prolétariat urbain, pourcentage qui n'a toujours pas changé après soixante ans. Au début du siècle, la moitié de ces ouvriers travaillaient dans de petites villes (small cities), 25% dans des villages (small towns) et 17% dans des municipalités rurales (Abramson, 1973). Il y a 75 ans, Woonsocket possédait trois industries principales. D'abord le filage du coton et son tissage, comme par exemple à la *Social Mill* sur la rue Social, une des plus grosses manufactures de textile aux États-Unis à l'époque (elle ferma ses portes en 1924-25); puis la fabrication des lainages (worsted wool) selon un procédé français développé dans l'agglomération de Lille-Roubaix-Tourcoing; enfin la préparation de produits en caoutchouc, comme à la *Alice Mill* construite en 1889, la plus importante usine de souliers caoutchoutés au monde, ou comme à l'*American Wringer* qui produisait tous les tordeurs mécaniques du monde entier, selon un seul brevet d'invention. Woonsocket possédait alors un des plus hauts pourcentages de population ouvrière et industrielle aux États-Unis : 70% des emplois y étaient directement liés aux manufactures en 1910, 75% en 1920 (Sorrell, 1976). Woonsocket, au cours de ces années de prospérité, n'avait que bien peu d'ouvertures sur le monde extérieur : grise et enfumée, la ville subissait la cadence de ses usines, dont certaines employaient jusqu'à trois équipes successives d'ouvriers par jour. Depuis la fin de la Guerre Civile américaine, la ville avait beaucoup profité de la tendance ascendante de l'économie du nord-est américain : elle avait augmenté ses activités industrielles au rythme de 39%

au cours des années 1870, puis de 35% au cours des deux décennies suivantes (Sorrell, 1976).

Woonsocket avait commencé à prendre forme au tout début du XIXe siècle, au milieu d'une campagne peu fertile, pour devenir un des premiers centres industriels en Nouvelle-Angleterre. Capables de tirer parti du pouvoir hydromécanique de la rivière Blackstone à Woonsocket Falls, cinq petits villages se sont d'abord développés autour d'autant d'usines textiles détenues par des intérêts différents. Déjà, en 1835, Woonsocket s'était attiré une réputation de curiosité sociale, puisque des familles entières y étaient employées à diverses tâches manufacturières, selon les âges et les sexes de leurs membres. Cette année-là Woonsocket se trouvait à l'avant-garde de l'expansion du capitalisme industriel aux États-Unis, allant jusqu'à employer à plein temps cinq cents ouvriers du textile (Man, 1835). En 1846, il y avait à Woonsocket 2 095 travailleurs dans 18 manufactures de coton et 188 de plus dans deux fabriques de lainages (Newman, 1846). Avec la guerre civile la ville avait atteint une population de 12 000 personnes, et déjà les Québécois y représentaient la principale minorité ethnique.

Enfin, comme toutes les villes où il y avait une population franco-américaine importante, et suivant la tendance dominante de l'économie de la Nouvelle-Angleterre, Woonsocket a connu un déclin majeur après la grande crise économique. Aujourd'hui, Woonsocket a perdu presque toutes ses fonctions industrielles et sa base manufacturière. Le coton s'est déplacé vers le golfe du Mississippi dans les années vingt, le caoutchouc et les *machine shops* ont disparu après la Deuxième Guerre et enfin les lainages ont quitté la ville après 1955. Maintenant, Woonsocket connaît un très haut taux de chômage, un nombre inhabituel de cas d'assistance sociale et l'un des plus hauts pourcentages d'abandon des études secondaires au Rhode Island.

UNE NATION D'ÉMIGRANTS

Parmi tous les groupes ethniques qui ont émigré en Nouvelle-Angleterre, les Franco-Américains restent l'un des moins connus. On prend à peine conscience de leur importance numérique, soit la sixième minorité d'origine européenne aux États-Unis, ou 10% de la population catholique totale (Abramson, 1973). Le caractère insaisissable des francophones aux États-Unis vaut surtout pour les ouvriers franco-américains, qui ont laissé peu de traces dans les documents historiques. Tout au long du XIXe siècle, la petite bourgeoisie franco-américaine a imposé aux travailleurs d'usine d'origine québécoise sa propre idéologie de classe. Comme les petits entrepreneurs francophones détenaient le monopole des journaux et de la littérature en français, ils ont pu occuper tout le champ du discours, privilégiant leurs intérêts commerciaux et professionnels. À leurs yeux, les travailleurs industriels franco-américains restaient leur clientèle directe, puisque seulement eux, parmi la petite bourgeoisie, pouvaient les atteindre dans leur culture largement unilingue, et ceci jusqu'à la fin de la crise économique. Partageant la même origine nationale, ils devenaient les seuls de tous les commerçants à maîtriser dans toute sa complexité le réseau des institutions religieuses et sociales, si particulier aux Franco-Américains. Ces remarques s'appliquent encore plus aux médecins, pharmaciens et autres professions libérales, où le contact personnel est très recherché.

Dans toute la littérature produite en français au tournant du siècle dernier, on ne trouve que bien peu de références aux conditions socio-économiques de la classe ouvrière franco-américaine en Nouvelle-Angleterre. Au Québec même, on a préféré minimiser l'importance de l'émigration vers les États-Unis et évacuer cette réalité sociale du discours, par aveu d'impuissance à la faire cesser. Souvent, nos historiens n'y ont vu qu'un prélude à la défaite nationale, un avant-goût de notre assimilation définitive. Pour pénétrer le sens caché de l'histoire franco-américaine, il faut souvent se mettre à l'écoute des ouvriers eux-mêmes. Dans leurs récits personnels et dans leurs prises de position, s'exprime une définition du déroulement de l'histoire qui nous amène au coeur de notre sujet. L'expérience des procès de travail concrets dans les « facteries », et des conditions de travail déterminées, permettent à plusieurs de dire et de conter les contradictions de la lutte des classes. Bien que les travailleurs ne parviennent pas toujours à être limpides et clairs, à leur contact se fait et se dénoue une littérature orale, un exposé sur l'histoire du prolétariat, coloré des habitudes et tendances propres à leur culture locale.

De tous les aspects de l'émigration québécoise en Nouvelle-Angleterre, au cours du XIXe siècle, le plus déterminant reste son caractère instable et intermittent : plusieurs fois dans une vie, les Franco-Américains traversaient la frontière et pas seulement pour retrouver les membres de leur famille. On pouvait reprendre la culture du sol pendant quelque temps au Québec, quitte à retourner dans les manufactures pour plusieurs mois afin d'accumuler un petit capital de départ : chaque fois les migrants changeaient radicalement d'occupation.

Même au Rhode Island, qui se trouve au moins à 400 km des régions agricoles québécoises les plus rapprochées, bien des gens sont restés des voyageurs toute leur vie, un peu à l'image d'une navette dans ces métiers mécaniques que tant d'entre eux connaissaient si bien. Roméo Berthiaume de Woonsocket, un de mes informateurs, se sert de l'expression « coureurs de facterie », pour décrire au cours d'une conversation le mode de vie de sa famille. Son arrière grand-père était descendu à Gilbertville, Mass., vers 1860, et lui-même ne s'était établi en permanence à Woonsocket qu'au début des années quarante. Pendant presqu'un siècle les membres de sa parenté avaient été des travailleurs industriels, se déplaçant d'un village à l'autre, traversant la frontière une douzaine de fois au moins pour retourner entre-temps cultiver une terre au Québec. Aux États-Unis, au XIXe siècle, l'émigration franco-américaine est unique parmi toutes les autres, puisque les Québécois ont pu garder avec leur nation d'origine des liens très profonds, même au niveau des affaires politiques courantes. D'autant plus que, jusqu'à la crise économique de 1929, il n'y avait aucun contrôle réel à la frontière américaine, ni de tentatives de limiter les entrées québécoises en Nouvelle-Angleterre.

Quand on étudie l'histoire de la Nouvelle-France jusqu'à la conquête, et même le régime anglais au XIXe siècle, on ne s'étonne plus d'observer une telle facilité des Québécois à émigrer au-delà du 45e parallèle américain. Au XVIIIe siècle, c'est tout le continent que les coureurs de bois traversaient, à la recherche de fourrures et de points de traite avec les Amérindiens (Brouillette, 1939). Longtemps avant que le gouvernement des États-Unis n'établisse une pleine souveraineté sur le territoire de la Louisiane intérieure, il y avait déjà une forte présence québécoise dans les Grandes Plaines. Dans une perspective globale, on peut décrire plus de trois cents ans d'histoire québécoise, comme la conséquence d'une émigration continuelle hors des petites paroisses rurales de la vallée du Saint-Laurent. Au moment même où les fermiers du Québec partaient travailler dans les usines de la Nouvelle-Angleterre, d'autres se rendaient aussi loin que Saint-Ignatius et Frenchtown au Montana ou Coeur d'Alène en Idaho, pour tenter de cultiver de nouvelles terres (Frenchtown Historical Society, 1976). Il n'est pas rare d'entendre même parler du Klondike à Woonsocket !

DES PETITES FERMES AUX « FACTERIES »

Un autre aspect très important de l'exode québécois vers le sud concerne le milieu d'extraction des ouvriers franco-américains : la grande majorité d'entre eux venait de régions agricoles reculées et isolées, privées de grands centres urbains ou industriels. Par rapport aux États du nord-est américain, le Québec en entier peut être considéré comme une partie du tiers-monde sous-développé du XIXe siècle, sauf pour les villes de Montréal et Québec qui comptaient respectivement 57 000 et 42 000 habitants en 1851, sur un total provincial de 890 000 (Hamelin et Roby, 1971, p. 53-73). Comme un des conteurs de Woonsocket l'a dit : « Ca v'nait au monde dans le bois dans c'temps l'à, ça savait pas lire, ni écrire. C'était comme des sauvages, ça a jamais appris rien ». Souvent les émigrants arrivaient des « colonies » et des « missions » récemment ouvertes à l'agriculture, là où les surplus de production restaient plutôt rares et atteignaient les marchés quand les routes le permettaient, aux bonnes saisons.

Une ferme type, au plus fort de l'émigration à la fin du XIXe siècle, comptait une centaine d'acres, dont moins du tiers pouvait être mis en culture. L'avoine, l'orge et certains gros légumes à racine servaient de nourriture aux bêtes, tandis que le sarrazin, le blé, les pois et les plantes maraîchères étaient réservés aux habitants. De cinq à huit vaches produisaient du lait, dont la crème entrait dans la fabrication locale des beurreries. Jusqu'à deux chevaux pouvaient aussi être gardés pour la traction des instruments agricoles, ou pour le transport des marchandises. On trouvait également quelquefois sur une terre une dizaine de génisses pour la reproduction du troupeau, peut-être deux ou trois cochons, une douzaine de moutons et plusieurs poules. Quant aux terres de colonisation récente, il faudrait diminuer de moitié ces données pour exprimer leur capacité de production. Déjà à cette époque, un bon nombre de fermiers québécois avaient travaillé à salaire au gré des saisons avant d'émigrer aux États-Unis, soit pour des compagnies de coupe de bois, soit pour l'exploitation des mines. Mais une bonne partie des cultivateurs reçurent dans les « facteries » et les chantiers américains la première paye de leur vie.

Contrairement à ce que l'idéologie ruralisante du XIXe siècle prêchait au Québec, le développement historique de la plupart de nos régions agricoles s'est accompagné d'une dépendance des fermiers vis-à-vis du travail industriel à temps partiel. Dans les familles agricoles à première vue conformes à la tradition, l'exploitation surnageait souvent grâce aux revenus d'appoint recueillis par un des membres dans une usine de la Nouvelle-Angleterre. Les moyens d'obtenir des apports de monnaie étrangère et les conditions sociales de leur utilisation ont pu varier grandement d'une période à l'autre, de paroisses en villages (en 1901, 60,33% de la population québécoise était recensée comme rurale, 77,28% en 1851; selon Hamelin et Roby, 1971, p. 53). Au cours des années, des exploitations agricoles entières ont été abandonnées, ou sont restées comme des refuges possibles face au ralentissement de l'économie américaine. Tout l'effort séculaire d'expansion démographique de l'agriculture au Québec, dès la fin du régime seigneurial, en 1854, n'a pas été le fruit d'une vocation particulière de la « race », mais bien une conséquence marginale du développement du capitalisme industriel dans les États de la république voisine. On peut même soutenir que la population rurale du Québec devenait dans ces conditions historiques un réservoir de main-d'oeuvre, capable de se reproduire dans des zones marginales, sans imposer un fardeau économique trop grand au démarrage du système de production capitaliste. Les industries du textile et du cuir en Nouvelle-Angleterre pouvaient ainsi importer, en cas de besoin, une masse de travailleurs dociles et non-spécialisés, depuis les régions périphériques jusqu'aux centres manufacturiers. Comme le montre l'épisode des agents recruteurs parcourant les campagnes québécoises au milieu du XIXe siècle, afin de vanter les bienfaits de la vie autour des filatures, le Québec était devenu une de leurs principales sources de main-d'oeuvre industrielle. Il existe des témoignages importants de ces déplacements saisonniers jusque dans les archives des paroisses rurales de la vallée du Saint-Laurent. Par exemple, à Saint-Vallier de Bellechasse, dans un rapport financier des années 1890, on mentionnait que la fabrique détenait un millier de dollars après le règlement annuel de la dîme, le tout en billets de banque américains.

Ainsi, tout au long du XIXe siècle, par des transferts occasionnels d'argent liquide ou par des départs fréquents vers les États-Unis, les membres émigrés des familles agricoles ont souvent rendu possible le maintien des petites fermes québécoises. Dans ces cas, le mouvement vers le sud s'appuyait constamment sur les liens de parenté et les réseaux de connaissances développés dans les paroisses du Haut. Une telle tendance n'appartient pas en propre aux Franco-Américains; la plupart des groupes ethniques catholiques aux États-Unis ont privilégié le même mode de regroupement, soit pour former des enclaves dans des ensembles plus grands, soit pour établir des monopoles dans les métiers et les commerces. Là où les Québécois diffèrent de tous, c'est par l'acharnement et la constance avec laquelle ils ont tenu compte, en Nouvelle-Angleterre, des systèmes pré-établis de consanguinité et d'alliance par mariage. À un tel point que longtemps il n'y a pas eu de distinction possible entre les deux versants de la nation québécoise, l'un canadien et l'autre américain.

Souvent, dans la littérature franco-américaine, on décrit des cérémonies nuptiales au coeur des campagnes québécoises, là où la mariée avait sa famille, tandis qu'elle travaillait déjà depuis des années dans une « facterie » de coton. Ou alors on rappelle le souvenir de lunes de miel passées dans quelque village reculé du Québec, même si les conjoints étaient tous deux des émigrants de seconde génération (Archambault, 1943). En parlant de leurs expériences quelque part en Nouvelle-Angleterre, les gens plus âgés vont y souligner l'existence d'un réseau de parenté québécoise plus ancien : un oncle, une soeur ou des cousins. D'autant plus que les émigrés de première date déménageaient souvent avec leur famille étendue, emmenant avec eux leurs enfants non-mariés, parfois même ceux des branches colatérales. Dans une note en bas de page, le père Hamon cite : « Dernièrement, le journal local de Manville (Rhode Island) annonçait que la population de la ville avait notamment augmenté depuis vingt-quatre heures : trois familles canadiennes y étaient arrivées avec dix-huit enfants chacune ». (Hamon, 1891, p. 14).

L'ATTRAIT DES USINES TEXTILES

Il faut aussi mentionner un facteur distinctif des Franco-Américains, soit leur association très étroite avec l'industrie textile en Nouvelle-Angleterre. Une carte des principales communautés francophones de la région révèle qu'elles ont été avant tout, au XIXe siècle, des centres importants de manufactures de coton et de lainages. Avec l'exception possible de Holyoke, Mass., qui vivait aussi de l'industrie du papier, Woonsocket au Rhode Island, New Bedford, Fall River, Worcester, Lowell et Lawrence au Massachusetts, Manchester au New Hampshire, Lewiston et Biddeford au Maine, prirent leur caractère urbain avec l'établissement des *textile mills*.

Ainsi, à Woonsocket, les Franco-Américains se sont attachés au textile pour deux raisons fondamentales. D'abord la production commerciale du tissu et du fil était devenue mécanisée dès le milieu du XIXe siècle. Déjà, depuis les premières expériences de Slater à Pawtucket, Rhode Island, vers 1790, on avait tenté d'obtenir un procès de travail qui demandait peu de préparation et de spécialisation de la part de l'employé. Et ce, malgré le nombre d'opérations très complexes et très différentes qui entraient dans la fabrication du produit fini. Pour être embauché, un travailleur n'avait pas besoin ni de connaître la langue anglaise, ni de comprendre toute la série de procédés et d'inventions nouvelles utilisés dans la transformation mécanique des fibres brutes. Des masses de coton ou de laine non traitées jusqu'au produit achevé, le système mis au point dans les usines distribuait les ouvriers par machines et par tâches. Il suffisait, pour un individu nouvellement engagé, d'apprendre un seul mouvement, une seule opération et de la répéter sans arrêt, comme un petit moment détaché du grand processus de production industrielle. Quand les émigrants québécois venaient en Nouvelle-Angleterre, ils trouvaient dans le textile une occupation accessible et simple. Souvent il y avait déjà dans les ateliers des membres de leur propre parenté et toujours, dans les usines, des gens de leur nationalité.

À la fin du XIXᵉ siècle, les emplois du textile restaient parmi les moins rémunérés de toute l'industrie manufacturière en Nouvelle-Angleterre, avec des horaires très chargés (soixante heures de travail par semaine ne faisaient pas exception avant la première guerre mondiale) et des conditions de travail difficiles et dangereuses. Les usines contenaient en permanence une atmosphère humide liée à l'emploi de la vapeur pour propulser les machines et pour empêcher les fils de se rompre lors du tissage. Partout dans les ateliers se dégageait une poussière tenace et des odeurs fortes s'échappaient de la plupart des opérations, tandis qu'il fallait endurer des éclairages insuffisants et subir les mauvais traitements des contremaîtres. Mais surtout, l'industrie textile gardait une mauvaise réputation pour son embauche des femmes à salaire inférieur, pour son emploi de main-d'oeuvre infantile et pour ses politiques anti-syndicales très violentes.

Les Québécois avaient donc été attirés dans le textile par la possibilité de faire travailler les femmes de la famille, les jeunes et aussi les enfants, non parce qu'ils cultivaient un goût particulier pour la discipline mais par nécessité absolue dans leur position économique précaire. Souvent, les émigrants de la première et de la deuxième génération n'auraient pu subsister autrement qu'en cumulant les salaires de tous les membres actifs de la famille. Au début, avant qu'un groupe d'émigrés ne trouve le moyen de s'habituer aux nouvelles conditions de travail, il était commun qu'ils dussent vivre quelques années dans une très grande pauvreté, d'autant plus que des crises économiques se produisaient à intervalles réguliers dans le textile. D'après Omer Tellier de Woonsocket, en 1912, un jeune garçon de quatorze ans qui nettoyait les métiers à filer, rapportait au foyer $5,40 après soixante heures de travail. Au début des années vingt la même personne gagnait $32 après quarante-huit heures passées à surveiller de quatre à huit métiers à tisser à la *Social Mill*. Par contre il ne touchait que $12 ou $14 par semaine quelques années plus tard dans une usine de lainages, après le déclin des usines de coton dans la ville.

Selon Roméo Berthiaume, au tournant du siècle, un jeune couple gagnait $7 par semaine à l'*American Optical* à Southbridge, Mass. Une jeune femme dans la même famille recevait $8 pour tisser de la laine, son beau-père $6 par semaine comme ouvrier de cour à la même compagnie, tandis que sa jeune soeur touchait $2,50 sur les écheveaux mécaniques. En tout, cette famille de douze membres accumulait $60 par semaine, surtout par du travail dans les usines de la *Hamilton Woollen*. Dix ans auparavant, dans les manufactures de coton, à peu près le même groupe de parenté ne recevait que $28 de salaires par semaine à Gilbertville, Mass., puisque seulement cinq personnes s'y trouvaient embauchées. Les premières années, les familles québécoises émigrées aux États-Unis n'épargnaient aucune occasion d'unir leurs efforts et de partager les opportunités d'emploi entre tous.

À Southbridge, en 1900, les membres de la famille de Roméo Berthiaume pouvaient obtenir bien plus d'argent liquide que sur leur ferme de Saint-Jude dans la vallée du Richelieu, mais ils devaient aussi défrayer le coût de leur loyer et de leur subsistance. D'un bout à l'autre du corridor d'émigration, les conditions sociales variaient beaucoup, mais sous des noms et dans des circonstances économiques différentes le capitalisme exploitait sans relâche une fraction défavorisée de la classe ouvrière, aliénant les individus de la pleine expression de leurs origines culturelles. Ce n'est qu'à la troisième génération que les Franco-Américains ont commencé à accéder aux avantages et aux problèmes moyens du prolétariat américain.

Une deuxième influence majeure a joué pour favoriser l'entrée massive des ouvriers québécois au sein de l'industrie textile : le contexte culturel de l'économie domestique agricole pratiquée depuis la conquête dans la vallée du Saint-Laurent. Dans les campagnes du Québec, jusqu'à la dépression des années trente, plusieurs vêtements et tissus usuels étaient fait à la maison selon les besoins de la famille. Les femmes connaissaient toutes, sans exception, la technique artisanale de la production des textiles. Dans les fermes, on cultivait le lin, on gardait des moutons pour la laine et on savait construire des métiers et des rouets pour le traitement de ces fibres. La tradition orale raconte même qu'au Québec, durant la période des troubles de 1837-38, on pouvait distinguer un patriote par ses habillements faits à la main. Même la petite bourgeoisie d'alors protestait contre le pouvoir anglais en portant l'étoffe du pays. Au XIXe siècle, dans l'iconographie populaire, l'habitant apparaît vêtu d'une tuque du pays, d'une chemise de lin et de culottes de laine domestique.

Souvent, en Nouvelle-Angleterre, les femmes québécoises obtenaient les meilleurs salaires comme ouvrières plus spécialisées, puisqu'il n'y avait que peu de différences entre la structure mécanique d'un métier mû à la main au foyer, et un autre mû à la vapeur dans une usine. Seuls changeaient la rapidité de l'exécution et le type de matériel utilisé dans la production. Par exemple la grand-mère maternelle de Roméo Berthiaume pouvait tisser et préparer tous les vêtements ordinaires de son père et de ses trois frères, et ce dès l'âge de neuf ans, dès la mort de sa mère qui habitait dans le quatrième rang de Saint-Jude. Roméo Berthiaume lui-même avait participé à une corvée de brayage aussi tard qu'en 1935, sorte de fête saisonnière où l'on brisait et traitait les fibres du lin afin de rendre possible le filage sur un rouet. Omer Tellier, de son côté, m'a raconté qu'à Saint-Eugène il avait appris de sa mère les rudiments du tissage sur un métier manuel dès l'âge de dix ou douze ans, pour faire de la catalogne et du butin : « Nos habits venaient de terre. Ils cultivaient nos habits ».

LE CYCLE DE L'USURE

C'est ordinairement l'endettement qui forçait les fermiers québécois à quitter le milieu rural. Ils empruntaient souvent auprès d'usuriers locaux pour acquérir des instruments de production mécaniques, des semences ou des bêtes pour l'élevage. Les cultivateurs qui ne pouvaient rembourser à temps émigraient temporairement dans l'espoir de trouver de l'argent liquide. Par ailleurs la maladie, le manque d'héritiers ou une pénurie de main-d'oeuvre familiale étaient aussi des causes courantes de départ, puisqu'elles faisaient cesser les activités agricoles productrices de surplus. Parfois, l'émigration s'explique par un manque de capital pour lancer ou poursuivre le travail sur une nouvelle exploitation agricole, comme dans des zones de colonisation par exemple. Souvent les trois facteurs mentionnés plus haut se combinaient pour expulser autant les hommes que les femmes, d'une manière ou d'une autre, dans un contexte économique de stagnation rurale et d'éloignement des marchés urbains. Cette tendance historique d'abandon des fermes, progressif et temporaire, puis permanent, commence vers 1830 avec la crise de production du blé au Québec. Elle se poursuit sans relâche tout au long du XIXe siècle, avec des accalmies périodiques suivies de poussées de misère et de désespoir.

Une fois rendus en Nouvelle-Angleterre ou quelques fois au Midwest, les fermiers déplacés vont tenter de rattraper leurs pertes en accumulant un petit capital, afin de le réinvestir dans l'exploitation familiale au Québec. Même s'ils subissaient des conditions de vie pénibles aux États-Unis, certains émigrants ont quand même pu retourner dans les campagnes pour reprendre la culture du sol au point où ils l'avaient laissée, surtout les individus isolés et les familles très nombreuses. Mais l'endettement et l'attachement forcé auprès des magasins de compagnie en Nouvelle-Angleterre, et les méthodes de recrutement à contrat, en ont empêché plusieurs de se constituer un magot, d'autant plus qu'en général les Québécois ne possédaient pas d'avantage particulier au niveau des salaires. D'autres ont vite perdu le goût de l'agriculture : même soixante heures de travail industriel dans une « facterie » sale et humide semblaient plus supportables que l'exploitation d'une terre. Comme l'affirmait Omer Tellier dans une conversation : « C'est pas rien qu'ça : y aimaient l'argent. Tant qu'à vivre sur les terres pis d'être toujours au boutte d'la cenne... Après avoir goûté des habits toutes faites, y étaient pas pressés de s'habiller en habits d'étoffe ».

Plusieurs émigrants réapparaissaient à la ferme paternelle d'année en année, et des familles entières reprenaient la culture dans les campagnes du Québec après un bref séjour au sud. Mais les billets de banque qu'ils amassaient près des usines de la Nouvelle-Angleterre ne pouvaient servir que de coussin, de mesure temporaire jusqu'à ce que la faillite et la pauvreté les délogent des régions rurales. Inexorablement, sous le coup de pressions historiques déterminées, prenait forme un prolétariat dont les Québécois constituaient une large part. Dans les villes industrielles américaines se levait une seconde génération d'émigrés qui s'adaptait aux conditions de travail dans les manufactures : pour eux, l'agriculture représentait une forme d'aliénation bien pire que celle des manufactures.

L'ÉNIGME DE L'ASSIMILATION

Le déclin et la fin de l'industrie cotonnière en Nouvelle-Angleterre datent des années vingt. Quand la crise s'est installée dans le nord-est américain, plusieurs grosses usines de textile ont fermé leurs portes. D'autres branches de l'économie ont connu des difficultés financières majeures, dont l'industrie du caoutchouc et de la construction. Comme la société franco-américaine reposait seulement sur des institutions religieuses et locales pour exprimer et formuler ses opinions politiques, elle n'a pas pu prévoir la disparition des « facteries » et de leur organisation de production (Benoit, 1935). Quand les compagnies manufacturières se sont effondrées, les Franco-Américains ont commencé à se disperser pour trouver les salaires qui n'étaient plus disponibles au coin de la rue, à tout le moins dans leur paroisse de résidence. On peut comprendre le drame de telles situations dans des petits villages dominés par une ou deux compagnies, comme Albion et Mohegan au Rhode Island ou Greenville au New Hampshire. Une fois les entreprises paternalistes disparues, tous les services communautaires et sociaux qu'elles entretenaient se sont aussi envolés, au grand détriment des ouvriers. De plus ces compagnies maintenaient la cohésion et l'unité des groupes ethniques en les gardant dans des logements connexes, en employant des commis bilingues dans leurs magasins, en organisant une série de petites activités de divertissement pour les travailleurs. Dans de telles conditions, la langue des Québécois se transmettait mieux, et leur conscience nationale servait les intérêts des industriels en assurant la docilité des familles ouvrières (Archambault, 1943).

Même dans une ville comme Woonsocket, jusqu'aux années vingt, il existait un certain sentiment d'appartenir à un quartier d'abord, à une paroisse avant tout. Dans les « Petits Canadas », près des usines, les ouvriers n'étaient qu'à quelques minutes de marche du début d'une nouvelle journée. L'un après l'autre, des personnages très influents ont plié le développement de Woonsocket à leurs exigences, aux besoins des industries qu'ils contrôlaient. Ils ont doté des rues entières de maisons pour les ouvriers, concevant l'emplacement et l'allure de ces « villages » comme autant de parties intégrales de leurs usines. C'est le cas, au milieu du XIXe siècle, d'Edward Harris, manufacturier de lainages et de la famille Ballou. Ils sont plus tard remplacés par Joseph Banigan, le roi du caoutchouc, puis par les intérêts français des Tiberghien et des Lepoutre au tournant du siècle.

Après l'épisode de la *Sentinelle*[3] et suite à la Deuxième Guerre Mondiale, les Franco-Américains se sont assimilés lentement au milieu ambiant, au fil des grands bouleversements économiques qu'a subis la Nouvelle-Angleterre. Par exemple, depuis les années soixante, environ la moitié des travailleurs de Woonsocket gagnent leurs salaires en-dehors de la ville, quelquefois à plusieurs dizaines de kilomètres de leur résidence, chose inconnue auparavant. Aujourd'hui, l'usage du français à Woonsocket a presque disparu. Il ne reste courant qu'autour des habitations à loyer modique pour retraités, là où les plus âgés se rencontrent encore pour converser. Dans le nord du Rhode Island, toute la culture et la conscience francophone s'est repliée dans l'intimité des réunions familiales, dans les activités religieuses et sociales où il y a suffisamment d'anciens pour les soutenir.

CONCLUSION

Y a-t-il déjà eu, sous une forme autonome un mode d'expression franco-américain, une nation française d'En Bas distincte de celle d'En Haut ? Dès qu'elle a cessé d'être d'inspiration québécoise, la vie française de la Nouvelle-Angleterre a commencé à s'effacer. Certes, il y a des personnages historiques qui ont cristallisé pour un temps le conflit et l'héritage de la Franco-Américanie, son sens propre du développement de l'histoire : Elphège Daignault et Albert Foisy par exemple pendant la *Sentinelle*. Mais peut-être n'ont-ils finalement rendu qu'un des aspects du nationalisme québécois en Amérique du Nord, une manière de réponse au poids et aux misères du travail industriel, tels que ressentis par un Québec déplacé. En dernière analyse, la Franco-Américanie c'est aussi une tentative de liquider ce fameux XIXe siècle québécois, de sortir de l'impasse agraire et rurale. Après tout, comme l'a écrit soeur Therriault dans sa critique des écrivains franco-américains Louis Dantin et Henri d'Arles, c'est bien le Québec qui s'est emparé de leurs oeuvres pour ses propres anthologies (Therriault, 1946).

Maintenant que le fait français achève d'être assimilé en Nouvelle-Angleterre, il faut espérer que tout un siècle de distances prises envers le Québec commencera à porter fruit. On doit s'attendre, dans le contexte d'une identité ethnique propre, à une genèse culturelle chez les Franco-Américains, à une prise de conscience de la différence et à une tentative de la définir. La Franco-Américanie en est rendue à une ligne de partage des eaux : ou il n'y aura bientôt plus que le Québec pour en ressasser le souvenir, ou va se former une génération d'En Bas capable de dégager une continuité nouvelle pour elle-même (Chassé, 1977).

NOTES

[1] Nous utiliserons le concept de nation dans son sens léniniste d'une différence concrète et historique, au niveau de la langue d'usage et des traditions culturelles entre différents segments d'une même classe ouvrière, entre factions opposées de la bourgeoisie (Lénine, 1959).

[2] J'ai fait un séjour de 9 mois dans cette ville en 1977-78, afin d'y préparer ma thèse de doctorat.

[3] La crise Sentinelliste (1924-1929), fut avant tout une lutte de nature idéologique propre au contexte du catholicisme américain. Tout son sens se dégage à la lumière d'une opposition farouche entre diverses factions de la petite bourgeoisie francophone en Nouvelle-Angleterre, au sujet de l'existence anticipée de la nation franco-américaine. Pour aborder cette question cousue d'ambiguités et de malentendus, il faut plonger dans l'étude des documents historiques d'origine, lesquels sont en grande partie détruits ou inaccessibles.

BIBLIOGRAPHIE

Anonyme (1892) Editorial dans le *New York Times*. 6 juin, p. 4.

ABRAMSON, Harold J. (1973) *Ethnic Diversity in Catholic America*. New York, Wiley.

ARCHAMBAULT, Albéric A. (1943) *Mill Village, a Novel*, Boston, Bruce Humphries.

BÉLANGER, Albert A., éd. (1916) *Guide franco-américain des États de la Nouvelle-Angleterre, 1916*. Fall River, Mass.

BÉLANGER, Albert A., éd. (1931) *Guide officiel des Franco-américains, 1931*. Auburn, R.I.

BELISLE, Alexandre (1911) *Histoire de la presse franco-américaine*. Worcester, Mass., l'Opinion Publique.

BELLERIVE, Georges, éd. (1908) *Orateurs canadiens-français aux États-Unis, conférences et discours*. Québec, H. Chassé.

BENOÎT, Josaphat (1935) *L'Âme franco-américaine*. Montréal, Lévesque.

BOURASSA, Henri (1929) *L'Affaire de Providence et la crise religieuse en Nouvelle-Angleterre*. Montréal, Le Devoir.

BOURBONNIÈRE, Avila, éd. (1887) *Guide français de la Nouvelle-Angleterre*. Lowell, Mass. Société de publications françaises des États-Unis.

BROUILLETTE, Benoît (1939) *La pénétration du continent américain par les Canadiens-français, 1763-1846*. Montréal, Granger.

BUIES, Arthur (1880) *Le Saguenay et la vallée du Lac Saint-Jean, étude historique, géographique, industrielle et agricole*. Québec, A. Côté.

CHASSE, Paul-P. (1977) La fossilisation du Franco-américain de la Nouvelle-Angleterre. *Le Travailleur*, XXXXVII, 12.

DRAPEAU, Stanislas (1863) *Études sur les développements de la colonisation du Bas-Canada depuis 10 ans, 1851-1861*. Québec, Léger Brousseau.

FRENCHTOWN HISTORICAL SOCIETY (1976) *Frenchtown Valley Footprints*. Missoula, Montana, Mountain Press Printing.

GARNEAU, François-Xavier (1859) *Histoire du Canada*. Québec, P. Lamoureux, 3 vols.

GROULX, Lionel (1950) *Histoire du Canada français depuis la découverte*. Montréal, Fides, 4 vols.

HAMELIN, Jean, et ROBY, Yves (1971) *Histoire économique du Québec 1851-1896*. Montréal, Fides.

HAMON, Edmond (1891) *Les Canadiens-français de la Nouvelle-Angleterre*. Québec, N.S. Hardy.

LAVOIE, Yolande (1972) *L'Émigration des Canadiens aux États-Unis avant 1930, mesure du phénomène*. Montréal, Presses de l'Université de Montréal.

LÉNINE, V.I. (1959) « Du droit des nations à disposer d'elles-mêmes ». in *Oeuvres*, Paris, Éditions Sociales, Tome 20, p. 415-481.

LINTEAU, Paul-André, René DUROCHER et Jean-Claude ROBERT (1979) *Histoire du Québec contemporain. De la Confédération à la crise (1867-1829)*. Montréal, Boréal Express.

MAGNAN, Denis-Michel-Aristide (1913) *Histoire de la race française aux États-Unis*. Paris, Charles Amat.

MAN, Thomas (1835) *A Picture of Woonsocket*. Providence, R.I., Printed for the Author.

NEWMAN, Sylvanus Chace (1846) *A Numbering of the Inhabitants, together with Statistical and other Information Relative to Woonsocket, R.I.* Woonsocket R.I., S.S. Foss.

RUMILLY, Robert (1958) *Histoire des Franco-américains*. Montréal, L'auteur, sous les auspices de l'Union Saint-Jean-Baptiste d'Amérique.

SMYTH, Egbert C. (1892) The French-Canadians in New England. *Proceedings of the American Antiquarian Society*, (Worcester, Mass.), VII : 316-336.

SORRELL, Richard S. (1976) *The Sentinelle Affair (1924-29) and Militant Survivance: the Franco-American Experience in Woonsocket, R.I.* Ann Arbor, Michigan, Xerox U. Microfilms.

THERRIAULT, Mary-Carmel (1946) *La littérature française de Nouvelle-Angleterre*. Montréal, Fides; Québec, les Publications de l'Université Laval.

VICERO, Ralph Dominic (1970) *Immigration of French-Canadians to New England 1840-1900; a Geographical Analysis*. Ann Arbor, Michigan, Xerox U. Microfilms.

VICERO, Ralph Dominic (1971) Sources statistiques pour l'étude de l'immigration et du peuplement canadien-français en Nouvelle-Angleterre au cours du XIXe siècle. *Recherches sociographiques*, XII (3) : 361-377.

WESSEL, Bessie B. (1931) *An Ethnic Survey of Woonsocket, Rhode Island*. Chicago, University of Chicago Press.

WORKERS OF THE FEDERAL WRITERS' PROJECT (1937) *Rhode Island, a Guide to the Smallest State*. Boston, Houghton Mifflin.

III

Ontarois et Québécois : relations hors-frontières ?

Danielle JUTEAU-LEE[1]

INTRODUCTION

Quand, à partir des années soixante, l'appellation Canadiens français fut progressivement remplacée par de nouvelles, à savoir Québécois, Franco-Ontariens, Franco-Manitobains, Fransaskois, etc., c'était plus qu'un mot qui changeait. À ces noms correspondaient de nouvelles identités et de nouveaux projets collectifs, provoqués par l'émergence de communautés distinctes possédant des frontières déterminées (Juteau-Lee, 1979).

L'analyse qui suit vise à identifier les causes de cet éclatement, à en approfondir les modalités aux niveaux concret et symbolique et à dégager les conséquences de ce processus de scission-division[2] sur les relations entre ces communautés naissantes.

Après avoir retracé les divers changements d'identité qu'ont connus les Français vivant en terre d'Amérique, nous examinerons l'établissement et l'enracinement des Canadiens français en Ontario, en nous attachant tout particulièrement à l'histoire de cette communauté, à son mode d'organisation sociale, à ses rapports constitutifs, ainsi qu'à sa situation matérielle et symbolique de minoritaire. Nous verrons alors que de nombreuses ressemblances caractérisaient les Canadiens français du Québec et de l'Ontario et qu'une commune solidarité les unissait. Nous nous pencherons ensuite sur le passage de l'identité canadienne-française à l'identité franco-ontarienne, puis à l'identité ontaroise en examinant de plus près les facteurs internes (changements dans sa situation matérielle) et externes (émergence de l'identité québécoise) qui l'ont engendré. Enfin, nous montrerons comment de nouvelles identités liées à de nouvelles frontières ont créé un système de solidarités parallèles et modifié la nature des relations entre Ontarois et Québécois.

FRANÇAIS CANADIENS, CANADIENS, CANADIENS FRANÇAIS

Les changements d'identité ethnique expriment, au niveau symbolique, les transformations matérielles et concrètes que subissent constamment les communautés ethnico-nationales. Rejetant une vision statique des communautés d'histoire et de culture, l'austro-marxiste Bauer s'était penché sur leurs facteurs constitutifs. À la simple énumération de leurs caractères distinctifs, il substituait une analyse des processus qui les engendrent. D'après lui, les éléments qui définissent une communauté, tels que l'origine (ancêtres communs), les moeurs, les coutumes, le passé historique, les lois et la religion entretiennent entre eux un rapport précis :

> L'histoire commune crée les moeurs et les coutumes communes, les lois communes et la religion commune, et donc — pour conserver notre usage linguistique — de la communauté de la tradition culturelle (Bauer, 1974 : 250).

Il n'est donc pas surprenant qu'en dépit d'une origine commune, les Français du Canada se soient progressivement différenciés des métropolitains (Lacoursière et Bouchard, 1972 : 274). L'expérience de la colonisation, la spécificité des conditions (physiques, géographiques, sociales) de lutte pour l'existence représentent quelques-unes des causes agissantes qui ont fondé une communauté nationale de destin au Canada, appelée les Canadiens. Cette appellation exprimait des dissimilitudes au niveau de l'organisation sociale se manifestant dans le comportement et le « tempérament », ainsi qu'en témoignent les écrits (en 1744) du Père Charlevoix, s.j. :

> Mais la légèreté, l'aversion d'un travail assidu et réglé et l'esprit d'indépendance en ont toujours fait sortir un grand nombre de jeunes gens et ont empêché la colonie de se peupler. Ce sont les défauts qu'on reproche le plus et avec le plus de fondement, aux Français Canadiens (cité in Lacoursière et Bouchard, 1972 : 274-275).

L'historien Michel Brunet soutient, quant à lui, que la guerre de Sept ans (1756-1763) n'a pas mis fin à l'existence des Canadiens, puisque « le Conquérant lui-même les encouragea dans cette croyance en leur réservant le nom de Canadiens » (1954 : 18). En effet, « C'est ainsi que les documents officiels désignent « les nouveaux sujets de sa Majesté britannique » » (1954 : 18).

Nous sommes donc en présence d'une communauté nationale de destin engendrée par un passé historique commun, avec une origine commune, une même situation objective de subordination et une conscience commune d'appartenance. Après la Révolution américaine de 1776, le nombre d'anglophones au Canada s'accrut considérablement. L'arrivée des Loyalistes marqua le début des relations entre les Canadiens et les *British Americans*. Suite à l'instauration de ces nouveaux rapports économiques et politiques, certains attributs ont acquis un nouveau sens et furent considérés comme « naturels ». En effet, c'est à l'intérieur de son rapport au groupe dominant que le groupe minoritaire est matériellement et symboliquement défini (Guillaumin, 1972). En 1840, au moment de l'Acte d'Union, le chef des Canadiens, H. Lafontaine, invitait ses compatriotes à partager leur territoire et leur nom. Selon Brunet, « le canadianisme » tout court était né (et) les Canadiens, après avoir perdu le contrôle de leurs destinées, s'étaient fait enlever jusqu'à leur nom (1954 : 22).

Le statut bien concret de minoritaire, résultant du nouveau rapport social objectif instauré par la Conquête, commençait à se manifester au niveau symbolique. En devenant des *Canadians*, les *British Americans* affirmaient leur statut de sujets et se constituaient en norme référentielle. Le nom « Canada » donné à l'État fédéral constitué en 1867 venait consacrer le nouveau sens, d'ordre juridique, lié à ce terme qui s'appliquait à tous les habitants de l'État-nation. La communauté dominée, étant définie dans son rapport au groupe dominant et par ce dernier, fut désormais identifiée par sa différence : les Canadiens français sont nés (Savard, 1978 : 12).

Plusieurs attributs caractérisaient cette communauté, notamment la langue française, la religion catholique et un mode de vie rural et autarcique. Mais certains anglophones étaient aussi catholiques et agriculteurs. La langue française qui constituait donc la marque la plus distinctive du groupe minoritaire et qui incarnait sa « différence » fut le critère principal retenu au niveau de la désignation. Par la suite, ces attributs en vinrent à être considérés, autant par les minoritaires eux-mêmes que par les majoritaires, comme intrinsèques au groupe dominé et servirent de fondement à son sentiment d'appartenance commune. Aussi toute la lutte des Canadiens français visa d'abord à maintenir ces attributs, plutôt qu'à abolir le rapport d'oppression lui-même.

Pendant les décennies qui ont suivi la Confédération (l'Acte de l'Amérique britannique du Nord de 1867) les Canadiens français ont mobilisé tous leurs efforts pour résister à l'assimilation, c'est-à-dire à la perte de leur « essence ». Mais au moment où se déroulait cette lutte contre leur statut symbolique de minoritaire, leur situation objective et ses rapports sous-jacents se modifiaient rapidement. Le taux très élevé de natalité de la population canadienne-française combiné à l'absence de terres arables ainsi qu'au mode de transmission de ces terres ont créé un surplus de population en quête de travail (Gérin, 1939; Miner, 1939). Cet excès de population se dirigea d'abord vers les centres industriels de la Nouvelle-Angleterre. Selon Paquet (1964 : 328), 337 058 Canadiens français ont émigré aux États-Unis entre 1870 et 1910; d'autres se rendaient ailleurs au Canada et venaient grossir les petits centres établis depuis longtemps. En 1911, 113 110 personnes nées au Québec vivaient ailleurs au Canada. En 1921, ce nombre atteignait 145 100 (Juteau-Lee, 1974). En 1971, on établissait à 144 160 le nombre de Québécois de langue maternelle française vivant ailleurs au Canada, dont 107 475 en Ontario (FFHQ, 1977 : 30).

Nous examinerons maintenant les grandes lignes de l'histoire des Canadiens français qui se sont établis en Ontario.

LES CANADIENS FRANÇAIS DE L'ONTARIO

Nous pouvons retracer, à l'aide du Tableau 1, l'évolution démographique de cette population :

Tableau 1[1]

Population ontarienne d'origine française[2], 1851-1971

Année	Population totale de l'Ontario	Population d'origine française en Ontario	Pourcentage approximatif des francophones
1851	949 902	26 417	2,7
1861	1 382 425	33 287	2,4
1871	1 620 851	75 383	4,7
1881	1 926 922	102 743	5,3
1901	2 182 947	158 671	7,3
1911	2 523 274	202 442	8,0
1921	2 933 662	248 275	8,5
1941	3 787 665	373 990	9,9
1961	6 236 092	647 941	10,4
1971	7 703 106	737 360	9,6

[1] Adaptation du tableau présenté in R. Brodeur et R. Choquette, *Villages et visages de l'Ontario français*, Montréal : Fides, 1979, p. 16.

[2] Selon le Recensement du Canada,
a) l'origine ethnique est définie en fonction de l'ancêtre paternel.
b) la langue maternelle renvoie à la première langue apprise et encore comprise par une personne.
c) la langue d'usage renvoie à la langue utilisée au foyer.

R. Brodeur et R. Choquette (1979) examinent la colonisation de l'Ontario par les Canadiens français en fonction de trois régions principales, le Sud-Ouest, l'Est et le Nord. La première communauté canadienne-française en Ontario vit le jour en 1701, lors de l'établissement du fort Pontchartrain, tout près de Détroit (1979 : 5). À cette colonie qui comprenait environ 2 500 habitants en 1760, sont venus s'ajouter presqu'un siècle plus tard, des Canadiens français du Québec en quête de travail; ainsi en 1871, 14 000 francophones vivaient dans les comtés d'Essex et de Kent (1979 : 7), près des États-Unis. Plusieurs francophones se sont aussi rendus ailleurs dans le Sud-Ouest, au milieu du 19e siècle, dans les régions industrielles. À l'instar du Sud-Ouest, l'Est ontarien a accueilli depuis trois siècles les Canadiens français du Québec; traite des fourrures avant 1760, exploitation forestière au milieu du 19e siècle, achat de terres durant la deuxième moitié du 19e siècle (1979 : 9). L'établissement des francophones dans l'Est ontarien s'est donc effectué principalement pendant la deuxième moitié du 19e siècle et cette population constitue toujours, dans les comtés limitrophes du Québec, une très forte proportion de l'ensemble. Des comtés tels que Prescott et Russell sont peuplés à 78,6 et 76,8 pour cent par des personnes de langue maternelle française. « Si le bois a fait l'Outaouais », écrivent Brodeur et Choquette (1979 : 15), « ce sont surtout les chemins de fer et les mines qui ont fait le Nord de l'Ontario ». C'est surtout à partir de la seconde moitié du 19e siècle que les francophones s'y sont établis et là aussi, ils représentent la majorité dans certains centres, tels que Sturgeon Falls.

Ce bref historique fait ressortir l'ancienneté des communautés francophones en Ontario. Il est clair que c'est à partir de la moitié du 19e siècle que les Canadiens français du Québec vinrent y vivre en plus grand nombre. La contradiction, au sein de la société canadienne-française, entre un taux de natalité très élevé et l'absence de terres arables, a donc entraîné un vaste mouvement migratoire des Canadiens français du Québec dépourvus de moyens de travail vers les États-Unis et le reste du Canada. Soulignons que la très grande majorité des émigrants ira s'établir aux États-Unis, puisque les politiques d'immigration du gouvernement canadien ne favorisaient point l'établissement des francophones ailleurs au Canada. On voulait faire du Québec le seul territoire des francophones.

Les déplacements de cette main-d'oeuvre disponible à bon marché se comprennent en fonction du développement de l'économie canadienne : à la traite des fourrures ont succédé l'exploitation forestière avec ses scieries, la construction des chemins de fer et l'exploitation minière. Au gré des ans, les Canadiens français s'installèrent un peu partout en Ontario là où les emplois et les débouchés les attiraient.

CANADIENS FRANÇAIS DE L'ONTARIO ET
CANADIENS FRANÇAIS DU QUÉBEC

Au moment de leur émigration, les Canadiens français de l'Ontario appartiennent à la même communauté d'origine et de culture que ceux du Québec. Ces communautés d'histoire et de culture (ce que Bauer désigne par le terme de nations) se forgent surtout en fonction des causes agissantes, les conditions de la lutte pour l'existence. Puisqu'elles se comprennent en fonction d'un passé historique commun, d'un « destin vécu dans l'interaction réciproque profonde » (Bauer, 1974 : 235), nous nous pencherons sur leur expérience historique respective, afin d'en dégager les ressemblances et les dissimilitudes. Le vécu des Canadiens français de l'Ontario diffère-t-il de celui des Canadiens français du Québec ? À partir de quel moment leurs expériences historiques ont-elles divergé et quand ces différences sont-elles devenues pertinentes ?

Ces communautés partageaient tout d'abord leur statut matériel et idéologique de minoritaires. Leur situation économique se ressemblait. Ils étaient souvent agriculteurs et vivaient en autarcie à l'écart des réseaux d'échange capitaliste. Ou encore, ils travaillaient en tant qu'ouvriers non spécialisés dans le secteur primaire, notamment au niveau de l'exploitation minière ou forestière. Quelquefois, le travail en forêt venait suppléer aux revenus de la ferme. Certains d'entre eux fournissaient une main-d'oeuvre docile et à bon marché dans les entreprises se développant dans les centres urbains. D'une manière générale, cette population habitait en milieu rural, sur des fermes ou au sein de petites agglomérations appelées paroisses de préférence à villages. Cette ressemblance au niveau de la vie économique se retrouve au niveau de l'organisation sociale, des valeurs, des croyances (le catholicisme est à l'honneur), de l'identité et de la langue. Mais comment est assurée la survie, la reproduction de ces communautés en tant que communautés d'histoire et de culture ? C'est en examinant les appareils idéologiques, la famille, l'Église et l'école que nous trouverons réponse. Sans socialisation des nouveaux-nés, pas d'hominisation, pas d'« ethnicisation »; sans mères, pas de socialisation. En Ontario comme au Québec, les femmes ont contribué à la production matérielle, à la reproduction matérielle et culturelle de la communauté et sont responsables, à part entière, de son existence.

Mais la communauté ethnique déborde le cadre de la communauté domestique, aussi faut-il examiner les autres dimensions de son organisation sociale ainsi que les appareils idéologiques assurant sa reproduction. Laurin-Frenette montre bien que la nation parle dans l'État ou dans « tout appareil fonctionnellement équivalent à l'État — c'est-à-dire au sein duquel s'organise la centralisation de la régulation, du contrôle... » (1980 6)[3]. Au Québec, ajoute-t-elle, la communauté a parlé dans l'Église et a fondé le pouvoir de ces appareils; le nationalisme s'est manifesté par l'adhésion à la religion catholique, puis secondairement à la langue française : « appartiennent à la nation, les fidèles, c'est-à-dire les sujets de l'Église » (1980 : 8). Ces remarques sont applicables à tous les Canadiens français du Canada, et font comprendre l'unité de la communauté indépendamment de la province de résidence. En Ontario aussi, le rôle de l'Église et de ses institutions a dépassé le cadre de la vie religieuse. Le clergé s'impliquait dans tous les aspects de la vie communautaire, qui était indissociable de la paroisse. Les activités et les organismes sociaux-culturels y étaient toujours rattachés. Dennie (1978 : 81) montre que la communauté canadienne-française de l'Ontario constitue une formation sociale marginalement intégrée à l'économie capitaliste, encadrée par une élite cléricale ainsi que par la petite-bourgeoisie. Pour Archibald (1979), cette communauté constituait un univers culturel et social replié sur la paroisse. L'État est perçu comme étranger à la communauté (l'anti-étatisme est une constante de l'idéologie canadienne-française) et cette dernière a développé un réseau de corps intermédiaires (coopératives, caisses populaires) placés sous l'égide du clergé. Tant et aussi longtemps que l'Église représentait l'appareil de contrôle de ces communautés, l'on pouvait parler d'une nation canadienne-française, s'égrenant çà et là du Québec au Pacifique. En tant que gestionnaire de cette nation, l'Église avait intérêt à restreindre le pouvoir de l'État. Pour des raisons évidentes, c'est au Québec que ce contrôle put s'exercer le plus librement. En Ontario, le clergé francophone perdit rapidement sa position privilégiée et dut affronter, non seulement une élite politique hostile à ses revendications, mais le clergé anglophone (Choquette, 1980).

Issues d'une même communauté d'origine et de culture, les Canadiens français de l'Ontario et du Québec ont donc connu certaines expériences communes. Mais on ne peut parler d'identité du sort, puisque le niveau de contrôle exercé par leur clergé respectif différait sensiblement. C'est au niveau des institutions scolaires que ces différences se manifestèrent le plus clairement. Dans nos sociétés, l'importance accrue de l'école en tant qu'appareil idéologique et outil de la reproduction sociale est bien connue. La trilogie Famille-Église-École, si bien enracinée au Québec, n'a pu se maintenir en Ontario. Si la Constitution de 1867 garantissait le respect des droits religieux, elle ne protégeait pas les droits linguistiques des Canadiens français à l'extérieur du Québec. Par conséquent, l'histoire des Canadiens français de l'Ontario a été marquée par les luttes scolaires et une grande partie de ses énergies furent consacrées à l'obtention d'écoles françaises. Il est impossible de relater dans tous ses détails l'historique de cette lutte, très bien analysée d'ailleurs par Robert Choquette (1980). Amorcée en 1912, lors de ce qu'on appelle désormais l'infâme Règlement XVII qui abolissait l'usage du français comme langue d'enseignement et de communication à l'école, elle se poursuit aujourd'hui à d'autres niveaux (Brodeur et Choquette, 1979 :19). Ce n'est que depuis 1968, à la suite des Bills 140 et 141, que les Canadiens français possèdent, dans certaines régions, l'accès à l'éducation secondaire en français. Les luttes scolaires visent aujourd'hui à l'obtention d'écoles secondaires de langue française dans toutes les régions où les intéressés en font la demande (qu'on pense à la crise de Penetanguashine) ainsi que la création de conseils homogènes de langue française susceptibles d'accroître leur contrôle administratif sur ce secteur.

L'appui témoigné par leurs confrères et consoeurs du Québec lors du Règlement XVII révèle qu'une étroite solidarité unissait les Canadiens français du Québec et de l'Ontario et que les événements se déroulant en Ontario touchaient tous les Canadiens français. Mais à partir du moment où le pouvoir passa aux mains de l'État provincial, les Canadiens français ne partagèrent plus un destin commun. Contrairement à ceux de l'Ontario, les nouveaux gestionnaires de l'État du Québec étaient des Canadiens français. Les conséquences de l'industrialisation, de l'urbanisation et de la modernisation ont modifié de manière radicalement différente leur statut concret de minoritaires, ce qui s'exprimera aussi au niveau symbolique.

CHANGEMENTS DANS LA SITUATION MATÉRIELLE DES MINORITAIRES

L'expansion du capitalisme anglo-américain a modifié les rapports entre Canadiens français et Canadiens anglais et a provoqué l'effritement du Canada français en donnant naissance à des communautés et identités distinctes, québécoise, franco-ontarienne, franco-manitobaine, etc., en suscitant de nouvelles consciences et projets politiques (Juteau-Lee et Lapointe, 1979). En effet, l'industrialisation et l'urbanisation qui en ont résulté ont sapé les fondements matériels sur lesquels reposaient les anciennes formes d'organisation sociale ainsi que le pouvoir clérical.

L'érosion du mode de production petit marchand a propulsé les Canadiens français hors de l'autarcie pour les « intégrer » au système d'échange capitaliste. La modification des rapports économiques entre dominants et dominés rendait caduques les anciens mécanismes de protection. Après une période de lutte, le contrôle de la communauté passa, au Québec, des mains du clergé à celles des gestionnaires de l'État. Ce fut la Révolution tranquille et la modernisation en occupa le centre. L'État du Québec assuma un rôle actif, il devint un outil de transformations sociales, il multiplia ses actions dans tous les secteurs (Juteau-Lee, 1974 : chapitres V, VI). Les projets, les réformes, les interventions de l'État du Québec ont affecté ceux qui vivaient au Québec et ont accentué le fondement territorial de l'identification. C'est donc l'État du Québec qui a engendré la nation québécoise et donné naissance à la communauté et à l'identité québécoise (Juteau-Lee, 1974 : chapitre VI). Le déplacement de l'appareil de régulation de l'Église à l'État modifia donc les frontières de la communauté et sa conscience. De l'ordre de la tradition qu'elle était, elle passa à l'historicité et devient porteuse d'un nouveau projet politique, visant non plus au maintien, mais au contrôle de la collectivité face aux *outsiders*.

Le « nous les Québécois » renvoyait donc à une communauté d'appartenance d'où étaient exclus tous les Canadiens français vivant à l'extérieur du Québec. L'ancienne communauté nationale de destin disparaissait. Ce processus de scission-division apparut clairement lors de la réunion des États généraux en 1966, 1967 et 1969 et s'est manifesté par l'existence de projets et de solidarités parallèles. Si les Québécois peuvent apporter de l'appui aux groupes français des autres provinces, leur libération collective n'entraîne plus automatiquement celle de ces collectivités. C'est dans ce sens que leurs destins, bien qu'interdépendants, ne se recouvrent plus exactement sur tous les points.

Mais ce facteur externe ne peut à lui seul tout expliquer. En effet, les Canadiens français de l'Ontario auraient pu conserver leur identité. Mais là aussi la communauté subissait de nombreuses transformations et son contrôle échappait de plus en plus aux représentants de l'Église. En 1971, 9,6 pour cent de la population de l'Ontario, c'est-à-dire 737 360 personnes, étaient d'origine ethnique française. Ces pourcentages tombent respectivement à 6,3 et 4,6 si l'on s'en tient à la langue maternelle et à la langue d'usage. À cause de leur éparpillement sur le territoire ontarien, il est nécessaire d'étudier leur répartition en fonction de cinq régions principales.

En regardant de plus près le tableau 2, l'on s'aperçoit que cette distribution est très inégale et que le « corridor bilingue » dont parlait Joy en 1972 existe toujours (voir aussi figure 1).

Les Franco-Ontariens connaissent donc des situations fort différentes d'une région à l'autre. En effet, environ le quart de cette population vit dans le Sud de l'Ontario où elle ne constitue que 1,9 pour cent de l'ensemble. Par contre, dans les régions à plus faible densité, telles que le Nord et l'Est, les francophones représentent une proportion beaucoup plus considérable de l'ensemble et constituent une majorité dans certains comtés limitrophes, tels que Prescott et Russell. Les conséquences de cette concentration différentielle se feront rapidement ressentir au niveau des taux d'assimilation et de la capacité

Tableau 2[1]

Répartition géographique des Franco-Ontariens[2], selon la région, 1976

Région	Population totale	Population de langue maternelle française	Pourcentage de la population de langue maternelle française dans la population totale de la région	Pourcentage de la population de langue maternelle française de la région dans la population totale de langue maternelle française de l'Ontario
Nord-Est	583 725	157 780	26,3	33,3
Nord-Ouest	233 390	9 150	3,9	2,0
Est	1 149 265	175 330	15,3	37,9
Centre	5 050 830	87 245	1,7	18,9
Sud-Ouest	1 247 140	36 685	2,9	7,9
Ontario	8 264 350	462 190	5,6	100,0

[1] Ce tableau provient d'un article « Les Franco-Ontariens », publié par le Conseil des Affaires franco-ontariennes, 1979, p. 1.

[2] Dans l'article mentionné ci-dessus, on définit comme Franco-Ontariens « tout Canadien dont la langue maternelle est le français et qui est installé à demeurer en Ontario », p. 1.

organisationnelle de la communauté. Il est à noter qu'en 1971, l'Ontario comptait 52,1 pour cent des personnes de langue maternelle française vivant à l'extérieur du Québec (FFHQ, 1977 : 23). Toujours en 1971, 23 pour cent des Franco-Ontariens étaient nés au Québec.

Tout comme les Québécois, les Canadiens français de l'Ontario furent de plus en plus insérés dans les réseaux d'échange capitaliste et vinrent grossir surtout les rangs de la classe ouvrière. En 1971, 76,6 pour cent des francophones de l'Ontario vivaient dans des centres urbains (FFHQ, 1977 : 28). Leur revenu était légèrement inférieur à celui des anglophones, puisque 68% des francophones contre 64% des anglophones âgés de 15 ans et plus gagnaient en 1971 un revenu inférieur à 5 000 $ par année (FFHQ, 1977 : 35). Ils sont beaucoup moins scolarisés que l'ensemble de la population : « 71 pour cent des Franco-Ontariens ont une scolarité de 10e année et moins alors que seulement 56 pour cent de la population tombe dans cette catégorie » (FFHQ, 1977 : 38). Parmi la population active et expérimentée de 15 ans et plus, il est à noter que 40,3 pour cent travaillent à l'exploitation et au traitement des matières premières.

Ces changements économiques ont affecté l'ensemble de la vie sociale. Une élite composée de certains membres de la nouvelle petite-bourgeoisie, tels que les enseignants, les fonctionnaires, les journalistes, les professionnels de la radio et de la télévision remplaça les anciens gestionnaires de la communauté, les notables. Contrairement aux nouvelles élites québécoises, elles ne contrôlent pas l'appareil d'État et se trouvent face à un État géré par les membres d'une autre communauté d'histoire et de culture peu enclins à partager leur pouvoir et à défendre les droits et les intérêts du groupe minoritaire. Le sort de la communauté est de plus en plus lié au bon vouloir d'un gouvernement qui cherche à accroître la centralisation au nom de l'efficacité et de la rationalité. Il en résulte, pour l'instant, un certain désarroi puisque le groupe minoritaire éprouve des difficultés à définir son espace, son terrain de lutte. Un plan d'action et un projet cohérents n'ont pu se formuler avec précision depuis que le « second dérangement », pour reprendre l'expression de la Fédération des francophones hors Québec (FFHQ, 1981), a détruit les anciennes formes de sociabilité.

Il existe néanmoins de multiples actions et projets qui témoignent de la volonté de vivre de cette communauté et de son existence. En effet, la communauté ethnique est

Figure 1

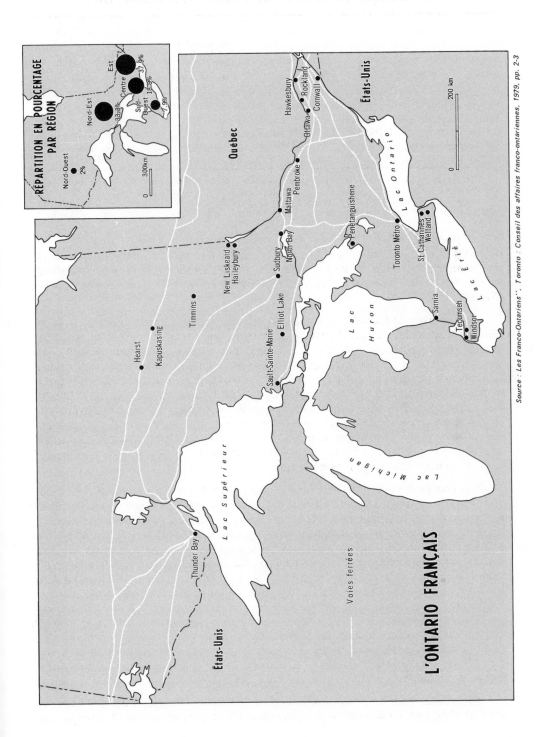

Source : Les Franco-Ontariens'', Toronto : Conseil des affaires franco-ontariennes, 1979, pp. 2-3

plus qu'un ensemble de personnes possédant certains traits distinctifs, elle n'est pas une essence mais un « faire » (Marienstras, 1975). Elle se définit et prend sa forme à travers la lutte qu'elle mène pour se donner un nom, des règles institutionnelles, des conventions, des structures visibles (Marienstras, 1975 : 52). En Ontario cette lutte vise à la reconnaissance de son droit à l'existence et de ses droits fondamentaux, à l'épanouissement d'une vie socio-culturelle distinctive. Elle se manifeste à plusieurs niveaux : la recherche de son passé et la découverte de *son* histoire en sol ontarien, l'examen de la situation actuelle en vue d'une action concertée (les Rapports Bériault, St-Denis, Symons et Savard), les pressions politiques exercées au niveau des gouvernements fédéral et provincial ainsi que les alliances avec le gouvernement du Québec, et la création d'un nouvel ordre institutionnel où sont remis en question les anciens organismes tels que l'Association canadienne-française de l'Ontario (l'ACFO). Ces changements de la dimension matérielle de son statut de minoritaire ont affecté la dimension symbolique, ainsi qu'en témoigne le passage de l'identité canadienne-française à franco-ontarienne.

DE CANADIENS FRANÇAIS, À FRANCO-ONTARIENS, À ONTAROIS

Les changements d'identité ethnique, nous l'avons vu, renvoient aux transformations subies par les communautés d'histoire et de culture à la suite des modifications de leurs rapports constitutifs et expriment l'émergence des nouvelles consciences et des nouveaux projets politiques ainsi engendrés. La transformation des rapports entre les Canadiens français de l'Ontario et le groupe dominant ainsi que leur exclusion du « Nous les Québécois » a provoqué un changement d'identité ainsi qu'en témoigne la désignation « les Franco-Ontariens », apparue au cours des années soixante. Ce terme fut adopté par les nouvelles associations, qu'elles soient mises sur pied par le gouvernement ou par la communauté (Juteau-Lee et Lapointe, 1979). La plupart des organismes ont abandonné le mot canadien-français au profit de franco-ontarien. La même tendance est apparue dans les discours nationalitaires et ceux de l'ACFO. Les artistes, les intellectuels, toujours sensibles à ces changements, les ont exprimés et propagés. Nous pensons entre autres au groupe CANO, à Théâtre Action, à la Revue du Nouvel-Ontario, pour en nommer quelques-uns. À la fin des années soixante, la prédominance de l'identité franco-ontarienne était bien établie. Son enracinement progressif témoignait de l'existence d'une communauté distincte définie dans et par son rapport à l'État ontarien.

L'incidence de ce rapport sur l'identité ressort lorsqu'on cherche à en définir les porteurs, les agents. Une recherche effectuée avec Jean Lapointe (Juteau-Lee et Lapointe, 1979) nous avait permis de déterminer qui avait adopté l'identité franco-ontarienne. Se définissaient comme Franco-Ontariens surtout des informants actifs dans la vie politique ou engagés dans l'action, que ce soit dans le domaine de l'éducation ou des autres services communautaires. Leur lutte pour la reconnaissance des droits de la communauté les a placés dans le champ politique et leur identité s'est façonnée au sein de leur rapport antagonique face à l'État ontarien. On retrouve aussi cette identité chez tous ceux dont la vie est étroitement liée à celle de la communauté : enseignants, commentateurs à la radio et à la télévision, journalistes, animateurs, étudiants inscrits aux écoles françaises, etc. Se définissaient comme Canadiens-français les personnes moins impliquées au niveau des revendications, ou celles qui travaillaient en dehors des sphères étroitement liées au pouvoir étatique. Les personnes impliquées dans les secteurs religieux, paroissial ou domestique ont conservé plus longtemps l'ancienne identité puisqu'elles vivaient à l'écart des nouveaux rapports.

Si l'identité et la conscience franco-ontariennes traduisent souvent une volonté de changement et le rejet du conservatisme, de la tradition et du maintien des modèles socio-culturels hérités du passé, elles expriment aussi le statut concret de cette minorité :

> Mineurs, ces groupes sont aussi frappés de particularisme. Ils sont particuliers face à ce général qu'est la majorité. Ils sont différents face à la majorité qui est la norme… (Guillaumin, 1972 : 86).

D'un côté donc, les Ontariens, qui incarnent la norme, de l'autre, les Franco-Ontariens, définis en fonction de leur particularisme et de leur différence. Ils luttent ainsi contre un État qui semble souhaiter leur disparition. Ils sont incapables, même au niveau du rêve, de se l'approprier. Son éparpillement l'empêche d'imaginer la création d'une nouvelle province, d'un État franco-ontarien. Que reste-t-il ? Une diaspora, diront certains, pouvant et devant compter sur l'appui d'un Québec fort. Mais au-delà des regards fixés sur l'extérieur et de la soumission à un État hostile, au-delà des incessantes et abrutissantes luttes dont les résultats ne se comparent en rien aux énergies déployées, un nouveau projet pointe à l'horizon, celui de l'autogestion (FFHQ, 1979a). Dans un document soumis à ses membres pour fins d'étude, la Fédération des Francophones hors Québec en présente les points saillants. On est loin de son adoption, mais l'idée est lancée et commence à faire son chemin. La communauté veut fixer ses propres objectifs et contrôler son devenir. Dans l'impossibilité de formuler les vieux rêves de l'État-nation, elle se voit, fort heureusement, contrainte à l'élaboration de solutions nouvelles. La définition et l'adoption d'un projet autogestionnaire apparaissent des plus souhaitables puisqu'il est le seul susceptible d'éliminer, ici et ailleurs, les rapports inégaux entre les communautés d'histoire et de culture. Tant que la régulation de la communauté repose entre les mains de l'État, même d'un État géré par les membres de *sa* communauté, elle ne peut définir d'une manière autonome son développement. Il s'agit donc d'un projet autogestionnaire visant à l'abolition de la situation concrète de minoritaire.

Parallèlement à la définition de ce projet, il est encore trop tôt pour parler de lien causal, certains membres de la collectivité se sont appelés des ONTAROIS[4]. Cette nouvelle désignation reflète des transformations profondes, elles exprime le refus de la situation symbolique de minoritaire. La collectivité ne veut plus se définir par sa différence (*Franco-Ontarien*) mais veut exister en dehors de ce rapport d'oppression. À quand la rencontre de de nouveau projet autogestionnaire et de cette nouvelle conscience ontaroise ?

ONTAROIS ET QUÉBÉCOIS

Ontarois et Québécois, deux nouvelles identités liées à l'émergence de collectivités distinctes bien qu'interdépendantes. L'apparition, au début des années soixante, d'un « nous les Québécois » d'où étaient exclus tous les membres de la communauté canadienne-française habitant à l'extérieur du Québec, témoigne bien de ce processus de scission-division. Si nous pouvons parler de communautés distinctes, c'est qu'il existe des frontières ethniques dont il n'est pas toujours aisé de parler. Ayant un fondement social et non seulement territorial, elles sont soumises à de nombreuses fluctuations et conservent un caractère difficile à cerner. Nous avons montré dans cet article comment s'opéraient ces fluctuations. En vertu des critères retenus, il existe maintenant des Québécois et des francophones hors Québec (le terme Québécois d'ailleurs recouvre souvent des réalités différentes). Le gouvernement du Québec prend des décisions concernant la communauté qu'il gère, mais il entretient simultanément des relations privilégiées avec les membres de l'ancienne communauté nationale de destin sur laquelle il ne peut exercer de contrôle direct. L'analyse de ces nouveaux rapports reste à faire, mais mentionnons, en guise de conclusion, que l'on peut les taxer d'« hors-frontières ». Dès le début des années soixante (Choquette, 1980 : 221), le ministère des Affaires culturelles du Québec créa un « Service du Canada français outre-frontières », et ce service a dépensé entre 1961 et 1974, plus de 1 750 000 $ pour les minorités de langue française hors Québec. Bref, des communautés issues de la même souche, dont les destins ne sont plus identiques, mais qui demeurent néanmoins dans une situation d'interdépendance à laquelle elles peuvent difficilement se soustraire.

NOTES

[1] Ce texte reprend en grande partie certains passages de mon article « Français d'Amérique, Canadiens, Canadiens français, Franco-Ontariens, Ontarois : qui sommes-nous ? », publié dans la revue *Pluriel-Débat*, n° 24, 1980.

[2] Le processus de scission-division correspond à la division d'une communauté ethnique en au moins deux communautés distinctes (Horowitz, 1975 : 115-116).

[3] Les pages citées renvoient à la version française du texte.

[4] C'est Yolande Grisé, professeur à l'université d'Ottawa (Lettres françaises) et chercheur au Centre franco-ontarien de ressources pédagogiques, qui a proposé ce néologisme en réponse au film de Paul Lapointe, *J'ai besoin d'un nom* (1980).

BIBLIOGRAPHIE

ARCHIBALD, Clinton (1979) « La pensée politique des Franco-Ontariens au XXᵉ siècle », *Revue du Nouvel Ontario*, 2 : 13-30.

BAUER, Otto (1972) « Le concept de nation », pp. 233-257 in G. Haupt, M. Lowy et C. Weill (éd.), *Les marxistes et la question nationale, 1848-1914*, Paris, Maspero.

BRODEUR, René et Robert CHOQUETTE (1979) *Villages et visages de l'Ontario français*, Toronto/ Montréal, l'Office de la télécommuniation éducative de l'Ontario en collaboration avec les éditions Fides.

BRUNET, Michel (1954) *Canadians et Canadiens*, Montréal/Paris, Fides.

CHOQUETTE, Robert (1980) *L'Ontario français, Historique*, Montréal/Paris, Éditions Études vivantes.

CONSEIL DES AFFAIRES FRANCO-ONTARIENNES (1979) « Les franco-ontariens ».

DENNIE, Donald (1978) « De la difficulté d'être idéologue franco-ontarien », *Revue du Nouvel Ontario*, 1 : 69-90.

FÉDÉRATION DES FRANCOPHONES HORS QUÉBEC :
    (1977) *Les Héritiers de Lord Durham*, Vol. 1, Ottawa.
    (1978) *Deux poids, deux mesures : les francophones hors Québec et les anglophones au Québec : un dossier comparatif*, Ottawa.
    (1979a) *Tout à gagner, pas grand chose à perdre*, Document de réflexion, Ottawa.
    (1979b) *Pour ne pas être... sans pays*, Rapport du Comité politique de la F.F.H.Q., Ottawa.
    (1981) *Un espace économique à inventer*, Rapport du Comité économique de la F.F.H.Q., Ottawa.

GÉRIN, Léon (1939) *Le type économique et social des Canadiens*, Montréal, les éditions de l'A.C.-F.

GRISÉ, Yolande (1980) « À la découverte de l'identité franco-ontarienne par la création pédagogique », communication présentée à Ottawa, le 6 novembre.

GUILLAUMIN, Colette (1972) *L'idéologie raciste. Genèse et langage actuel*, Paris/La Haye, Mouton.

HOROWITZ, D.L. (1975) « Ethnic Identity », pp. 111-140 in N. Glazer et D.P. Moynihan (éd.), *Ethnicity : Theory and Experience*, Cambridge, Harvard University Press.

JOY, Richard (1972) *Languages in Conflict*, Toronto, McClelland and Stewart.

JUTEAU-LEE, Danielle (1974) *The Impact of Modernization and Environmental Impingements upon Nationalism and Separatism*, Thèse de doctorat, Université de Toronto.

JUTEAU-LEE, Danielle (1979) « La sociologie des frontières ethniques en devenir », pp. 3-21 in Danielle Juteau-Lee (éd.), avec la collaboration de Lorne Laforge, *Frontières ethniques en devenir/ Emerging Ethnic Boundaries*, Ottawa, les éditions de l'Université d'Ottawa.

JUTEAU-LEE et Jean LAPOINTE (1979) « The Emergence of Franco-Ontarians : New Identity, New Boundaries », pp. 99-115 in Jean Leonard Elliott (éd.), *Two Nations, Many Cultures. Ethnic Groups in Canada*, Scarborough, Ontario, Prentice-Hall of Canada, Ltd.

LACOURSIERE, Jacques et Claude BOUCHARD (1972) *Notre histoire : Québec-Canada*, Vol. 3, *Une défense inutile, 1701-1760*, Montréal, Éditions Format.

LAURIN-FRENETTE, Nicole (1980) « Quebec and the Theory of the Nation », *Our Generation*, 14, 7 : 29-35.

MARIENSTRAS, Richard (1975) *Être un peuple en diaspora*, Paris : Maspero.

MINER, Horace (1939) *St. Denis : A French-Canadian Parish*, Chicago, University of Chicago Press.

PAQUET, Gilles (1964) « L'immigration des Canadiens français vers la Nouvelle-Angleterre, 1870-1910 : Prises de vue quantitatives », *Recherches sociographiques*, V, 3 : 319-370.

RAPPORT BÉRIAULT (1968) Rapport du Comité sur les écoles de langue française en Ontario.

RAPPORT ST-DENIS (1969) La vie culturelle des Franco-Ontariens.

RAPPORT SAVARD (1977) Cultiver sa différence.

RAPPORT SYMONS (1972) Commission ministérielle sur l'éducation secondaire en langue française.

SAVARD, Pierre (1978) « De la difficulté d'être franco-ontarien », *Revue du Nouvel Ontario*, 1 : 11-22.

IV

Quand une majorité devient une minorité : les Métis francophones de l'Ouest canadien

Gilles MARTEL

La question fondamentale à la base de cet article est la suivante : comment naît...et meurt une nation ? Plus précisément : quels sont les facteurs et les forces qui peuvent nouer en une unité collective spécifique et consciente de soi un groupe d'individus, et, antithétiquement, quelles sont les forces antagonistes qui peuvent dénouer cette unité et disloquer cette conscience collective ?

L'histoire de la collectivité métisse de l'Ouest canadien nous offre un exemple tragique de l'avortement d'un processus de gestation d'une conscience nationale.

ORIGINE ET DÉVELOPPEMENT DE LA POPULATION MÉTISSE

Il existe peu d'études d'ensemble sur l'histoire du groupe métis et en particulier sur ses origines. Il faut surtout se référer à l'étude de Marcel Giraud, *Le Métis canadien, son rôle dans l'histoire des provinces de l'Ouest*. Écrit d'après des sources de première main, en particulier les archives de la Compagnie de la baie d'Hudson, cet ouvrage offre les garanties d'un travail scientifique. Quant au travail de Auguste-Henri de Trémaudan, *Histoire de la nation métisse dans l'Ouest canadien*, sans être dénué de valeur ou d'intérêt, il est basé, surtout pour l'histoire des origines du groupe métis, sur des sources de seconde main; de plus, sa coloration nettement polémique le rend plus vulnérable à la critique.

Les deux foyers d'origine

Le groupe métis, fruit de la miscégénation de Blancs et d'Indiens, doit son origine au grand commerce de la fourrure et à l'existence des grandes compagnies de commerce qui s'établirent à l'ouest du bouclier canadien dans les terres intérieures (foyer méridional) ou sur les rives ouest et sud-ouest de la baie d'Hudson (foyer septentrional) (Giraud, p. 293-477).

Dès 1670, le roi Charles II avait octroyé au "Governor and Company of Adventurers of England Trading into Hudson's Bay" le monopole exclusif du commerce et la propriété absolue des terres de tout le bassin de la baie d'Hudson. La compagnie établit des ports et forts de traite sur les rives ouest et sud-ouest de la baie d'Hudson. Le commerce se faisait par voie maritime directement vers l'Angleterre. Les agents de la compagnie invitaient les Indiens à venir eux-mêmes aux forts y échanger leurs fourrures.

Jusqu'en 1760, date de la cession de la Nouvelle-France à l'Angleterre, des expéditions étaient parties des rives du Saint-Laurent vers les terres de l'Ouest, en passant par les Grands Lacs. Au nombre de ces expéditions, il faut compter les voyages et les établissements de La Vérendrye de 1741 à 1743.

Il n'est pas facile d'établir exactement à quelle date cette double pénétration de Blancs dans les territoires indiens donna naissance au groupe métis. Disons approximativement à la fin du 18e siècle.

Après 1760, l'Ouest, devenu territoire britannique vit les postes de traite établis par La Vérendrye et ses successeurs disparaître les uns après les autres. Un certain nombre des compagnons des premiers explorateurs français seraient restés dans le pays et, en s'unissant à des Indiennes, auraient donné naissance aux premiers éléments de la nouvelle race métisse. Mais c'est surtout après 1783-1784, année de fondation de la Compagnie du Nord-Ouest, rivale de la Compagnie de la baie d'Hudson, que le foyer méridional d'expansion de la race métisse francophone prit de l'ampleur. En effet,

Bien que ceux qui maniaient ses capitaux aient été pour la plupart des Écossais, ou même des Anglais, du Bas-Canada, tous ses serviteurs, guides, interprètes, « voyageurs » et autres subalternes, un bon nombre de ses commis et quelques uns de ses bourgeois, comme on appelait les commandants des postes les plus importants, étaient de race française (Morice, 1914, p. 19).

Or la tactique commerciale de cette compagnie était nettement plus agressive que celle de sa rivale. Il ne lui suffisait pas d'attendre les Indiens dans ses forts. Elle envoyait ses agents directement au milieu des tribus indiennes pour traiter avec elles. Certains même s'y établissaient presque en permanence et épousaient des femmes indiennes. L'expansion de la race métisse francophone se faisait rapidement et presque sans obstacle.

Du côté septentrional la miscégénation était ralentie par deux obstacles : d'abord une tactique commerciale plus sédentaire incitait les employés à attendre dans les forts les Indiens qui devaient venir eux-mêmes y faire la traite de leurs fourrures; de plus, la Compagnie de la baie d'Hudson pratiquait, du moins officiellement, une politique de ségrégation, défendant à ses employés d'épouser des femmes indigènes.

Mais devant l'ampleur du fait accompli et les nombreuses unions mixtes de ses employés, elle dut bientôt modifier sa politique. Comme remède au déclassement que risquaient les Métis nés de ces unions, elle imposa l'instruction obligatoire pour ces enfants dans les postes de traite : « religion, lecture, écriture, arithmétique, comptabilité » (Giraud, p. 555-56). De là cette supériorité culturelle que devaient longtemps conserver les Métis anglophones.

En résumé, on peut dire que le groupe métis anglophone naquit dans le foyer septentrional par une sorte de phénomène d'ondes concentriques autour des postes de traite de la Compagnie de la baie d'Hudson. Le groupe métis francophone naquit dans la zone méridionale par un mouvement de ramification d'est en ouest et du sud au nord sur une surface beaucoup plus étendue. Les Métis anglophones vivaient beaucoup plus près des Blancs et jouissaient d'une certaine instruction; les Métis francophones continuaient de vivre à la manière indienne et sans aucune instruction. Une certaine solidarité unissait quand même les deux groupes métis (Giraud, p. 386-477).

La fondation de la colonie de la rivière Rouge et la première manifestation d'une conscience nationale métisse

En 1810, « Thomas, fifth Earl of Selkirk », et son beau-frère Andrew Wedderburn-Colvile, ayant acquis des parts importantes dans la Compagnie de la baie d'Hudson, poussèrent celle-ci à une compétition plus agressive et introduisirent le projet de la fondation d'une colonie d'immigrants dans la région du bassin du lac Winnipeg.[1] Ce projet avait des objectifs multiples : permettre à de petits paysans écossais et irlandais, chassés de leurs terres par la révolution agricole, de pouvoir s'établir; envahir un riche territoire à fourrures, jusque-là exploité uniquement par la Compagnie du Nord-Ouest; faire valoir le titre de la Compagnie de la baie d'Hudson à la propriété du sol, titre dont les traiteurs montréalais s'étaient moqués impunément. De plus, cette colonie fournirait aussi les provisions pour les postes de traite et les brigades de bateaux de transport, assurerait à la Compagnie un personnel de relève issu du pays et un lieu de refuge pour les employés à la retraite (Morton, 1970, p. 44). La colonie allait être connue sous le nom d'Assiniboia. En 1811, la Compagnie de la baie d'Hudson octroya à Selkirk la propriété absolue d'un territoire d'au-delà de 100 000 milles carrés dans la vallée de la rivière Rouge. Le 30 août 1812, arrivait le premier contingent d'immigrants écossais et irlandais, bientôt suivi de 120 autres hommes accompagnés d'un certain nombre de femmes et d'enfants (Morton, 1970, p. 45-46).

La Compagnie du Nord-Ouest vit d'un très mauvais oeil cet empiètement sur son territoire de commerce. Elle entreprit une guerre sans merci contre les colons, soulevant contre eux ses employés métis, en exploitant leur tempérament émotionnel. Elle attisa l'idée nationale métisse qui commençait à prendre corps parmi eux. Elle insista sur le fait que leur droit de propriété du sol, au titre de leur sang indien, avait été violé. Car, si Selkirk avait conclu un traité avec certains chefs indiens, les Métis eux n'avaient pas été approchés. La Compagnie du Nord-Ouest gratifia même les Métis du titre de "Lords of the Soil". Au printemps 1815, les Métis, sous la direction de leurs chefs, parmi lesquels prédominaient des Métis écossais parlant français, dont Cuthbert Grant, se proclamèrent la Nouvelle Nation ou Nation des Bois-Brûlés (Giraud, p. 516-600). Entre autres choses, « ils rejetaient comme ne pouvant s'appliquer à leur nation, les prescriptions du christianisme et les lois qu'elles inspiraient. »[2] Les bourgeois de la Compagnie du Nord-Ouest s'efforçaient de leur côté de détruire chez les Métis les liens qui les rattachaient au christianisme et tâchaient de les ramener aux moeurs indiennes (Giraud, p. 554). La nouvelle nation avait même son drapeau : un 8 horizontal sur fond rouge ou bleu (Giraud, p. 585).

À deux reprises, soit en juin 1815 et en juin 1816, les Métis attaquèrent la jeune colonie et faillirent la réduire à néant. Il faut bien noter, cependant, que les Métis n'étaient pas unanimes dans l'opposition aux nouveaux colons et que les plus féroces parmi eux provenaient des régions encore plus à l'ouest (Giraud, p. 556-57). D'autre part, seuls les Métis d'origine canadienne et pour la majorité francophones avaient participé à ces attaques. Les Métis anglo-saxons s'en étaient abstenus (Giraud, p. 617). D'où l'animosité latente et souvent résurgente des colons contre les Métis canadiens et francophones au cours des années qui suivirent (Giraud, p. 617).

Dans une analyse détaillée des bases de ce nationalisme métis, Giraud conclut qu'il s'agissait

> d'un idéal d'action incapable de se développer de lui-même, sans l'appui factice d'excitations extérieures.   (Giraud, p. 612).

> Bref, il n'existait ni dans leur culture matérielle, ni dans leur personnalité, ni dans leurs réalisations, d'élément qui fût vraiment susceptible de fournir à l'idée nationale une base solide. Celle-ci s'était seulement exprimée de façon sporadique, sous l'effet de griefs momentanés. Elle était trop fragile pour constituer un principe de cohésion et déterminer parmi ces hommes sans conception politique, sans instruction, un idéal et une volonté d'action tendant à leur assurer la domination du Nord-Ouest. (Giraud, p. 616).

Mais il ajoute que ces faiblesses « ne devaient pas empêcher l'idée nationale de survivre en eux à l'état de réaction intérieure jalousement défendue. » (Giraud, p. 618).

Après l'opposition violente, l'envahissement pacifique de la colonie (Giraud, p. 633-1000).

La lutte commerciale féroce entre les deux compagnies continua jusqu'en 1819, alors que la Compagnie de la baie d'Hudson cassa définitivement les reins de la Compagnie du Nord-Ouest. Et, en 1821, la Compagnie de la baie d'Hudson, ayant absorbé la Compagnie du Nord-Ouest, resta seule sur place. On vit alors se réaliser

> l'union de la solide organisation de la vieille compagnie à charte royale avec les techniques de la Compagnie du Nord-Ouest, l'union de la stabilité du commerce côtier avec l'esprit d'entreprise du commerce des terres intérieures.   (Morton, 1970, p. 58, notre traduction)

Avec l'abolition de la rivalité entre les deux compagnies, il fallut supprimer un certain nombre de forts de traite qui faisaient double emploi. D'où le licenciement de nombreux commis et autres employés, dont beaucoup vinrent s'établir dans la colonie. On devait compter de nombreux Métis parmi ces arrivants. Et, en 1870, soixante ans après la fondation de la colonie, la population se répartissait ainsi :

Blancs	1 600
Indiens établis et croyants	560
Métis anglophones	4 080
Métis francophones	5 720
	11 960[3]

En pourcentage, les Blancs ne comptaient plus que pour 13, 4% de la population totale, alors que les Métis représentaient 81,9% de cette population (Métis anglophones : 34,1%; Métis francophones : 47,8%).

Malheureusement, il est assez difficile de suivre l'évolution de cette population métisse jusqu'en 1870. Si on accepte les chiffres cités par Giraud[4], on obtient la figure et le tableau suivants (tableau 1 et figure 1) :

Tableau 1

Année	Blancs	Métis		Total	Population totale
		Franco	Anglo		
1838	1 600	—	—	3 400	5 000
1844	2 000	2 500	1 500	4 000	6 000
1857	1 000	4 000	2 000	6 000	7 000

Notons ensuite que, de 1831 à 1870, la population de la colonie a quintuplé passant de 2 390 à 12 000 en 1870 et que la proportion des « immigrants » par rapport aux « natifs » du pays s'est radicalement renversée : en 1831 on comptait 62,4% de « natifs », alors qu'en 1870 on ne compte plus que 7,7% d'« immigrants » et 92,3% de « natifs ».[5]

Ajoutons enfin, que la comparaison des pyramides d'âges des différents groupes, qui composent la colonie, fait apparaître quelques distinctions importantes quant à leur composition démographique. On y trouve d'abord un groupe *métis* constitué depuis une période de temps suffisamment longue pour être devenu démographiquement autosuffisant : tant chez les Métis francophones que chez les Métis anglophones la pyramide est régulière et le nombre de femmes est sensiblement égal au nombre d'hommes à tous les étages de la pyramide. Quant au groupe des Blancs natifs de l'Ouest, il est en voie d'atteindre cette auto-suffisance. Enfin, le groupe d'immigrés récents est composés de beaucoup plus d'hommes que de femmes, la majorité de ceux-là ayant entre 20 et 40 ans (Martel, 1976, p. 39-45).

Cette concentration de la population métisse dans la colonie allait rendre possible le développement de l'embryon de conscience collective nationale déjà présent en elle.

SPÉCIFICITÉ SOCIO-CULTURELLE ET CONSCIENCE NATIONALE DES MÉTIS FRANCOPHONES DE LA RIVIÈRE ROUGE

La conscience collective d'un groupe est nécessairement tributaire non seulement de facteurs intellectuels et idéologiques, tels la langue et la religion, mais encore de facteurs socio-morphologiques, tels le mode d'occupation du sol, la densité de la population et la division sociale du travail.

Mode d'occupation du sol.

Un simple coup d'oeil sur une carte géographique de la colonie de la rivière Rouge, à la fin des années 1860, nous montre que la population se concentre le long des rivières

Figure 1

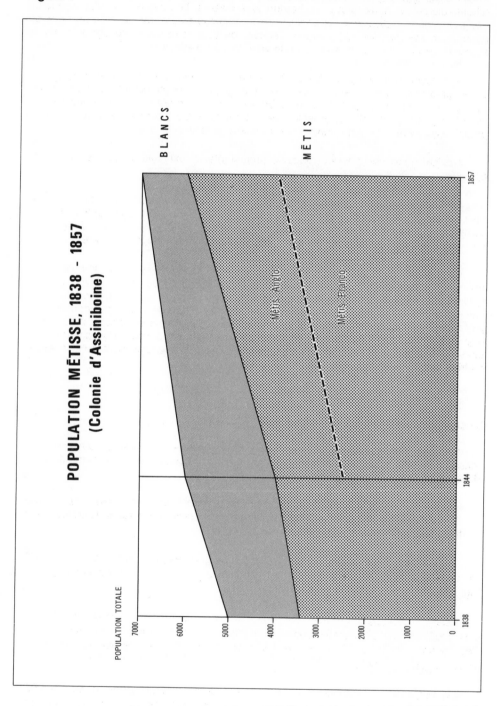

POPULATION MÉTISSE, 1838 - 1857
(Colonie d'Assiniboine)

Rouge et Assiniboine, formant une sorte de « Y » irrégulier (figure 2). Les terres occupées offrent l'aspect de deux rubans en bordure des rivières. Les fermes sont découpées en « lots de rivière », d'environ dix chaines de front sur la rivière par un mille ou deux de profondeur. Les maisons et bâtiments s'élèvent du côté de la rivière qui sert à la fois de source d'approvisionnement en eau et de voie de communication.

Or chacune des branches de ce « Y » est en fait occupée par un segment spécifique de la population : la branche nord est métisse anglophone et protestante, la branche sud, métisse francophone et catholique et la branche ouest comprend une forte enclave métisse francophone et catholique isolée de la population de même appartenance par un groupe à majorité nettement anglophone et protestante.

Il existe aussi une mission indienne protestante à l'extrémité de la branche nord : St Peter.

Enfin, la population blanche est surtout concentrée au coeur même de la colonie, dans le village de Winnipeg et dans les paroisses St. James, St. John et Kildonan qui comprennent 46,1% de toute la population blanche. On trouvait encore deux autres concentrations de Blancs dans les paroisses St. Andrew et Portage La Prairie.[6]

Ce mode d'occupation des terres offre l'avantage d'éviter l'isolement. On n'est jamais très éloigné d'un voisin. Par contre, cette répartition étale la population sur de très grandes distances et favorise le développement de l'esprit de clan, ou plus précisément dans le cas actuel, de l'esprit de clocher, puisque les habitants sont encadrés par paroisses ou par missions à faible densité de population. En somme dans ces conditions, il est normal que la communication tout au long de ce ruban diminue avec la distance. Les voisins plus éloignés sont moins connus, moins visités et ils entrent moins facilement dans le réseau matrimonial.

La division sociale du travail

L'économie de la colonie jusqu'en 1870 est essentiellement une économie mixte de chasse et d'agriculture. Or, d'une part, il faut noter que l'agriculture selon l'étude de W. L. Morton avait

failli à la tâche de pouvoir nourrir la population locale sans l'aide de la chasse et de la pêche. Et elle n'avait pas su se développer suffisamment pour mâter une calamité locale comme le fléau des sauterelles de 1868. (p. 320, notre traduction).

D'autre part, il faut souligner que dès 1856, ce sont les paroisses à forte concentration écossaise, donc anglophones et protestantes, qui se consacrent le plus intensément à l'agriculture.

Quant à l'élevage, nous possédons quelques données qui nous permettent de décrire plus adéquatement la situation socio-économique des Métis francophones en 1867-68. Ces données nous sont fournies par des rapports du « sous-comité catholique de secours » lors de la disette de 1867-68.

Le rapport fait à l'automne 1868 par le sous-comité catholique de secours (AASB) nous donne en chiffres absolus le nombre de têtes de bétail (boeufs, vaches, veaux) par paroisse. Si nous calculons le nombre moyen de bêtes par famille dans chaque paroisse catholique, nous avons le tableau suivant (tableau 2).

Figure 2

PROVINCE DU MANITOBA 1870

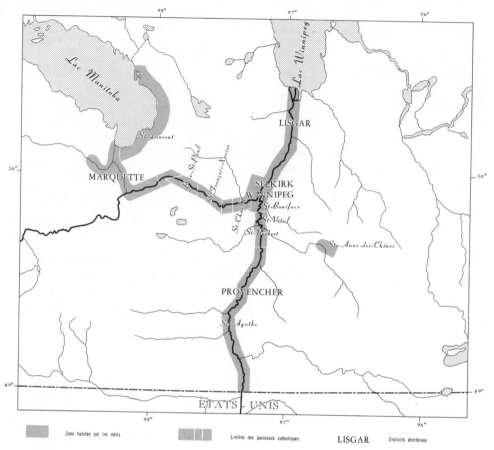

Zone habitée par les métis   Limites des paroisses catholiques   LISGAR   Districts électoraux

Source: Carte de la province du Manitoba; compilée par A. L. Russell, Ottawa, février 1871 (Archives publiques du Canada)

Tableau 2

Paroisse	Nombre de bêtes par famille
Ste-Anne-des-Chênes	9,3
St-Norbert	6,1
St-Vital	6,1
St-Boniface	4,8
St-François-Xavier	4,5
St-Charles	4,5
Ste-Agathe	4,0
St-Laurent (Lac Manitoba)	2,3
Baie-St-Paul	1,7
Nombre moyen par famille	4,8

Ces chiffres nous indiquent déjà clairement que les familles métisses francophones s'adonnaient bien peu à l'élevage. Malheureusement, comme nous n'avons pu trouver le rapport du sous-comité protestant, il est impossible de faire des comparaisons avec les autres paroisses. On sait par ailleurs que la moyenne de têtes de bétail par famille a diminué depuis 1856 passant de 6,5 à 4,8. Mais cela peut être dû à la disette qui sévissait à l'automne de 1868 et qui aurait obligé les familles à abattre un certain nombre de bêtes pour se nourrir.

De plus, si nous utilisons les rapports détaillés des paroisses de St-Vital et de St-Boniface, (les deux seuls que nous avons pu trouver) nous pouvons conclure que plus des deux tiers de cette population métisse francophone fait partie de la classe la plus pauvre en bétail — entre 0 et 5 bêtes — alors que ce qu'on pourrait appeler la petite bourgeoisie d'éleveurs — plus de 16 bêtes et jusqu'à 85 bêtes — ne comprend que 8,6% de la population et possède 40,9% de toutes les têtes de bétail de ces deux paroisses (Martel, p. 57-60).

En fait, les Métis francophones dans leur ensemble ne se consacrent pas sérieusement aux activités sédentaires de l'agriculture et de l'élevage, mais plutôt à des activités de caractère nomadisant : la chasse aux bisons, l'hivernement et le transport des marchandises de la compagnie.

Depuis de nombreuses années déjà, la chasse aux bisons s'était en quelque sorte institutionnalisée. Deux expéditions saisonnières rythmaient la vie de la colonie : la chasse d'été et la chasse d'automne. Ces deux chasses constituaient l'essentiel de l'économie de la colonie : elles ravitaillaient les postes de traite et les brigades de transport de la Compagnie de la baie d'Hudson, complétaient la production insuffisante de l'agriculture de la colonie, fournissaient la majeure partie des cuirs nécessaires à la confection des harnais, des attelages, des tentes des chasseurs, et même des mocassins et de certains vêtements. Enfin, elles rapportaient ces fameuses « robes de bison », ou pelisses, si recherchées à cause de leur valeur frigorifuge dans ces régions de froid rigoureux du Nord-Ouest canadien ou du « Middle-West » américain. Ces robes étaient ainsi devenues un des principaux articles d'exportation de la colonie de la rivière Rouge.

Le tour de chasse d'été, qui pouvait s'étendre de juin à la fin d'août, était le plus important à la fois par ses effectifs, de 500 à 1 000 personnes, et par sa production, de viande séchée et pemmican.

Quant à la chasse d'automne, beaucoup moins importante en effectifs, elle rapportait ce qu'on appelait la « viande verte », c'est-à-dire des quartiers de viande durcis par le froid et qui assuraient l'alimentation des mois d'hiver. C'est aussi cette chasse qui rapportait les « robes de bison ».

Voyons un peu plus en détail l'organisation sociale de ces expéditions de chasse. Composées presqu'exclusivement de Métis francophones et d'Indiens, elles drainaient hors de la colonie non seulement les hommes, mais les familles entières des chasseurs, femmes et enfants compris. Les cavaliers-chasseurs étaient accompagnés d'une caravane considérable de charrettes; on en a compté 1 700 en 1840, chargées, au départ, du matériel de campement et des femmes avec les enfants, au retour, des monceaux de viande. Deux groupes principaux quittaient la colonie : l'un partait de St-Boniface et l'autre de St-François-Xavier.

Au retour, il arrivait que la caravane se débandât et les familles rentraient alors isolément par petits groupes dans la colonie.

> Parfois, au contraire, la caravane apparaissait au complet. Elle effectuait alors une rentrée spectaculaire, ressemblant au défilé d'une armée victorieuse (...) et inaugurait bientôt dans la colonie la joyeuse période des divertissements et des bombances. (Giraud, p. 814-815)

Une part de la chasse était déjà hypothéquée et réservée pour rembourser les magasins de la Compagnie de la baie d'Hudson. En effet, avant le départ pour la chasse, la Compagnie avait accepté de fournir à crédit les munitions, couteaux et autres articles nécessaires pour la chasse ou le campement. Cette créance acquittée, la foire était ouverte à tous.

Les chasseurs avec leur famille rentraient alors sur leur lopin de terre et moissonnaient leur récolte constituée presqu'exclusivement de pommes de terre et de quelques céréales.

C'est encore M. Giraud qui nous a le mieux décrit la pratique de l'hivernement (Giraud, p. 817-823). On appelle hivernement la migration hors de la colonie et l'installation de campements en des endroits plus propices à la chasse, à la pêche ou au piégeage; cette pratique persistait encore dans les années 1867-1869.

Plusieurs raisons concouraient à perpétuer cette habitude : certaines familles qui n'avaient pas de stock de grains croyaient pouvoir compter sur une nourriture facile et abondante, d'autres, même parmi les mieux nantis, obéissaient simplement à l'attrait de la chasse plus qu'à de réelles nécessités, d'autres, enfin, ou bien se livraient à la traite des pelleteries avec les Indiens ou bien piégeaient eux-même les animaux à fourrure. Evidemment, cette pratique de l'hivernement s'intensifiait durant les années de mauvaises récoltes où les vivres se faisaient plus rares dans la colonie.

Les plus nombreux à perpétuer cette pratique étaient les Métis de la région de Pembina et ceux qui habitaient les extrémités de la colonie : St-François-Xavier et le sud de la rivière Rouge.

Ces agglomérations de chasseurs devenaient souvent des centres d'activités commerciales importants.

Le printemps arrivé, toutes ces catégories d'hivernants rentraient dans la colonie pour y faire les préparatifs nécessaires à la grande chasse d'été et pour échanger le produit de leur chasse. Ils côtoyaient ainsi les Indiens venus pour la même raison et qui campaient autour des forts de traite.

Danses, fêtes et courses de chevaux se succédaient alors dans une atmosphère de carnaval (Giraud, p. 817-823).

C'était encore, en grande majorité, des Métis francophones qui s'occupaient du frétage des marchandises de la compagnie, soit en canots soit en charettes.

Les nécessités du commerce de la Compagnie de la baie d'Hudson, dont les postes de traite s'éparpillaient depuis le lac Supérieur jusqu'au Pacifique et depuis la frontière américaine jusqu'au bassin arctique, exigeait un système de transport assez complexe. D'une part, il fallait alimenter ces postes en vivres et surtout en marchandises de troc, d'autre part, il fallait pouvoir sortir du pays les pelleteries obtenues par la traite avec les Indiens. Durant la décennie 1860, on utilisait deux voies d'eau pour communiquer avec le monde extérieur : la baie d'Hudson et la rivière Rouge vers St-Paul, Minnesota.

À cause de la rigueur du climat, il fallait concentrer les entreprises de transport durant les mois de juin à octobre. Le transport se faisait par bateaux ou par charettes. Un ensemble de quatre à huit bateaux formaient une brigade. Chaque bateau, manoeuvré par neuf hommes, pouvait transporter trois tonnes et demie de matériel. La plus importante était connue sous le nom de la brigade du Portage La Loche, dont le voyage durait quatre mois, du début de juin au début d'octobre. En 1866, elle comptait 17 bateaux et employait plus de 150 hommes (Hargrave, 1970).

Élément de population flottante, réservoir de main-d'oeuvre nécessaire à l'économie commerciale de la traite des fourrures, ceux qui menaient habituellement cette vie constituaient un groupe plutôt turbulent aux yeux des colons et mêmes des agents de la Compagnie.

Il y avait aussi les brigades de transport terrestres. Ces longues caravanes de charettes tirées par des boeufs, ou des chevaux, assuraient la liaison entre les villes américaines du Haut-Mississippi, la colonie de rivière Rouge et les postes et établissements de la rivière Saskatchewan (Hargrave, 1970).

Ces brigades s'organisèrent à partir de 1850. En 1858, la compagnie elle-même commença à utiliser la route de St-Paul, Minnesota, pour son propre commerce.

Vers 1870, on pouvait compter jusqu'à 1 500 charettes chargées du transport commercial entre la colonie et St-Paul. De ce total, environ 500 faisaient deux voyages par saison. Chaque charette transportait jusqu'à 800 livres de fret. On comptait un peu plus d'un mois pour chaque voyage aller et retour. Vers St-Paul, on exportait des pelleteries et on importait dans la colonie des produits manufacturés. Ce service de transport employait environ 450 hommes, de juin à octobre.

La voie reliant la colonie au district de la Saskatchewan jusqu'au Fort Carlton nécessitait 300 charettes et employait une centaine d'hommes qui faisaient un seul voyage d'une durée de 70 à 80 jours par saison.

Un telle division sociale du travail dans la colonie ne pouvait manquer d'exercer une forte influence sur la conscience collective spécifique des Métis francophones.

Mais surtout il était inévitable que des activités aussi massives et spécialisées que la chasse aux bisons et l'hivernement donnent naissance à des formes d'institutions sociales très caractérisées telles le « gouvernement provisoire » et la loi de la prairie.

Louis Riel nous a laissé dans son dernier mémoire (*Montreal Daily Star*, 28/11/1885) une description assez détaillée de ces institutions, description d'ailleurs corroborée par le témoignage du R.P. N.-J. Ritchot qui avait lui-même accompagné les Métis à la chasse[7].

Les Métis n'avaient presque pas de gouvernement. Cependant, quand ils allaient à la chasse au bison, il se faisait naturellement, au milieu d'eux, une pression d'intérêts. Et tant pour maintenir l'ordre dans leur (sic) rangs que pour se tenir en garde contre les vols de chevaux et contre des attaques d'ennemis (indiens), ils s'organisaient et se composaient un camp. Un chef était choisi, douze conseillers étaient élus, avec un crieur public et des guides. Les soldats se groupaient par dizaine. Tout chasseur était soldat. Chaque dizaine se choisissait un capitaine.

Quand arrivait le moment de l'organisation militaire proprement dite, le chef en donnait avis : le premier soldat venu commençait par désigner celui qu'il voulait avoir pour son capitaine. Neuf de ceux qui approuvaient ce choix les suivaient. Ainsi le capitaine de chaque dizaine se trouvait-il placé à la tête de soldats d'autant mieux décidés à le suivre partout que sa charge au-dessus d'eux était un effet de leur confiance en lui et de leur choix unanime...

Le conseil des chasseurs faisait des règlements. On les appelait les lois de la Prairie. Le conseil était un gouvernement provisoire. C'était aussi un tribunal qui prenait connaissance des infractions aux règlements, et de tous les différends qu'avaient à lui présenter les personnes du camp.

Les capitaines avec leurs soldats exécutaient les ordres et les jugements du conseil.

Dans les affaires ordinaires, le conseil agissait d'après son autorité telle qu'elle lui avait été confiée : mais en matière d'importance plus grande, il recourait au public et ne basait ses décisions que sur une majorité de tous les chasseurs.

Ce gouvernement provisoire, d'un rouage simple, qui ne se formait que pour l'intérêt général, ne supportait pas d'émoluments, s'organisait partout où s'agglomérait une caravane assez considérable, et cessait d'exister avec elle; (il) s'organisait pareillement dans tous les établissements métis où une assez grande diversité d'intérêts tendaient à engendrer des difficultés, où il y avait des dangers à conjurer, des hostilités à repousser.

Pour l'ensemble, cette description de Riel correspond assez bien aux témoignages des abbés Belcourt et Laflèche que Giraud utilise (Giraud, p. 801-817). Il s'éloigne assez peu du témoignage de l'abbé Ritchot dans sa lettre à George-Etienne Cartier. Pourraient peut-être faire question le mode d'élection des capitaines et l'affirmation selon laquelle ce gouvernement s'organisait dans tous les établissements d'hivernement métis. Reste encore vague le choix du chef de ses conseillers. Enfin, il semble, comme le note Giraud, que ces moeurs métisses s'inspirent pour une bonne part des habitudes des Assiniboines et des tribus confédérées des prairies.

Nous avons vu que, dès 1815, les Métis, à l'instigation de la compagnie du Nord-Ouest, avait commencé à affirmer un certain sentiment nationaliste revendiquant un droit à la propriété du sol, au titre de leur sang indien. Cinquante ans plus tard, la population métisse francophone, devenue majoritaire dans la colonie, avait enrichi et développé son sentiment d'appartenance. Et cela, grâce surtout à son expérience de la chasse aux bisons avec son « gouvernement provisoire », sa loi de la prairie, sa discipline quasi militaire et son effervescence collective intense.

Ces Métis se savaient les véritables pourvoyeurs de la colonie et de la compagnie. Ils pouvaient encore se considérer comme la seule milice des plaines et comme les intermédiaires naturels entre le monde des Indiens et le monde des Blancs.

Enfin, à l'intérieur même de la colonie, leur regroupement géographique, linguistique et religieux continuait d'encadrer et d'entretenir cette conscience collective.

Notons enfin, que cette tendance à l'isolement des deux groupes semble avoir été l'effet non pas du hasard, mais d'une volonté concertée. C'est du moins ce que nous apprend une lettre de la rivière Rouge publiée dans le *Courrier de St-Hyacinthe*, le 15 décembre 1869, et qui aurait pour auteur M. l'abbé Louis-Raymond Giroux.

Il y a quelques années la paix était loin de régner dans notre pays, et cela, à cause du mélange de deux populations différentes par la langue, les moeurs et la religion.

Alors dans l'intérêt de la paix et d'un commun accord, les Métis canadiens et les Anglais firent une convention en vertu de laquelle ceux-ci occuperaient le bas de la rivière Rouge depuis Fort Garry, et, ceux-là, le haut de cette même rivière.

Quoiqu'on dise du primitivisme, de la fragilité et de l'état embryonnaire de ce sentiment national ou de cette conscience collective, elle n'en existait pas moins. Elle se manifestera avec plus de netteté lors de l'entrée de la colonie dans la confédération canadienne. N'est-ce pas le plus souvent dans des moments de crise que se révèlent les forces secrètes qui habitent une collectivité et se formulent ses idéaux latents ?

LA TURBULENTE ENTRÉE DANS LA CONFÉDÉRATION CANADIENNE

Ce n'est pas le lieu ici de raconter par le détail les péripéties de ces événements. Il faudrait plutôt souligner que l'entrée de la colonie de la rivière Rouge dans la confédération canadienne à titre de province et non de simple « territoire » est une *réalisation collective du groupe métis et surtout du groupe métis francophone* et que le *sentiment national joua un rôle important dans cet événement*.

Après plusieurs années de négociation avec le gouvernement britannique, le gouvernement canadien avait réussi à obtenir de Londres que les territoires du Nord-Ouest, jusque-là sous la tutelle de la Compagnie de la baie d'Hudson, passent sous sa juridiction, moyennant compensations à la compagnie.

Au mois de mai 1869, le Gouvernement canadien votait un « acte concernant le gouvernement provisoire de la Terre de Rupert et des Territoires du Nord-Ouest, après que ces territoires auront été unis au Canada ». Cette date avait été fixée au 1er décembre 1869. L'acte prévoyait, pour l'administration de ces territoires, la nomination d'un Lieutenant-Gouverneur et d'un Conseil de 7 à 15 membres. Effectivement, l'honorable William McDougall fut désigné au poste de Lieutenant-Gouverneur. Vers la fin d'octobre 1869, ce dernier, accompagné de quelques-uns des hommes destinés à occuper des postes dans son Conseil, arrivait à Pembina. L'accueil ne fut pas celui auquel il s'attendait. On lui remit une lettre ainsi libellée :

À Monsieur McDougall.

Monsieur,

Le Comité national des Métis de la rivière Rouge intime à Monsieur McDougall l'ordre de ne pas entrer sur le territoire du Nord-Ouest sans une permission spéciale de ce comité.
Par ordre du président

John Bruce
Louis Riel, secrétaire.

Ainsi débutait officiellement ce que certains devaient ensuite appeler la Rébellion, d'autres, le Soulèvement, d'autres, la Résistance, d'autres enfin, le Mouvement des Métis de la rivière Rouge.

G.G. Stanley a déjà montré que le Manitoba de 1870 fut une « réalisation métisse » (Stanley, 1970). Mais j'insisterai plus que lui sur le fait que ce sont les Métis francophones qui furent les premiers à s'organiser d'une façon cohérente et cela grâce à leurs institutions spécifiques, c'est-à-dire gouvernement provisoire, lois de la prairie et milice. Et s'ils réussirent par la suite à convaincre, non sans efforts, les Métis anglophones à s'ériger avec eux en convention pour réclamer leurs droits collectifs, ils durent bien souvent les remorquer à leur suite. En second lieu, j'expliciterai plus que ne le fait Stanley le contenu de la *conscience nationale* des Métis francophones.

Pour montrer que ce sont bien les Métis francophones qui furent à l'origine du mouvement, rappelons seulement les essais infructueux des Métis anglophones. À la fin de juillet 1869, les Métis anglophones convoquent une assemblée générale. William Dease propose que les 300 000 livres que le Canada devait verser à la compagnie, soient plutôt données aux Métis. Mais John Bruce qui, malgré son nom d'origine anglaise, deviendra président du Conseil des Métis francophones, s'y oppose fermement et l'Assemblée n'arrive pas à un consensus[8].

En août, les Métis anglophones, ayant à leur tête McKinny et Bannatyne s'efforcent encore d'organiser leur protestation en rendant visite au consul américain et en préparant des pétitions. Mais probablement à cause d'un manque de structures institutionnelles capables d'encadrer leur mouvement collectif, ce début d'agitation chez les Métis anglophones fera long feu[9]. Si les Métis francophones, pour leur part, réussissent à s'organiser, c'est d'abord parce qu'ils ont à leur disposition cette structure d'organisation enracinée dans leur pratique de la chasse et de l'hivernement. Soulignons ensuite qu'on peut déceler dès le début de leur agitation, une motivation nationale plus vive chez eux que chez les anglophones. Il n'existe malheureusement qu'une seule source (soit les papiers de l'abbé N.-J. Ritchot, curé de la paroisse St-Norbert qui fut aussi l'un des trois délégués du « gouvernement provisoire » envoyés à Ottawa) nous décrivant les premières actions entreprises par les Métis francophones. Ces renseignements sont contenus dans deux cahiers conservés aux archives de la paroisse St-Norbert. Ritchot a encore résumé ses notes dans un long mémoire envoyé à George-Étienne Cartier en date du 30 mai 1870 et conservé aux APC, *Macdonald Papers*, p. 41396.

Dès le 5 juillet 1869, les Métis francophones nomment un comité chargé d'empêcher les « étrangers » de s'emparer « au détriment des *droits de la nation* (métisse), des terrains laissés et reconnus jusqu'alors par la coutume et l'usage, comme communes et comme *appartenant par une entente nationale à telle partie de la population* »[10]. En d'autres mots, les Métis ne protègent pas seulement leurs droits individuels de squatters, mais les droits de leur « nation » à la propriété du sol, leurs droits aborigènes. Plus tard, en septembre-octobre, un nouveau comité est nommé avec mandat d'étudier la possibilité de « faire une protestation manifeste contre l'injustice et l'injure faites à *la nation* par le Canada ».[11]

À la mi-octobre 1869, la rumeur circule selon laquelle le lieutenant-gouverneur W. McDougall, nommé par Ottawa, s'approche accompagné de soldats armés pour venir prendre possession du pays au nom du Canada. Cette fois, le Conseil métis nomme un comité chargé d'organiser une milice selon la coutume de la prairie. Et il propose « d'envoyer quelques capitaines avec leurs soldats à la rencontre de l'expédition redoutée (...) conduite par M. William McDougall, qui s'avance, dans le pays, contre le droit des gens, avec le titre de gouverneur de ce pays, au nom d'une *puissance étrangère* et dont l'autorité est absolument inconnue à *la nation* ».[12]

Enfin le 30 octobre 1869, le conseil des Métis francophones s'assemble à St-Norbert et prend l'allure d'un véritable gouvernement provisoire : John Bruce préside et Louis Riel agit comme secrétaire. Le Conseil codifie les « lois de la prairie », statue sur la constitution du Conseil et de son exécutif, désormais appelé sénat métis, et précise que ce code et ces statuts auront force de loi « jusqu'à ce qu'une puissance supérieure dûment autorisée vienne remplacer ou présider les assemblées de la *nation métisse*. » Cette nouvelle charte est ensuite approuvée par une large foule réunie en armes. Dans les jours qui suivent, les

Métis notifient à McDougall l'interdiction d'entrer dans le pays, procèdent à des confiscations de biens auprès des « Canadiens », arrêtent les travaux du chemin Dawson, puis finalement s'emparent du Fort Garry.[13]

Après ce coup de force, ils peuvent se permettre de convoquer une convention avec les autres Métis et les Blancs, habitant le pays, pour établir les conditions et les clauses de l'entrée de la colonie dans la confédération canadienne. Les Métis francophones, maintenant dirigés par Louis Riel, éprouveront maintes difficultés à convaincre les Métis anglophones à les suivre. Ces derniers auraient plutôt tendance à rester neutres et à laisser porter les événements. Malgré tout, et après quelques escarmouches avec le parti « canadien », la convention réussit à produire une liste de droits acceptée par les deux parties et à envoyer trois émissaires dont le curé Ritchot, négocier avec le gouvernement canadien. Enfin, le 15 juillet, le Manitoba devient la cinquième province canadienne : une province bilingue avec un système scolaire public bi-confessionnel et bilingue. De plus, l'Acte du Manitoba prévoit que 1 400 000 acres de terres seront réservés pour les enfants des Métis résidents, (art.31).

Ce droit collectif des Métis, l'abbé Ritchot l'avait âprement défendu lors de la négociation avec les représentants du gouvernement canadien : Sirs G. E. Cartier et John A. Macdonald. Ainsi, note-t-il dans son journal des négociations à la date du 26 avril 1870, la discussion suivante :

> Les honorables membres font remarquer que les habitants du Nord-Ouest réclamant et ayant obtenu une forme de gouvernement propre aux hommes civilisés ne devraient pas réclamer *les privilèges accordés aux sauvages*. (...) Les habitants du Nord-Ouest, de répliquer Ritchot, en réclamant une forme de gouvernement semblable à celles des provinces des autres sujets de Sa Majesté ne prétendent pas par là, priver de leurs droits ceux qui parmi eux ont quelques droits personnels ou nationaux, et parce que ces habitants veulent être traités comme les autres sujets de Sa Majesté s'en suit-il que *ceux qui parmi eux ont un droit comme descendants d'Indiens* soient obligés de perdre ces droits ? Je ne le crois pas; aussi en demandant le contrôle des terres de leur province, ils n'on pas l'intention de faire perdre *les droits que peuvent avoir comme descendants d'Indiens les Mitis (sic) du Nord-Ouest*.   (Ritchot, 1964)

Grâce à la fermeté de l'abbé Ritchot le gouvernement canadien concéda aux Métis, anglophones comme francophones, un octroi de 1 400 000 acres de terre, « considérant qu'il importe, dans le but d'éteindre les titres des Sauvages aux terres de la province, d'affecter une partie de ces terres non concédées, jusqu'à concurrence de 1 400 000 acres, au bénéfice des familles des Métis résidents. » (art. 31) Pourtant le premier ministre J.A. Macdonald ne semble pas avoir admis qu'il s'agissait dans cet article d'une reconnaissance officielle du droit aborigène des Métis, puisqu'il déclarera en chambre en 1885 :

> Whether they had any right to those lands or not was not so much the question as it was a question of policy to make an arrangement with the inhabitants of that Province, in order in fact, to make a Province at all in order to introduce law and order there, and assert the sovereignty of the Dominion.[14]

Cependant, pour Ritchot et pour les Métis, il ne faisait pas de doute que cet article 31 reconnaissait et consacrait le droit aborigène des Métis. En cela, ils pouvaient s'appuyer sur le fait que les articles 32 et 33 réglaient la question des titres individuels des « colons » aux terres individuelles. Mais contrairement à l'article 92, n° 5, de l'Acte de l'Amérique du Nord Britannique (1867), le gouvernement canadien se réserva, dans le cas du Manitoba, l'administration et la vente des terres publiques ainsi que la concession des 1 400 000 acres de terre aux enfants métis.

LA CRISE : DE L'ÉVOLUTION À L'ANOMIE

En une quinzaine d'années, après 1870, la physionomie du Manitoba se transformera radicalement. Et cette évolution extrêmement rapide précipitera la collectivité métisse francophone dans un état d'anomie profonde.

En premier lieu, rappelons que les premières semaines après l'arrivée de la troupe de Wolseley au Manitoba furent des semaines de « lawlesness and debauchery » selon l'expression de l'historien G.F.G. Stanley *(Birth of Western Canada)*. De l'avis même du Lieutenant-gouverneur Archibald plusieurs des volontaires de la troupe de Wolseley ne se seraient enrôlés que dans le but de venger la mort de Thomas Scott, exécuté quelques mois auparavant par la milice métisse. Mépris et insultes pleuvaient sur les Métis, plusieurs furent attaqués et battus, certains même assassinés. Nombreux furent les Métis francophones qui commencèrent à se sentir étrangers dans leur propre pays. Ce sentiment allait s'amplifier et se renforcer davantage lorsque les Métis constateront la lenteur du règlement de la question des terres.

Mais surtout, plusieurs d'entre eux auront l'impression que le gouvernement canadien dans les faits ne reconnaissait plus leur droit aborigène.

Dès le mois de juin 1871, la collectivité métisse francophone élit un comité par paroisse pour aller « faire sa réserve en bloc. » *(Le Métis*, 8/6/71)

> Les terres choisies comprirent entr'autres deux vastes lisières de terrain boisé et bien arrosé situées à égale distance à peu près de la rivière Rouge parallèle à son cours et s'étendant entre la frontière américaine et une ligne qui traverserait la province de l'est à l'ouest à la hauteur de la rivière Assiniboine. *(Le Métis*, 15/6/71)

Cette façon de procéder nous confirme que la collectivité métisse francophone n'a pas changé sa façon de voir les choses depuis le début du mouvement : ces Métis considèrent toujours qu'une partie du territoire leur est collectivement réservé en tant que segment francophone de la « nation » métisse. C'est ainsi qu'ils interprètent l'article 31 de l'acte du Manitoba. D'ailleurs, la grande majorité des articles de leur journal *Le Métis* emploie l'expression « la réserve des Métis » pour désigner les 1 400 000 acres de terres mentionnés dans l'article 31.

Or, le 7 décembre 1872, *Le Métis* informe ses lecteurs que « les anciens colons vont être mis sur le même pied que ces derniers » (les Métis) dans l'octroi des 1 400 000 acres. Cela revenait à dire, aux yeux de plusieurs Métis, que le gouvernement canadien ne reconnaissait plus dans les faits leur droit aborigène *spécifique*.

Le règlement définitif de cette question des terres traîna en longueur. Le 28 juillet 1881, *Le Métis* pouvait écrire : « Il y a dix ans que ces irritantes questions de titres devraient être réglées » et elles « ne le sont toujours pas ». Et le journal ajoutait non sans amertume : « La population française et catholique du pays est la seule dont les titres de propriété ne sont pas encore réglés ».

En s'appuyant sur ces données documentaires il semble possible de reconstituer l'idée que se faisaient les Métis francophones et catholiques de la future province du Manitoba. S'appuyant sur la réalité démographique, ils pouvaient, en 1869-70, considérer la colonie de la rivière Rouge comme une entité « nationale » métisse (82% de la population totale); de plus, ils pouvaient observer que cette population se répartissait en deux segments à peu près égaux numériquement, mais distincts par la langue, la religion, la répartition géographique et les modes de subsistance; ils en concluaient donc qu'ils avaient, à la fois des droits *généraux* de propriété en tant que Métis et des droits *spécifi-*

ques en tant que segment de cet ensemble métis; ils réclamèrent donc des droits aborigènes en tant que Métis (art. 31 de l'Acte du Manitoba) assortis ensuite de la réclamation d'un droit à occuper un secteur géographique spécifique et continu, en tant que segment métis francophone et catholique, afin de mieux protéger et de conserver cette spécificité. En somme, ils entrevoyaient le Manitoba futur comme une province à dominante métisse, mais composée de zones géographiques ayant des traits culturels spécifiques. Or, d'une part, ils n'avaient pas fait inscrire ces droits spécifiques dans l'Acte du Manitoba, et d'autre part, il ne semble pas qu'ils aient prévu une immigration aussi rapide et aussi massive que celle qui se produisit entre 1870 et 1885.

En 1870, le Manitoba était une petite colonie, métisse à 82%. Les colons blancs ne comptaient que pour 13% de la population totale. Les Métis se répartissaient en deux portions à peu près égales : francophone et catholique d'une part, anglophone et protestante d'autre part. Les divers segments de cette population vivaient centrés sur eux-mêmes selon leurs moeurs et coutumes ethniques et religieuses.

Seize ans plus tard, la population métisse ne représente plus que 7,3% de la population totale. En chiffres absolus, la population métisse a même diminué : elle est passée de 9 800 en 1870 à 7 985 en 1886, soit une diminution de 1 815 personnes[15]. Pourtant la population totale de la province a décuplé durant cette même période : en 1886, le Manitoba compte 108 640 habitants, alors qu'il en comptait une dizaine de milliers en 1870. Les Métis sont même devenus largement minoritaires dans chacun des cinq districts de la province comme on peut le constater dans le tableau 3 et la figure 3.

Tableau 3

Proportion (en %) des Blancs, des Métis et des Indiens au Manitoba en 1886

Districts	Blancs	Indiens	Métis franco	Métis anglo	Total des Métis
Selkirk	97,78	1,79	0,29	0,11	0,41
Marquette	90,97	4,29	2,67	2,03	4,72
Provencher	79,97	3,17	16,18	0,63	16,85
Lisgar	56,78	19,85	7,56	15,73	23,35
Winnipeg	98,36	0,0	0,66	0,95	1,62
TOTAL	87,51	5,13	4,02	3,31	7,34

Le tableau 4 permet de constater comment la population de chacun de ces groupes se concentre dans chacun des districts. C'est dans le district de Lisgar que les Indiens et les Métis concentrent la plus grande proportion de leurs effectifs. Or, même dans ce district, les Blancs qui n'y concentrent qu'un dixième de leur population, ont encore une majorité absolue de 56,8%. Les Métis francophones, pour leur part, se concentrent surtout dans Provencher (49,7%) et Lisgar (31,0%). Or, dans Provencher, ils ne représentent que 16,2% de la population de ce district et dans Lisgar, ils ne représentent plus que 7,6%.

C'est donc qu'un afflux d'immigrants s'est déversé dans le Manitoba, repoussant une partie de la population métisse hors de la province et submergeant le reste.

Cette population d'immigrés, c'est-à-dire de Blancs nés hors du Manitoba, représente 72,6% de la population totale. Parmi eux, dominent les natifs de l'Ontario (29% de la population totale), suivis par les immigrants originaires des Îles Britanniques (12,4%) et les immigrants russes (8,6%); les immigrants venus du Québec suivent avec 6,2%. Si les Métis anglophones peuvent s'intégrer à la nouvelle majorité au moins quant à la langue, les Métis francophones sont doublement marginalisés, à cause de leur race et de leur langue.

Figure 3

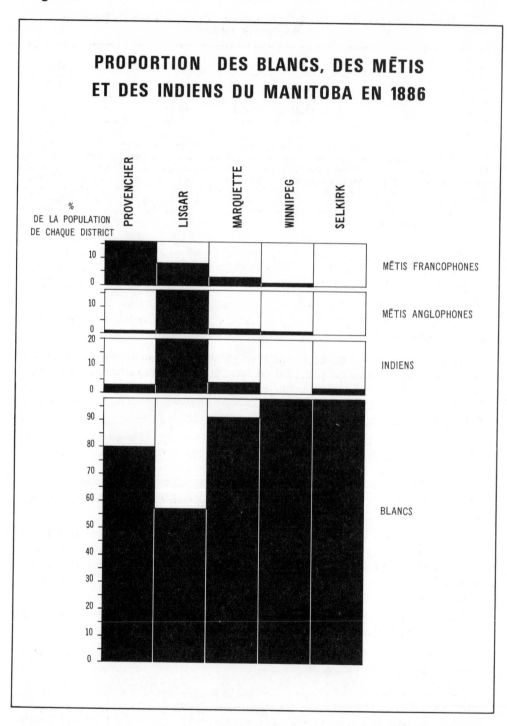

Tableau 4

Concentration (en %) des populations totales de Blancs, de Métis et d'Indiens au
Manitoba en 1886

Districts	Blancs	Indiens	Métis franco	Métis anglo	Total des Métis
Selkirk	35,33	11,08	2,35	1,11	1,79
Marquettte	21,76	17,52	13,91	12,87	13,47
Provencher	11,27	7,64	49,66	2,36	28,30
Lisgar	10,68	63,71	30,96	78,25	52,31
Winnipeg	20,93	0,03	3,08	5,39	4,12

Note : Ces tableaux ont été construits d'après les données du « Rapport du recensement de la province du Manitoba, en 1886 ». Ce recensement présente l'état des faits au 31 juillet 1886. Dans le Tableau III : Populations par nationalités (p. 18-23), le rapport distingue Métis anglais, français, irlandais, écossais, indéfinis; dans le Tableau XXI : Nationalités — proportion par 1,000 de population (p. 184-185), le rapport ne mentionne plus les Métis irlandais. Nous n'avons pas tenu compte de la catégorie « indéfinis » qui ne compte que 19 personnes. De plus, nous avons supposé que les Métis d'origine française parlaient français, et que les Métis d'origine nationale anglaise, irlandaise, écossaise parlaient anglais.

Si nous examinons maintenant la situation religieuse, nous constatons que la proportion de catholiques en 1886 n'est que de 13,5%, alors qu'elle dépassait 52% en 1870. L'Église anglicane (21,4%), l'Église presbytérienne (26,1%) et l'Église méthodiste (17,2%) dépassent même l'Église catholique.

Tant au point de vue ethnique, linguistique que religieux, le Manitoba est devenu en une quinzaine d'années un nouveau pays.

D'autres facteurs ont contribué également à changer la physionomie du pays. Le vieux modèle d'occupation du sol par lots de rivière a fait place au modèle des townships : de 1876 à 1881, on s'éloigne des bordures des rivières pour s'installer dans la plaine en même temps qu'on abandonne le système paroissial pour le système municipal. Plusieurs fermiers s'orientent vers la monoculture du blé en vue de l'exportation.

La ville de Winnipeg grossit à vue d'oeil : 1871, 100 habitants; 1872, 1 467; 1874, 3 700; 1875, 5 000. En 1880-1881, elle connaît un boum extraordinaire qui porte surtout sur les biens fonciers; puis la récession vient en 1883-1884. De nouvelles industries, des magasins, des hôtels s'y sont multipliés. Winnipeg est devenu une véritable métropole. Bateaux à vapeur et chemins de fer font sérieusement concurrence aux brigades de canots et de charettes.

Nombreux furent les Métis francophones, qui, suite à cette radicale et rapide transformation de leur pays, émigrèrent, soit aux États-Unis soit plus à l'ouest dans la prairie, dans l'espoir de pouvoir persister dans leur mode de vie traditionnel. Espoir, malheureusement illusoire, puisque durant ces mêmes années, le bison, base de leur subsistance et de leur culture disparut entièrement tant aux États-Unis qu'au Canada.

Disloqués et éparpillés, les lambeaux de l'ancienne majorité métisse francophone de la rivière Rouge sombrait rapidement dans l'anomie et la démoralisation.

Un petit groupe d'une centaine de familles, établi sur la Saskatchewan-Sud, allait pourtant faire parler de lui avant d'être anéanti.

Dès l'automne 1870, un groupe de 32 familles métisses établit son camp d'hivernement sur la Saskatchewan-Sud, à une vingtaine de milles du Fort Carlton. L'année suivante ils bâtissent la première église dédiée à St-Laurent. Les pères André et Bourgine commencent à enseigner. Constatant que le bison disparaît rapidement, les missionnaires se donnent comme objectif de sédentariser les Métis. En 1873, un « gouvernement provisoire » à la mode métisse est institué et établit « lois et régulation pour la colonie de St-Laurent sur la Saskatchewan ». Gabriel Dumont est élu président. Les règlements portent sur les droits de propriétés individuelles, sur l'usage collectif des terres « communes » et sur la chasse. Des amendes sont même prévues pour les contrevenants. Mais les missionnaires ne cessent de se plaindre de l'« attrait perfide » qu'exerce la prairie et la chasse aux bisons, sur leurs ouailles. Et cela malgré la diminution et l'éloignement des troupeaux.

En 1882, cinquante nouvelles familles s'installent en amont et en aval de la colonie de St-Laurent.

En 1884, le bison a disparu complètement, la récolte a été mauvaise, le frétage a diminué suite à la récession économique mondiale. C'est la grande misère dans la petite colonie (Martel, p. 366-76).

De leur côté, les colons blancs connurent eux aussi une vague de mécontentement. En 1881 et 1882, un flot d'immigrants se déversa dans le Manitoba et jusque dans les Territoires du Nord-Ouest. En même temps, une fièvre de spéculation foncière s'abattit sur la région. Mais le pays n'était pas prêt à absorber ce surplus de population, pas plus que n'étaient au point les techniques agricoles nécessaires dans cette région. Et en 1883, la récession économique commença à se faire sentir, couplée avec une mauvaise récolte. Mais les agriculteurs de l'Ouest n'étaient pas au bout de leurs peines. D'une part, les marchands de Montréal, qui achetaient la production de grains des fermiers de l'Ouest, réussirent à faire diminuer le prix; d'autre part, ni le coût des transports, ni celui des instruments aratoires, ni celui des articles importés de l'est ne diminua pour les colons des prairies. C'est alors que s'organisa au Manitoba « The Manitoba and North West Farmer's Protective Union » pour défendre les droits des fermiers et faire pression sur le gouvernement. Dans le sous-district de Lorne en Saskatchewan, William Henry Jackson prit l'initiative d'organiser une « Settler's Union » et de mobiliser le vote rural contre le parti de John A. Macdonald alors au pouvoir à Ottawa. Vers la fin de janvier 1884, il fut chargé, en tant que secrétaire de l'Union de contacter les Métis francophones et d'obtenir leur collaboration. Après quelques rencontres, les deux parties s'entendirent pour envoyer une délégation à Louis Riel au Montana.

LE SPASME MILLÉNARISTE

Depuis quelques années, sociologues, anthropologues et historiens ont beaucoup utilisé les catégories d'utopie et de messianisme ou de millénarisme pour décrire et analyser certains mouvements sociaux.

En bref, disons qu'on appelle mouvement utopique l'action d'un groupe d'individus, qui, habituellement dirigés par un chef charismatique, prennent au sérieux l'espérance du bonheur et acceptent de se mettre en marche vers la « terre sans mal » le « Royaume de Dieu »... ou le « grand soir ».

On parlera plus explicitement de mouvements messianiques ou millénaristes lorsque l'idéologie, qui structure et anime ces mouvements, est de type religieux.

Notons que cette marche vers le bonheur peut être active ou passive, violente ou pacifique et que le but poursuivi peut être espéré à court ou long terme.

Remarquons encore que, tout au moins dans les mouvements messianiques ou millénaristes, le chef instigateur du mouvement peut se présenter comme simple prophète annonciateur ou précurseur ou comme le Messie-Sauveur lui-même.

En s'appuyant sur les études déjà faites dans ce domaine, on peut affirmer que ces mouvements naissent presque toujours à la suite d'une *crise subite et profonde*, qu'elle soit écologique, politique, nationale, culturelle, etc. Une crise qui ébranle la structure d'un mode de vie traditionnel et même le système de valeurs qui y était enraciné et qui le justifiait.

On peut dire d'un mouvement messianique ou millénariste qu'il est un mouvement de défense ou de riposte d'une collectivité qui sent le besoin de protéger et de sauver les traits spécifiques de sa personnalité collective menacée par une crise subite et profonde.

Pourtant, ce n'est pas toutes les sociétés en état de crise qui réagissent ainsi, certaines sociétés même ne réagissent aucunement et s'effondrent purement et simplement.

Il semble bien que si l'existence d'une crise sociale subite et profonde est une condition « sine qua non » à l'émergence d'un mouvement messianique, la présence d'un individu capable à la fois de formuler et de faire accepter sa formule d'une espérance collective latente est nécessaire à la mise en marche d'un tel mouvement.

Or, comme on l'a vu plus haut, la collectivité métisse francophone, au début des années 1880, sombrait rapidement dans un état de désintégration sociale et d'anomie profondes.

C'est précisément au printemps 1884, qu'une délégation des Métis français et anglais de la Saskatchewan se rendit à la mission St. Peter au Montana pour solliciter l'aide de Louis Riel. Or, ce dernier, depuis bientôt neuf ans, avait la conviction intime d'avoir été choisi par Dieu comme « le prophète du Nouveau-Monde ». Et il avait élaboré une large synthèse messianique et millénariste qu'il retouchait sans cesse, attendant seulement dans la prière et la mortification, le signe manifeste et extérieur de Dieu qui confirmerait son sentiment intime. L'arrivée de cette délégation fut pour lui le signe qu'il attendait :

> Comme si Dieu me trouvait assez préparé voici que vous venez me chercher. Rien n'arrive sans son ordre et sa permission. Et la visite que vous me faites me vient de lui. Je remercie Dieu de me permettre de recommencer comme de plus bel.[16]

Pourtant Riel ne dévoilera pas de but en blanc son idéologie millénariste. Depuis son arrivée en Saskatchewan, en juillet 1884, jusqu'en mars 1885, Riel, dans ses interventions publiques, se limite à des revendications politiques et sociales. Pourtant, auprès d'un groupe restreint de disciples et en présence de certains prêtres, il expose son idéologie millénariste.

L'essentiel de ses revendications politiques et sociales est contenu dans un mémorandum, remis à Mgr Grandin, au début de septembre 1884, pour qu'il le fasse parvenir au gouvernement canadien.

Dans ce memorandum, Riel formule plusieurs types de revendications :

1 — Des revendications politiques :

A) le remplacement de l'actuelle forme de gouvernement des Territoires par un gouvernement responsable;

B) l'érection des districts des Territoires du Nord-Ouest en autant de provinces « aussitôt qu'ils auront atteint le même chiffre de population qu'avait le Manitoba lors de son entrée en confédération : » et contrairement à l'acte du Manitoba ces gouvernements provinciaux devront avoir l'administration des terres de la Couronne sur leur territoire.

2 — Des revendications spécifiques pour les anciens colons, pour les Indiens et surtout pour les Métis :

A)   pour les anciens colons, les mêmes garanties que celles accordées, en 1870, aux colons du Manitoba;

B)   pour les Indiens : que le gouvernement les nourrisse ou les fasse travailler;

C)   pour les Métis :

   a) du Manitoba; comme la province a été agrandie depuis 1870 et que le titre métis à ces nouvelles terres n'a pas encore été éteint, que ce titre soit éteint en faveur des enfants métis nés dans la province depuis le transfert et pour les quatre prochaines générations;

   b) du Nord-Ouest :

      1 — qu'ils aient droit aux terres qu'ils occupent actuellement et qu'on leur en donne les patentes;

      2 — qu'ils reçoivent en plus les 240 acres de terre qu'ont reçus les Métis du Manitoba;

      3 — que 2 000 000 d'acres de terre soient désignées puis vendues par le gouvernement, que cet argent soit mis en banque et que l'intérêt de cet argent serve à la construction et l'entretien d'écoles, d'hôpitaux, d'orphelinats pour les Métis et à l'achat et à la distribution de charrues et de semences aux Métis pauvres;

      4 — qu'une centaine de townships, pris dans les terres marécageuses et non habitables avant un certain temps, soient mis à part puis distribués tous les dix-huit ans entre les enfants métis de la génération nouvelle pendant 120 ans;

      5 — qu'une somme de 1 000 $ soit donnée par le gouvernement pour l'érection et l'entretien d'un couvent partout ou il y aura un groupe suffisant de Métis.

3 — Une mesure protectionniste mais temporaire, demandant que « tous les travaux et contrats du gouvernement pour le Nord-Ouest » soient accordés aux habitants du territoire dans la mesure du possible.[17]

Pour Riel donc, dès le début du mouvement, il est clair que les Métis ont, non seulement des droits individuels de « squatters » sur les terres qu'ils occupent, mais ils ont aussi et surtout un droit de propriété au titre de leur sang indien, sur toute l'étendue du Nord-Ouest. De plus, dans les négociations de 1870, les Métis n'auraient cédé leur droit qu'à l'intérieur des limites premières du Manitoba. Enfin, il est évident que ces revendications de Riel, même si elles étaient dans la logique des négociations de 1870 (telles du moins que nous les a rapportées Ritchot) dépassaient, et de loin, en exigences ce que les Métis avaient obtenu dans l'Acte du Manitoba et par la suite dans l'application de l'article 31.

Ces exigences dépassaient encore, tout au moins en ce qui a trait aux « droits » des Métis, les demandes de la pétition que Métis et colons enverront à Ottawa le 16 décembre 1884, et à laquelle, Riel lui-même participera.[18]

Ces revendications socio-politiques de Riel s'appuient sur une idéologie nationaliste métisse qu'il s'efforce de formuler depuis plusieurs années.

Pour Riel, les Métis canadiens-français constituent une nation spécifique distincte même de la nation canadienne-française. C'est pourquoi, affirme-t-il, les Canadiens français qui immigreront dans l'ouest devront se convaincre qu'il existe une véritable nation, les Métis canadiens-français; ils devront s'identifier à eux et abandonner leur nationalité canadienne-française.[19] Pour inculquer aux Métis ce sentiment national, il insiste, auprès de Mgr Grandin, pour qu'il donne aux Métis un saint patron comme les *autres nations en ont un* et qui soit différent de saint Jean-Baptiste, patron des Canadiens français. Il suggère saint Joseph que Mgr Grandin accepte (Martel, 1976, p. 408-410).

Par ailleurs, cette idéologie nationaliste métisse de Riel s'appuie sur sa vision millénariste de l'avenir du catholicisme et du Nouveau-Monde.

Depuis 1876, Riel est convaincu que le Vieux Monde de l'Europe marche vers sa décomposition et que l'Esprit a choisi l'Amérique pour y restaurer le christianisme et sauver le monde. Dans ses visions, il lui a été révélé que la papauté a été transférée dans la nation canadienne-française jusqu'en 2333 et qu'elle passera ensuite dans la nation métisse-canadienne-française jusqu'en 4209.[20]

Quant à l'avenir du Nouveau Monde, Riel l'entrevoit comme une *confédération de nations métissées* : chaque « province » serait composée des immigrants d'une nation spécifique laquelle s'amalgamerait aux tribus indiennes de cette région. Il y aurait ainsi une « province » métisse canadienne-française, une « province » métisse irlandaise, etc., ce métissage atténuerait les différences nationales et diminuerait d'autant les oppositions et les conflits (Martel, 1976, 331-336).

Tel est le message ésotérique que Riel dévoile peu à peu à un petit groupe de Métis choisis, entre juillet 1884 et mars 1885. Il est impossible de savoir quelle audience pouvait avoir ce message nationaliste et millénariste chez les quelques centaines de Métis de la Saskatchewan. Chose certaine, l'immense dispersion de la collectivité métisse rendait pratiquement impossible la diffusion de ce message. C'est pourquoi Riel songeait à fonder un journal. N'ayant pu obtenir les fonds nécessaires et piqué au vif par l'attitude d'Ottawa qui feignait de l'ignorer, il décida de faire un coup d'éclat. Il convainquit les Métis de prendre les armes et d'instituer un gouvernement provisoire appelé Exovidat (de « ex » et « ovide », tiré du troupeau). Son objectif : capturer des otages pour négocier ensuite avec Ottawa (Martel, 1976, p. 425-488).

Mais le gouvernement canadien répliqua, en expédiant l'armée qui écrasa la petite troupe métisse. Riel se rendit et fut emprisonné. Accusé de haute trahison et reconnu coupable, il fut pendu le 16 novembre 1885. La collectivité métisse francophone, atomisée et humiliée, rentra dans l'ombre et le silence. L'embryon de la nouvelle nation métisse avait avorté.

CONCLUSION

Certains diront que n'eût été de Riel et de son utopie mystique il aurait été possible de sauver l'embryon de la nation métisse. Personnellement, je crois qu'en 1884 il était trop tard. La désintégration de la société métisse était trop avancée : son mode de subsistance traditionnel (la chasse aux bisons) révolu, sa dispersion trop étendue, et l'immigration trop rapide et massive pour qu'une intervention eût quelque chance de succès.

De plus, rien, dans le droit anglais, ni dans la constitution canadienne, ni dans la mentalité des Canadiens du XIXe siècle ne reconnaissait à une nouvelle nation le « droit de naître et grandir » à l'intérieur de la Confédération : la nouvelle nation qui naissait, c'était la nation canadienne.

La vérification de cette affirmation nous amènerait cependant à une intéressante mais longue recherche sur les idéaux et les mythes fondateurs de la nation canadienne et sur la place qu'ils donnaient aux diverses nations appelées à composer cette mosaïque canadienne.

Abréviations utilisées

AASB   Archives de l'Archevêché de St-Boniface

APC   Archives publiques du Canada

APSN   Archives de la paroisse de St-Norbert

ASQ   Archives du Séminaire de Québec

NOTES

[1] Voir GIRAUD (1945), p. 477-632, aussi MORTON (1970), p. 44-59, et TRÉMAUDAN (1935), p. 84-112.

[2] Extrait d'une lettre de J. Pritchard à Selkirk datée du 20 juin 1815, cité par GIRAUD (1945), p. 553.

[3] Letter from Adams G. Archibald to the Secretary of State for the Provinces, Ottawa, from Fort Garry, 9th December 1870. Publié dans : *Return: instruction to the Honorable A. Archibald, Lt Governor of Manitoba and the North-West Territory, etc.*, Printed by order of Parliament, Ottawa, 1871, p. 93.

[4] Voici les sources citées par GIRAUD (1945), p. 761 : 1838 : G. Simpson to A. Thom, London, 5 janvier 1838; 1844 : *Annales des Soeurs de la Charité...* de St-Boniface I, p. 89-90; et *Registres de la Colonie de la rivière Rouge* (Les cloches de Saint-Boniface), Mars, 1934, p. 71-72; 1857 : Simpson to J. Shepherd, Lachine, 6 janvier 1857; et *Les registres de la Colonie, loc. cit.*

[5] APC, MG9, E3, volumes 1-4 et microfilm c-2170. Pour une description des recensements de la colonie de la rivière Rouge entre 1831 et 1870, voir G. MARTEL (1976), p. 29-32.

[6] Pour un tableau détaillé de la population par paroisse selon la religion et la race, voir G. MARTEL, 1976, p. 50-51.

[7] APC *Macdonald Papers*. N. J. Ritchot à G. E. Cartier, 30/5/70.

[8] AASB, Dugast à A.A. Taché 29/7/69.

[9] AASB, Dugast à A.A. Taché 29/8/69.

[10] APC, *Macdonald Papers*, N.J. Ritchot à Cartier 30/5/70.

[11] APSN, N. J. Ritchot, cahier II.

[12] APSN, N. J. Ritchot, cahier I.

[13] *Id.*

[14] Debates of the House of Commons, 1885, p. 3113, cité dans G.F.G. *Stanley Birth of Western Canada*, p. 434-435.

[15] *Recensement du Manitoba*, 1885-1886, Canada, Dept of Agriculture, 1887. Le Canada fait ses recensements tous les dix ans. Malheureusement, dans les statistiques du recensement de 1880 au Manitoba on ne distingue pas la population métisse. Mais en 1885-1886, suite à un changement dans les frontières de la province, on fit un nouveau recensement, qui, lui, distingue la population métisse. Notons que les manuscrits de ces recensements ne sont mis à la disposition des chercheurs qu'après un siècle.

[16] AASB. Témoignage de Michel Dumas, délégué, recueilli par Mgr G. Cloutier.

[17] Il existe trois (3) copies de ce document mais aucune n'est de la main de Riel : AASB Louis Schmidt « Notes : mouvement des Métis à St-Laurent »; APC. Macdonald Papers n° 42935-41; APC Dewdney Papers, n° 2170-72. La copie de Schmidt comprend 11 articles, celle des Dewdney Papers 8 articles plus un post-scriptum.

[18] Cette pétition a été publié par L.H. Thomas dans la revue *Saskatchewan History*, XXIII, n° I. Winter 1970, sous le titre « Louis Riel's Petition of Rights, 1884 ». Ce titre prête à confusion, puisque Riel n'en fut pas le rédacteur principal : voir G. MARTEL (1976), p. 401-406.

[19] Dans une discussion avec le P. A. André, rapportée par Louis Schmidt; voir G. MARTEL (1976), p. 407-408.

[20] ASQ, Louis Riel, *Manuscrit de Beauport*.

BIBLIOGRAPHIE

GIRAUD, M. (1945) *Le Métis canadien, son rôle dans l'histoire des provinces de l'Ouest*. Paris, Institut d'ethnographie.

HARGRAVE, J.J. (1970) Annual Routine in Red River Settlement. In D. Swainson (ed) *Historical Essays on the Prairie Provinces*, Montréal, McClelland and Stewart.

MARTEL, G. (1976) *Le messianisme de Louis Riel*. Thèse de doctorat manuscrite, Paris, École pratique des Hautes Études.

MORICE, A.-G. éd. (1914) *Histoire abrégée de l'Ouest canadien*. Saint-Boniface.

MORTON, W.L. (1949) Agriculture in the Red River Colony, *Canadian Historical Review*, vol. 30 (Traduction française de G. Martel).

MORTON, W.L. (1970) *Manitoba, a History*. Toronto, University of Toronto Press.

RITCHOT, J.-J. (1964) Journal de l'abbé N.-J. Ritchot, 1870. *Revue d'Histoire de l'Amérique française* XVII : 547-548

STANLEY, G.F.G. (1970) *Manitoba 1870. Une réalisation métisse*. Conférence publique donnée au département d'histoire de l'Université de Winnipeg. Publiée par University of Winnipeg Press en 1972.

STANLEY, G.F.G. (1961) *Birth of Western Canada*. Toronto, University of Toronto Press.

TRÉMAUDAN, A.-H. de (1935) *Histoire de la nation métisse dans l'Ouest canadien*. Montréal, Éditions Albert Lévesque.

V

Les Canadiens français de l'Ouest : espoirs, tragédies, incertitude

André LALONDE

De 1870 à 1930, l'Église catholique romaine a dominé la colonisation française à travers l'Ouest canadien. Les nouveaux colons recrutés au Québec, en Nouvelle-Angleterre, en France, en Belgique et en Suisse constituaient un groupe ethnique hétérogène, dispersé sur un territoire immense, encerclé par une mer d'étrangers et dépourvu d'une importante classe dirigeante de laïcs.

C'est l'Église catholique qui tentera de créer un tout homogène à partir de ces entités hétérogènes au sein de la francophonie. Ce sont les ecclésiastiques de langue française qui initièrent, encouragèrent ou guidèrent toute activité propre à promouvoir la survivance de la culture française à travers l'Ouest. De 1870 à 1930, la très forte majorité des membres de l'élite française des prairies portaient une soutane.

L'infrastructure créée par le clergé s'effrita peu à peu à partir de 1930 à la suite de la grande dépression économique et du déclin de la présence française au sein de la hiérarchie cléricale de l'Ouest. La population de langue française des prairies subit quelques décennies d'incertitude et de lassitude avant qu'une élite de laïcs ne reprennent la relève à partir de 1960.

LA COLONISATION

Si l'Église catholique a assumé une telle initiative, c'est que son clergé de l'Ouest espérait, en 1870, assurer la survivance du fait français au sein du nouveau territoire annexé par le Canada en recrutant des colons en milieu francophone à la fois en Amérique du Nord et en Europe.

Le traîte des fourrures et la présence d'une multitude d'engagés de langue française avait donné naissance à la nation métisse. Peu après la création de la colonie de la Rivière Rouge quelques prêtres du Québec s'étaient aventurés vers l'Ouest afin de christianiser les Métis. Au fur et à mesure de l'accroissement de la population française et métisse, le nombre de clercs originaires de France et du Québec augmenta encore davantage. En 1870, l'élément français constituait environ la moitié de la population d'extraction européenne de l'Ouest et l'Église catholique romaine était fermement implantée à travers les prairies.

Cependant, l'achat par le Canada des terres de la Compagnie de la Baie d'Hudson suscita l'anxiété des Métis et des clercs qui craignaient que l'afflux de colons anglo-saxons de l'Ontario et des Îles britanniques ne menaçât la langue et la culture françaises dans l'Ouest. Bien que les Métis aient réussi, à la suite d'un soulèvement, à obtenir certaines garanties constitutionnelles pour protéger leurs institutions les plus chères, Mgr Taché, évêque du diocèse de Saint-Boniface, soupçonnait que ces garanties constitutionnelles ne survivraient pas indéfiniment si la part relative de la population française fléchissait de manière significative. Afin de maintenir la parité numérique, le clergé chercha à détourner le surplus de population du Québec vers l'Ouest et à rapatrier les Canadiens français exilés aux États-Unis.

La clef du salut résidait dans l'afflux de colons du Québec. Mgr Taché, devenu archevêque de Saint-Boniface[1], encouragea la création de sociétés de colonisation, sollicita des fonds supplémentaires auprès du gouvernement fédéral et après avoir acquis l'appui de l'épiscopat du Québec[2] expédia plusieurs de ses prêtres vers la belle province à la recherche de colons désireux de quitter le littoral du St-Laurent ou se trouvant dans l'obligation de quitter le Québec.

Le Père Lacombe et plusieurs de ses collègues par la suite balayèrent le Québec où ils prononcèrent de multiples discours et distribuèrent une abondante littérature publicitaire. L'Ouest était dépeint comme un paradis terrestre qui n'attendait que le soc de la charrue avant de livrer des richesses immenses aux nouveaux propriétaires de la terre. Les prairies offraient aux Canadiens français la possibilité d'exercer leur véritable vocation : la culture du sol. Vu la rareté de la terre arable au Québec, un père de famille pouvait mieux préparer l'avenir de ses enfants en s'établissant dans l'Ouest où la terre gratuite était abondante et facile à cultiver. Les ecclésiastiques de l'Ouest rappelaient aux Québécois que les prairies faisaient partie de leur patrimoine, un héritage légué par les explorateurs, les commerçants de fourrures et les missionnaires. Les Canadiens français devaient remplir leur mission évangélisatrice, accomplir le rôle messianique que Dieu leur avait conféré, en s'emparant du sol de l'Ouest.

Le contenu des discours et de la publicité sur l'Ouest souleva progressivement l'ire de plusieurs politiciens, journalistes[3] et ecclésiastiques du Québec. Tourmentés par l'exode de milliers de Québécois qui se dirigeaient annuellement vers les États-Unis, un nombre croissant des membres de l'intelligentsia du Québec s'opposèrent aux efforts et tactiques déployés par les délégués de l'Ouest. Le dépeuplement du Québec ne servirait en effet qu'à affaiblir le fait français du Canada. Le Québec possédait d'amples terres vierges à coloniser pour facilement accommoder ses citoyens. Ils recommendèrent à Baptiste de demeurer sur la terre dans sa province ou, si nécessaire, de s'établir dans une des villes du Québec. S'il désirait absolument quitter le Québec, Tardivel et plusieurs de ses collègues lui recommandaient de demeurer près du bercail, près de la frontière du Québec, en s'établissant dans la province voisine, l'Ontario. Le Canadien français qui s'orientait vers l'Ouest éprouverait de sérieux problèmes à garder sa langue, sa foi et sa culture. Selon l'élite du Québec, si les Franco-Manitobains avaient besoin de renforts, c'est aux États-Unis qu'il fallait aller les recruter.

Le Québécois sans source de revenu se souciait peu des discours prononcés par les curés, les journalistes et les politiciens. Son confort matériel constituait un point de mire plus pressant que sa survivance culturelle lorsqu'il avait l'estomac vide. Peu de Québécois forcés de quitter le littoral du St-Laurent considérèrent l'Ouest. Les tournées antérieures à travers le Québec par des missionnaires de la Rivières Rouge qui collectaient des fonds pour subvenir aux besoins des Métis servirent à implanter dans l'esprit du Québécois l'impression que l'Ouest était inhabitable, était un véritable désert. Ceux qui disposaient des fonds requis pour défrayer leurs frais de voyage entre Montréal et Winnipeg étaient rares. De plus, en raison de la distance, l'établissement dans les prairies revêtait un aspect d'irrévocabilité. Les prairies symbolisaient l'isolement total, loin de la patrie. Au contraire, la proximité de la frontière américaine servait à réduire significativement les frais de déménagement, et la possibilité d'obtenir un emploi dans une des usines de textile de la Nouvelle-Angleterre comportait moins de risques. En conséquence des milliers de Québécois prirent annuellement la route des États-Unis ou s'orientèrent vers l'Ontario. Une minorité seulement répondit à l'appel des représentants de l'Ouest.

Étant donné le grand nombre de Canadiens français qui vivaient aux États-Unis, les ecclésiastiques de l'Ouest reconnurent le potentiel qu'offrait ce pays. Des laïcs sur place, tel Charles Lalime[4], se virent offerts une commission pour chaque colon désillusionné qu'ils réussiraient à convaincre de prendre la route de l'Ouest. À la suite d'un lobbying intensif, le ministre de l'intérieur responsable de l'immigration accepta de payer un salaire et de défrayer les dépenses d'un prêtre par diocèse qui se consacrerait à mi-temps au rapatriement des Canadiens français exilés aux États-Unis[5].

Malgré le dévouement de certains de ces missionnaires-colonisateurs, les résultats ne furent pas retentissants. Plusieurs de ces missionnaires furent recommandés par les évêques et nommés par le gouvernement à cause de leurs attaches politiques et non pas à cause de leur dynamisme. Les missionnaires-colonisateurs zélés de l'Ouest rencontrèrent une très forte résistance à leurs appels parmi les Franco-Américains. Ils durent combattre les mythes relatifs au climat des prairies et l'opposition des membres des professions libérales et du clergé des États-Unis qui jugeaient les francophones de l'Ouest trop faibles numériquement et trop dépourvus de droits constitutionnels pour pouvoir survivre. De plus, ces agents cléricaux de colonisation ne jouissaient pas d'un monopole aux États-Unis. Ils durent faire face à la concurrence d'une multitude d'agents qui représentaient des sociétés de colonisation et de rapatriement du Québec et de l'Ontario[6].

Malgré ces obstacles, quelques-uns de ces propagandistes cléricaux de l'Ouest réussirent à fonder des hameaux peuplés de colons venant du Québec et des États-Unis. L'abbé C.A. Beaudry et le Père Moïse Blais entraînèrent des centaines de Québécois et de Franco-Américains à chercher fortune au Manitoba. L'abbé Pierre Gravel, engagé par l'archevêque de Saint-Boniface, Mgr Adélard Langevin, fonda le village de Gravelbourg. Originaire du comté d'Arthabaska et ayant occupé le poste de curé dans quelques paroisses de l'état de New York, il exploita ses contacts au Québec et aux États-Unis afin de créer un bloc compact de peuplement au sud-ouest de la Saskatchewan. Les abbés J.B. Morin et J.A. Ouellette contribuèrent richement à la colonisation française dans la région située au nord d'Edmonton en Alberta : Morinville et Ouelletteville doivent leur existence à leur dévouement.

Toutefois le clergé de l'Ouest ne se limita pas à recruter des colons de langue française au Québec et aux États-Unis. La France, la Belgique et la Suisse attirèrent l'attention de l'archevêque de Saint-Boniface à partir de 1885. Cependant, l'immigration de quelques milliers de Français à la suite de la commune de 1870 amena le clergé canadien à conclure que les immigrants européens devaient être sélectionnés soigneusement. Les anticléricaux, les communistes et les anarchistes devaient être écartés.

À partir de 1890, plusieurs missionnaires de l'Ouest originaires de France visitèrent l'Europe à la recherche de colons désirables. À la suite de pressions exercées par des membres de la hiérarchie cléricale et par des politiciens de langue française, le gouvernement fédéral nomma finalement des agents de colonisation en France et en Belgique[7]. Quelques prêtres originaires d'Europe reçurent de leur archevêque le mandat de promouvoir la colonisation de l'Ouest dans leur ancienne patrie. Certains colons français et belges confortablement installés dans l'Ouest reçurent à travers les années des récompenses en reconnaissance de leurs activités politiques sous forme de billets de voyage gratuits pour aller recruter des immigrants dans leur ancienne patrie.

Ces activités dans les pays européens de langue française produisirent des résultats décevants. Le nombre de Français et de Belges qui émigraient annuellement était négligeable[8]. De plus, le gouvernement français, préoccupé par le dépeuplement des campagnes et un taux de natalité très faible, interdisait toute forme de propagande propre à promouvoir l'émigration de ses citoyens.

Nonobstant ces handicaps, quelques prêtres français réussirent à fonder des paroisses peuplées presque exclusivement de Français et de Belges. Dom Paul Benoît, originaire de Jura, fonda le village de Notre-Dame de Lourdes au Manitoba. L'initiative de l'abbé Le Floch de Bretagne aboutit à la création du hameau de St-Brieux en Saskatchewan. L'abbé Jean Gaire d'Alsace-Lorraine consacra plus de vingt années à la colonisation française et belge dans le sud-ouest du Manitoba et dans le sud-est de la Saskatchewan. Parallèlement aux efforts des ecclésiastiques, des laïcs contribuèrent eux aussi à la colonisation française et belge à travers les prairies. Trochu, Domrémy, Montmartre, Fannystelle et Bruxelles entre autres doivent leurs existence à l'ambition, à l'initiative ou à l'esprit d'aventure de certains aristocrates, hommes d'affaires ou agents d'immigration.

L'opposition de l'intelligentsia du Québec, l'indifférence des colons de la belle province, l'apathie des Franco-Américains et les conditions particulières aux pays européens de langue française servirent à contrecarrer les ambitions du clergé de l'Ouest. Mgr Taché et ses successeurs avaient espéré assurer la survivance culturelle de leurs ouailles par le truchement de la migration massive de colons de langue française. Ces espoirs s'écoulèrent rapidement lorsque les Ontariens suivis des Britanniques, des Slaves, des Scandinaves et des Allemands envahirent les prairies à partir de 1870 tandis que les colons de langue française brillèrent par leur quasi-absence.

Les efforts dispensés entre 1870 et 1930 produisirent des résultats décevants. Vers 1930, à l'époque où l'économie agricole subissait un revirement et où l'immigration prenait fin, 135 000 francophones vivaient dans les trois provinces de l'Ouest sur une population totale de 2 350 000 habitants. La majorité de ces résidents d'expression française des prairies provenaient en ligne directe du Québec, suivis des Franco-Américains, des Français, des Belges wallons et d'une poignée de Suisses. Ces francophones se répartissaient dans les trois provinces des prairies comme suit :

Manitoba	47 000 ou 6,7% du total de la province
Saskatchewan	50 700 ou 5,5%
Alberta	38 377 ou 5,2%

Source :   Recensement du Canada, 193î.

La majorité des 47 000 Franco-Manitobains étaient regroupés au sud de Saint-Boniface. Ce phénomène résultait d'une politique adoptée vers 1870 par Mgr Taché qui désirait créer « un bloc compact de paroisses canadiennes à partir des petites colonies métisses établies antérieurement »[9]. Faute de colons, cet objectif ne fut atteint que partiellement. Plusieurs nouvelles paroisses furent fondées à l'intérieur de ce bloc, mais des milliers d'Ontariens occupèrent des homesteads dans les parages avant que Mgr Taché puisse consolider son projet.

En Saskatchewan, les 50 700 francophones étaient dispersés aux quatre coins de la province et se divisaient en trois groupements principaux. L'abbé Jean Gaire avait tenté de créer un triangle homogène de peuplement dans le sud-est de la Saskatchewan à partir de 1890. La pénurie de colons d'expression française et l'afflux d'une vague d'étrangers dès que le chemin de fer traversa cette région porta un coup fatal à cette vision. Entretemps, les missionnaires oblats qui desservaient les Métis réfugiés le long de la rivière Saskatchewan au sud de Prince Albert, projetèrent d'utiliser ces missions comme un noyau pour la création de nouvelles paroisses. Cependant, dès qu'un village embryonnaire apparaissait dans un district, les colons non francophones s'y précipitaient. Si les missionnaires-colonisateurs s'orientaient vers des districts isolés pour tenter de créer un bloc homogène de peuplement, le même phénomène se reproduisait. Alors, le résultat de cette tactique fut l'apparition de paroisses isolées étalées sur une bande de terre longeant la rivière Saskatchewan et confinée au nord par la forêt. Ces revers ne suffirent pas à décourager le clergé. Les terres du sud-ouest étaient demeurées vierges jusqu'en 1907 parce que considérées semi-arides. Les Canadiens français devaient s'empresser d'occuper ces terres désertes. Même si les francophones furent les premiers à coloniser cette contrée, ils devinrent minoritaires en peu de temps. La partie centrale de la Saskatchewan, la zone entre les deux artères ferroviaires, celle du Canadien National et celle du Canadien Pacifique, n'abritait aucun centre français.

Bien que peu nombreux, les Franco-Albertains étaient massés dans deux districts, la région immédiatement au nord d'Edmonton et la vallée de la Rivière de la Paix. Les colons venus avant 1914 furent conduits par les missionnaires-colonisateurs du diocèse de Saint-Albert vers les parages de Saint-Paul, une mission établie antérieurement par

Figure 1

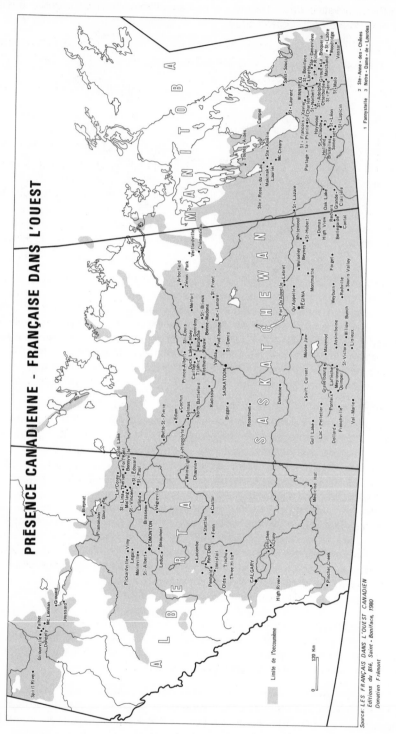

PRÉSENCE CANADIENNE - FRANÇAISE DANS L'OUEST

Source: LES FRANÇAIS DANS L'OUEST CANADIEN
Éditions du Blé, Saint - Boniface, 1980
Donatien Frémont

le Père Lacombe. Après la Première Guerre Mondiale, les colons de langue française se dirigèrent vers la vallée de la Rivière de la Paix attirés par la disponibilité des terres gratuites sous forme de « homestead ».

L'absence de planification entre les différents diocèses de l'Ouest, l'impossibilité de coordonner étroitement les activités des ecclésiastiques, des laïcs et des agences gouvernementales qui oeuvraient dans le domaine de la colonisation et la pénurie de recrues entraînèrent l'émiettement des colonies de peuplement francophone à travers les prairies durant l'ère de développement.

VITALITÉ DE LA CULTURE

Durant la période de colonisation, l'église compta fortement sur un apport de l'extérieur pour garantir la survivance du fait français à travers l'Ouest. Tout en encourageant l'immigration de francophones vers l'Ouest, l'Église reconnut très tôt qu'elle ne pouvait se permettre d'ignorer ou de négliger le bien-être culturel des colons en place. La pénurie de nouvelles recrues du Québec, des États-Unis et de l'Europe francophone accentuait la nécessité de munir les francophones minoritaires d'instruments propres à assurer leur survivance. Il fallait parer à l'incertitude des années futures.

La très forte majorité du clergé catholique était originaire du Québec et de France. La langue française étant considérée la gardienne de la foi, il incombait naturellement au clergé d'assumer un rôle de meneur et d'exploiter l'infrastructure en place depuis plusieurs années afin de garantir la survivance de la foi et de la culture de ses ouailles. Sous la tutelle des différents évêques et archevêques de langue française qui dominèrent la hiérarchie de l'Église catholique de l'Ouest avant 1930, le clergé remplit une fonction d'instigateur, de promoteur, d'animateur et de réalisateur au sein de la francophonie. La tradition, la convenance et le pragmatisme amenèrent le clergé à transplanter à travers les prairies plusieurs des institutions culturelles du Québec.

La paroisse, l'instrument qui avait contribué à la survivance des Canadiens après la Conquête, allait remplir un rôle tout aussi déterminant à travers l'Ouest. Sous l'égide du clergé, la paroisse servait non seulement à promouvoir la colonisation et à grouper les catholiques de langue française, mais offrait à ceux qui vivaient à l'ombre du clocher un sens de sécurité, d'identité, d'appartenance ainsi qu'un refuge contre les menaces qui existaient à l'extérieur de ses frontières.

Les Québécois nouvellement installés dans une des paroisses parsemées à travers les prairies, retrouvaient plusieurs des institutions ou associations qui leur étaient familières — les dames de Sate-Anne, les enfants de Marie, la ligue du Sacré-Coeur, des cercles locaux de l'Association Catholique de la Jeunesse Canadienne-française et de la Société Saint-Jean-Baptiste. La paroisse constituait un îlot du Québec, un mini-Québec, parachuté dans un nouvel environnement.

Entité d'abord spirituelle, la paroisse était aussi un centre social et culturel. La paroisse représentait le coeur de la vie sociale et culturelle du colon de langue française. Les récitals, bazars, discours, présentations théâtrales et danses avaient lieu dans la salle paroissiale. Certaines paroisses s'enorgueuillissaient de la présence de troupes de théâtre, fanfares, etc. ...

Le curé constituait la force motrice de la paroisse. Fort respecté, il pouvait jouer le rôle de conseiller pédagogique, économique, médical, légal et culturel. La vitalité d'une paroisse était liée à la personnalité et au dynamisme de son curé.

Figure 2

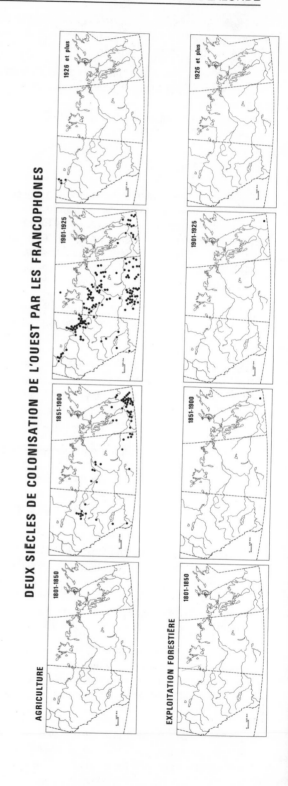

DEUX SIÈCLES DE COLONISATION DE L'OUEST PAR LES FRANCOPHONES

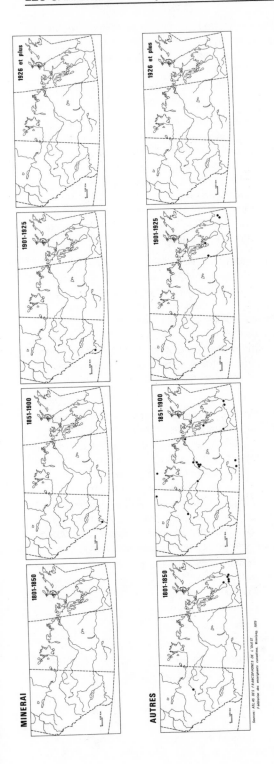

Sources: ATLAS DES FRANCOPHONES DE L'OUEST
Fédération des associations canadiennes, Winnipeg, 1979

À la suite de la mise en place de la paroisse, la création d'institutions scolaires devenait prioritaire. L'école au sein de la paroisse constituait la pierre angulaire de la génération future. Étant donné les lois en vigueur qui interdisaient ou restreignaient l'usage du français comme langue de communication dans la salle de classe à travers l'Ouest, les francophones devaient apprendre à contourner ou aller à l'encontre des règlements scolaires.

Jusqu'en 1890, les Franco-Manitobains éprouvèrent peu de problèmes sérieux à pourvoir leurs enfants d'une éducation française. La crise scolaire du Manitoba qui entraîna l'élimination du français comme langue officielle et l'abolition du système des écoles séparées menaça sérieusement la culture des résidents de langue française de cette province. L'Église vint à leur rescousse en établissant des écoles privées dans plusieurs paroisses. Dans d'autres milieux, où les Canadiens français étaient majoritaires les commissaires d'école agirent indépendamment de la loi et autorisèrent leurs enseignants à utiliser le français comme langue de communication. Même si ces écoles fonctionnèrent à l'encontre de la loi, les inspecteurs d'école tolérèrent la situation.

Le même scénario fut répété dans les Territoires du Nord-Ouest de 1870 à 1905 et dans les provinces de Saskatchewan et d'Alberta après 1905. Le système d'écoles séparées a toujours existé dans ces régions et les autorités gouvernementales ont toujours conféré au français un statut spécial dans les écoles, mais les règlements scolaires limitaient sévèrement l'usage du français dans les écoles au-delà des premières années d'études. Cependant, l'existence de petites unités scolaires permettaient aux francophones de gérer leurs écoles. Lorsqu'ils étaient majoritaires dans un district, ils élisaient des commissiares d'école de langue française qui engageaient des enseignants bilingues qui se préoccupaient peu des restrictions imposées par les législateurs indifférents à leurs aspirations.

Pourvoir la jeunesse d'une éducation française et catholique ne représentait qu'une étape. Si les francophones devaient survivre, ils avaient besoin de chefs de file laïcs. Les Bernier, Royal, Turgeon, Rouleau, Roy et Villeneuve, arrivés de l'est, réussirent à combler partiellement cette lacune en se taillant une place importante non seulement dans leurs communautés respectives, mais au sein de l'ensemble de la population des trois provinces de l'Ouest. Mgr Mathieu, l'ancien recteur de l'université Laval, constata peu après sa nomination au poste d'évêque du diocèse de Régina en 1911 l'absence quasi totale de laïcs capables de défendre les intérêts de leurs compatriotes. Mgr Mathieu et ses collègues tentèrent en vain de recruter des membres des professions libérales au Québec. Une solution s'imposait : la création de collèges afin de créer une élite sur place.

> Ce que j'ai constaté en arrivant ici, ce que je constate encore, c'est que tous nos catholiques sont ignorants. Nous n'avons pas d'hommes instruits...

> Si je pouvais sans bruit fonder ce collège avant de mourir, je croirais avoir fait l'oeuvre de ma vie parce que j'aurais sauvé la langue française dans toute la province pour toujours...

> Je veux conserver la langue dans l'Ouest, pour le bien de laquelle je travaille en voulant former une génération d'hommes qui pourront défendre ses droits.[10]

Le collège Mathieu de Gravelbourg ouvrit ses portes en 1917, se joignant au collège de Saint-Boniface fondé par Mgr Provencher, au juniorat des Oblats et au collège des Jésuites d'Edmonton fondés respectivement en 1908 et 1913.

La sécurité offerte à l'intérieur de la paroisse, la création d'écoles et la préparation d'une élite sur place étaient louables, mais le clergé et la poignée de chefs de file laïcs ressentaient le besoin d'unifier les francophones disséminés dans chacune des trois provinces des prairies. L'union fait la force. Une association provinciale servirait à unifier et à solidifier le fait français, à transmettre aux membres un sens de solidarité. En présentant un front commun, ils pourraient revendiquer leurs droits de façon plus efficace auprès des gouvernements.

C'est le clergé, appuyé par quelques laïcs, qui encore une fois proposa et entama les démarches requises. En 1908, Mgr Langevin recommanda la création d'une fédération provinciale à partir des cercles locaux de la Société Saint-Jean-Baptiste au Manitoba. En 1909, Mgr Pascal du diocèse de Prince Albert, secondé par l'abbé Bérubé de Vonda et l'abbé Myre de Bellevue, organisèrent la Société Saint-Jean-Baptiste de la Saskatchewan. Ces premières associations rudimentaires disparurent peu à peu, cédant leur place à des associations qui répondaient mieux aux aspirations des divers éléments culturels au sein de la minorité française de l'Ouest[11]. Le premier Congrès de la Langue Française qui devait avoir lieu à Québec en 1912 obligea les minorités françaises à se réunir et à choisir des délégués qui représenteraient leur province. De ces réunions, jaillit la première association unissant tous les francophones de la Saskatchewan : l'Association catholique franco-canadienne[12]. En 1916, suite à l'imposition de mesures restrictives en éducation, les Franco-Manitobains se munirent d'un organisme qui leur permettrait de revendiquer leurs droits avec efficacité : l'Association d'éducation des Canadiens-Français. Les Franco-Albertains imitèrent leurs confrères de langue française des provinces voisines et passèrent par les mêmes étapes — Société de la Saint-Jean-Baptiste et Société du Parler Français — avant d'en arriver à la création de l'Association canadienne-française de l'Alberta en 1926.

Ces associations provinciales revendiquèrent leurs droits à tous les niveaux, mais dévouèrent le gros de leur énergie à l'amélioration des programmes d'enseignement du français. Elles recrutèrent des instituteurs bilingues, instituèrent des concours de français, nommèrent leurs propres inspecteurs d'école[13], préparèrent de nouveaux curriculums et planifièrent la création de sociétés spécialisées telles l'Association des éducateurs bilingues et l'Association des commissaires de langue française. La stratégie coordonnée à l'échelle provinciale était appliquée dans les milieux où les Canadiens français constituaient la majorité au sein de la commission scolaire du district. Ces tactiques et ce déploiement d'énergie permettaient aux jeunes francophones d'approfondir la connaissance de leur langue en dépit de la loi.

Un autre outil considéré vital et indispensable, était la voix de la presse. La vivacité de la vie culturelle française nécessitait la création d'un moyen de communication, d'un journal qui servirait à relier les membres de la famille française à l'intérieur de chacune des provinces. Certains journaux furent créés par des chefs de file laïcs sous forme d'entreprise privée. Rares furent les hebdomadaires qui survécurent plus de dix ans. Toutefois, les journaux parrainés par le clergé connurent plus de succès. Reconnaissant l'importance de ce véhicule, l'église, en particulier l'ordre des Oblats, fournit régulièrement les services d'un éditeur à ses frais et combla les déficits accumulés périodiquement par *La Liberté* de Winnipeg (1913-1981), *Le Patriote de l'Ouest* (1910-1941), publié à Prince Albert, et *La Survivance* qui vit le jour à Edmonton en 1928.

Jusqu'en 1930, la culture française demeura vivace à travers les prairies malgré le statut minoritaire des francophones et leur éparpillement à travers l'Ouest. Cette vitalité provenait du leadership et de l'énergie de l'église. Même les anglophones les mieux renseignés attribuaient amèrement à l'église la résistance des Canadiens français à l'assimilation[14].

LES RAVAGES DE L'ASSIMILATION

La grande crise économique de 1929 marqua un tournant dans l'histoire des francophones de l'Ouest. L'édifice culturel érigé sous les auspices de l'église catholique s'écroula peu à peu. L'effondrement du marché des denrées, intensifié par une décennie de séche-resse, mina la vitalité culturelle des Canadiens français de l'Ouest. La dignité individuelle et l'identité culturelle passèrent à l'arrière-plan : la survivance matérielle devint prioritaire.

Le francophone moyen, qui éprouvait du mal à nourrir et à vêtir sa famille, ne pouvait se payer le luxe d'encourager les troupes de théâtre, les fanfares et les groupes littéraires. Faute de participants et de fonds, ces entités culturelles disparurent. Les associations provinciales éprouvèrent de la difficulté à vendre leurs cartes de membre et durent, en raison du manque d'argent, réduire l'ampleur de leurs activités. Les journaux perdirent un bon nombre d'abonnés et accumulèrent durant la crise économique des déficits impo-sants. Face à cette réalité, *Le Patriote de l'Ouest* ferma boutique en 1941.

En plus d'amortir la vitalité de la vie culturelle des francophones, la récession écono-mique provoqua certains mouvements de migration à la fois vers l'intérieur et l'extérieur des prairies. Sans argent, ni charbon, quelques francophones quittèrent la sécurité de la paroisse située sur la prairie dénudée et se dirigèrent vers les terres boisées du nord. D'autres, croyant que la sécheresse se prolongerait indéfiniment, optèrent de retourner dans l'est du pays. Cependant, ce sont les membres des professions libérales qui étaient les plus mobiles et pouvaient plus facilement déménager. Possesseurs de diplômes et non pas de bien immobiliers tel que la terre qui servirait à les retenir, ils pouvaient faire leurs bagages et s'aventurer vers des parages plus hospitaliers, plus lucratifs. Cette dis-persion servit à réduire les rangs déjà trop minces de l'intelligentsia et infligea un dur coup à la francophonie de l'Ouest[15]. Ces chefs de file laïcs pouvaient difficilement être rempla-cés. Les habitants qui éprouvaient du mal à survivre ne possédaient pas suffisamment d'argent pour payer les frais d'inscription de leurs enfants dans les collèges privés. Plu-sieurs jeunes durent abandonner leurs études collégiales et demeurer sur la ferme.

La décapitation partielle des dirigeants laïcs et l'absence de remplaçants survinrent à une époque où le pouvoir et l'influence exercés par les ecclésiastiques de langue fran-çaise au sein de la hiérarchie cléricale de l'Ouest déclinaient progressivement. Rome avait déjà réduit l'étendue de l'archdiocèse de Saint-Boniface à la suite du décès de Mgr Langevin en 1915. Peu après l'inhumation de Mgr Mathieu en 1929, un Canadien d'origine irlandaise accéda au poste d'archevêque de Régina. En 1920, Mgr Henri-Joseph O'Leary succéda à Mgr Émile Légal à l'archevêché d'Edmonton. Ces archevêques d'ori-gine irlandaise n'éprouvaient guère d'attachement pour la culture française; ils se préoc-cupaient peu de l'épanouissement culturel de leurs diocésains d'expression française. Dorénavant, les francophones ne pourraient plus compter autant sur l'apport culturel de la hiérarchie cléricale.

La décapitation partielle des chefs de file laïcs et le déclin progressif de l'influence française au sein de l'Église catholique auguraient mal pour l'avenir des francophones dans l'Ouest. Dénuée des fonds requis pour financer ses activités socio-culturelles et décontenancée par l'affaiblissement de ses dirigeants, la francophonie ressemblait à une armée dénudée de ses meilleurs commandants et du gros de ses munitions.

Les revers s'accumulèrent. En 1936, au nom de l'efficacité, le gouvernement de l'Alberta remplaça la multitude de petits districts scolaires par des unités scolaires régio-nales. La Saskatchewan et le Manitoba votèrent une loi analogue respectivement en 1944 et 1945. Les francophones perdirent de ce fait le contrôle qu'ils avaient exercé jusqu'alors sur leurs écoles paroissiales. Majoritaires dans leur village, les francophones devinrent minoritaires à l'intérieur des unités scolaires régionales. Les commissaires d'école de langue française ne pouvaient plus eux-mêmes déterminer quelle serait la langue de com-munication utilisée par leurs enseignants dans leurs écoles sans obtenir l'appui de leurs collègues de la commission scolaire régionale.

Cependant, grâce à un lobbying intense auprès des autorités gouvernementales, les associations provinciales purent atténuer la portée néfaste de cette législation. Les législateurs tolérèrent l'existence de programmes d'enseignement préparés et régies par les associations provinciales dans les écoles fréquentées par des étudiants de langue française. Néanmoins, la quantité et la qualité de l'enseignement du français déclinèrent dans plusieurs cas.

Le redressement de l'économie agricole et la mécanisation de la ferme à partir de 1940 entraînèrent des effets tout à la fois heureux et désastreux pour les francophones de l'Ouest. Le blé jaillissant de nouveau du sol leur permettait de subvenir à leurs besoins matériels; la mécanisation facilitait la vie de l'agriculteur. Cependant, le prix croissant de la machinerie plongea plusieurs fermiers dans la difficulté. Ils devaient accroître le nombre d'acres qu'ils cultivaient ou quitter la terre. Au fil des ans plusieurs choisirent de vendre leur ferme à leur voisin et de chercher un emploi dans un centre urbain. Le Canadien français qui désertait la campagne et s'établissait dans un milieu urbain encourait alors beaucoup plus de risques de perdre sa langue et sa culture.

Isolé dans une paroisse rurale, entouré de voisins qui parlaient la même langue, chef de sa propre entreprise, le Canadien français pouvait gagner sa vie en français, pratiquer sa religion en français et s'amuser en français. À l'intérieur des frontières de son village, il faisait souvent partie de la majorité. Dans une paroisse rurale il pouvait vivre sa culture.

Placé dans un centre urbain, le Canadien français devait gagner son pain en anglais. S'il désirait converser avec ses voisins, il devait s'exprimer en anglais. Ses enfants s'inscrivaient à l'école du voisinage où la plupart des étudiants ne parlaient que l'anglais. Ils n'avaient donc pas accès au programme de français géré par l'association culturelle provinciale. La famille canadienne-française en milieu urbain vivait en anglais en dehors des quatre murs du foyer. La première génération réussissait à conserver l'essentiel, mais les enfants issus de foyers canadiens-français éduqués en anglais ressentaient souvent peu d'attachement à la langue et à la culture de leur père. Ils épousaient des Canadiens d'une autre culture et élevaient leurs enfants en anglais. Le cycle de l'assimilation était complet.

La minorité du Manitoba, toutefois, a moins souffert des ravages de l'assimilation grâce à l'existence de Saint-Boniface qui a toujours abrité un nombre important de francophones. Les services culturels offerts dans cette ville servirent à atténuer les répercussions néfastes de l'urbanisation. Aucun centre urbain comparable n'existait en Alberta ni en Saskatchewan. Les Franco-Albertains et les Fransaskois étaient donc plus vulnérables aux menaces posées par l'urbanisation que ne l'ont été leurs compatriotes du Manitoba.

Cependant, l'urbanisation, l'affaiblissement de l'intelligentsia française, la récession et la politique de centralisation du système d'éducation infligèrent de durs coups aux minorités des trois provinces telles que l'illustrent les statistiques suivantes tirées du recensement de 1971 :

Province	Origine ethnique française	Langue maternelle française	Taux d'assimilation	Français Langue d'usage	
				nᵒ	% de la population totale
Manitoba	86 515	60 550	30,0%	39 600	4,0
Saskatchewan . .	56 200	31 605	43,8%	15 935	1,7
Alberta	94 665	46 500	50,9%	22 605	1,4

Source : Recensement du Canada, 1971.

Ces chiffres reflètent l'ampleur de la tragédie vécue par les minorités françaises de l'Ouest entre les années 30 et les années 70.

Toutefois, l'élan nationaliste qui secoua le Québec à partir de 1960 et les nouvelles politiques fédérales de bilinguisme et biculturalisme eurent de fortes répercussions dans l'Ouest canadien. La révolution tranquille ranima la fierté, éveilla l'esprit de combat. Lasse de la bataille, la vieille garde, qui n'avait jamais cessé de lutter et avait même remporté quelques victoires[16], trouva de nouveaux renforts. Un nombre croissant de laïcs éduqués et militants revendiquèrent leurs droits en tant que Canadiens d'expression française. Georges Forest, un citoyen du Manitoba eut recours à la Cour suprême pour prouver que le français jouissait d'un statut légal devant les tribunaux et à l'assemblée législative du Manitoba. Le Père Mercure de Cochin fait de même présentement en Saskatchewan. Les résidents de Vonda, Saskatchewan revendiquèrent jusqu'à la Cour Suprême le droit de faire éduquer leurs enfants en français.

Depuis quelques années entre 20 000 et 30 000 Québécois se sont établis en Alberta et en Saskatchewan, attirés par un climat économique favorable. Un nombre croissant d'anglophones inscrivent leurs enfants dans les écoles où l'enseignement est dispensé en français.

Néanmoins, le portrait démographique n'a pas changé pour autant. L'assimilation continue à ronger la francophonie et les sondages exécutés par les différentes associations provinciales nous portent à croire que l'activisme, les concessions arrachées aux gouvernements et le renouveau de fierté n'ont pas suffi à contrecarrer l'impact néfaste de l'assimilation linguistique et culturelle. L'avenir demeure incertain.

L'espoir, la tragédie et l'incertitude caractérisèrent l'histoire des francophones des prairies et ces paradoxes planent toujours au-dessus des petites minorités françaises des trois provinces de l'Ouest.

NOTES

[1] L'évêché de Saint-Boniface devint un archevêché en 1871. Pour de plus amples renseignements sur le rôle de l'église et la colonisation, consultez R. Painchaud, « The Catholic Church and the Movement of Francophones to the Canadian Prairies », thèse de doctorat, Université d'Ottawa, 1976.

[2] Le texte de la circulaire distribuée par les évêques et archevêques de Québec se retrouve dans M. Brunet, G. Frégault, M. Trudel, *Histoire du Canada par les textes*, Fides, Montréal, 1952, p. 205.

[3] Pour de plus amples renseignements sur l'attitude de l'élite du Québec, consultez A. Lalonde, « L'intelligentsia du Québec et la migration des Canadiens français vers l'Ouest canadien, 1870-1930 », *Revue d'Histoire de l'Amérique française*, vol. 33, n° 2, septembre 1979, pp. 163-165.

[4] Charles Lalime était le beau-frère de Ferdinand Gagnon, le propriétaire du journal, *Le Travailleur*, principal organe des Franco-Américains.

[5] Voir R. Painchaud, *op. cit.*, chapitre IV. Ces prêtres recevaient en moyenne seulement 600 $ au lieu du salaire normal de 1 200 $ payé aux agents de colonisation laïcs.

[6] A. Lalonde, *op. cit.*

[7] Auguste Bodard à Paris en 1892 et Tréau de Coeli à Anvers en 1898.

[8] Environ 15 000 Français et une moyenne de 18 000 Belges quittaient leur pays natal chaque année de 1890 à 1914.

[9] R. Painchaud, « Les origines des peuplements de langue française dans l'Ouest canadien, 1870-1920 : mythes et réalités », *Société Royale du Canada*, quatrième série, tome XIII, 1975, pp. 109-111.

[10] *Archives archdiocésaines de Régina, Affaires personnelles de Mgr Mathieu 1916-1921*, Régina, 9 avril 1921, Mathieu à Taschereau, premier ministre du Québec.

[11] Les colons de France et de Belgique étaient très réticents à se joindre à une société qu'ils identifiaient avec le nationalisme québécois. Ils éprouvaient du mal à comprendre et à apprécier l'idéologie préconisée par la Société Saint-Jean-Baptiste.

[12] Pour de plus amples renseignements, consultez R. Huel, « L'Association Catholique Franco-Canadienne de la Saskatchewan : A Response to Cultural Assimilation, 1912-1934 », thèse de maîtrise, Université de Régina, 1969.

[13] Ces individus n'étaient pas officiellement reconnus par les départements d'éducation provinciaux. Ces visiteurs d'écoles, nommés par chaque association culturelle provinciale étaient pour la plupart des membres du clergé.

[14] *The Qu'Appelle Vidette*, le 18 juin 1908.

[15] Voir Lucille Tessier, « La vie culturelle dans deux localités d'expression française du diocèse de Gravelbourg (Willow Bunch et Gravelbourg) 1905-1930 », thèse de maîtrise, Université de Régina, 1974.

[16] Avec l'appui du comité de la Survivance française, l'élite de la francophonie de l'Ouest réussit à créer des postes de radio française dans les trois provinces des prairies : CKSB à Saint-Boniface en 1946; CHFA à Edmonton en 1949; CFRG à Gravelbourg et CFNS à Saskatoon en 1952. L'abbé Baudoux qui plus tard devint l'archevêque de Saint-Boniface a joué un rôle clef dans ce secteur.

VI

Les communautés canadiennes-françaises du Midwest américain au dix-neuvième siècle

D. Aidan McQUILLAN

L'une des principales préoccupations des élites canadiennes-françaises, autant cléricales que laïques, au moment de l'émigration massive de la vallée du St-Laurent, au milieu du dix-neuvième siècle, fut celle de la survie de l'identité canadienne-française : la « survivance ». Même si la Nouvelle-Angleterre attirait la majorité des Québécois émigrants, plusieurs d'entre eux préférèrent aller vers l'ouest, le long du système du Haut St-Laurent et des Grands-Lacs en direction du Midwest américain. Dans cet essai, nous retraçons l'établissement des Canadiens français le long des frontières agricole, forestière et minière du Midwest ainsi que dans ses principales villes. Nous tentons d'identifier les facteurs qui ont facilité la survie de l'identité canadienne-française et suggérons aux géographes historiens des domaines dans lesquels des recherches plus approfondies permettraient de mieux éclairer cet aspect peu connu mais combien important de la diaspora canadienne-française.

Établis aux dix-septième et dix-huitième siècles, les postes de traite de fourrure devinrent les premiers établissements canadiens-français dans le Midwest américain (figure 1). Seuls ceux de Kaskaskia, Cahokia et Vincennes, situés dans les basses terres du Mississippi central, comptèrent une importante population agricole résidente. Avec la chute de la Nouvelle France en 1760 et la vente par les Canadiens français de leurs terres aux nouveaux arrivants britanniques et américains, le cachet français distinctif de ces collectivités sombra rapidement. Il ne restait de la période française que le plan cadastral : les lignes d'arpentage démarquant les lots riverains et les champs (Gentilcore, 1957, p. 296). Les vieux établissements agricoles le long de la rivière Wabash et du fleuve Mississippi ne réussirent à attirer, au dix-neuvième siècle, les colons canadiens français affamés de nouvelles terres (figure 2).

Bien que la traite des fourrures n'eut pas complètement disparu aux années 1830 au moment où les Canadiens français commencèrent à se déplacer vers le Michigan, le Wisconsin et le Minnesota, les postes de traite n'eurent qu'un impact très modeste sur le développement de nouveaux centres canadiens-français. S'il est vrai que Détroit, Chicago et St-Paul doivent leur fondation à la traite de fourrures, il n'en demeure pas moins que l'émergence de ces villes à titre de centres de diffusion des Canadiens français à travers le Midwest ne résultait que très peu de la traite. Avec le temps, chacune de ces villes devint un noyau important dans le développement économique des frontières agricole, forestière et minière. En plus de constituer des marchés de main d'oeuvre, elles servaient également de points d'accueil où une population migrante obtenait des informations sur les perspectives d'emploi sur la frontière.

LA FRONTIÈRE AGRICOLE

Le Michigan

Au dix-huitième siècle, Détroit constituait un important lieu d'échange pour la traite des fourrures, mais sa population résidente agricole était beaucoup moins importante que celle de Kaskaskia ou de Vincennes. Toutefois, avec le retrait progressif de la traite au début du dix-neuvième et l'amorce en même temps d'un léger courant migratoire en provenance du Bas Canada, le nombre de Canadiens français demeurant dans le comté d'Essex en Ontario et le long de la rivière St-Clair du côté de Détroit augmentait. À partir de là, les Canadiens français migrèrent, après la guerre de 1812, à travers le Michigan, fondant dans les années 1820 des villes telles Grand Rapids, Bay City, Midland et Grand Haven. Ces migrants ne vivaient pas que de l'agriculture, ils travaillaient aussi dans le secteur de la pêche et, à un moindre degré dans le secteur de la traite. Les endroits où l'agriculture prédominait se trouvaient plutôt autour de Détroit, particulièrement dans le

Figure 1

POSTES DE TRAITE FRANÇAIS AUX 17e ET 18e SIÈCLES

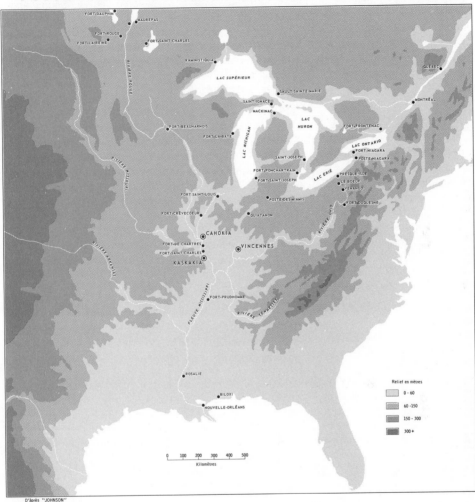

D'après "JOHNSON"

comté de Monroe, à l'extrême sud-est du Michigan, là où, au début des années 1820, s'était développée une importante population canadienne-française.

Les décennies suivantes furent des années difficiles pour la préservation des collectivités canadiennes-françaises. L'immigration en provenance du Québec s'était éteinte et de nombreux Américains envahissaient les régions méridionales du Michigan, auparavant dominées par les Canadiens français. Vers 1850, ceux-ci ne formaient plus que cinq pourcent de la population totale de l'état. Des 20 000 habitants déclarés Canadiens français, environ 14 000 étaient nés au Canada dont bon nombre dans le comté d'Essex (Haut Canada). Le regroupement le plus important se trouvait dans le comté de Monroe où sept à huit mille habitants vivaient dans des localités agricoles. Les comtés ruraux de Macomb et de St-Clair, situés immédiatement au nord de Détroit comptaient quatre à cinq

Figure 2

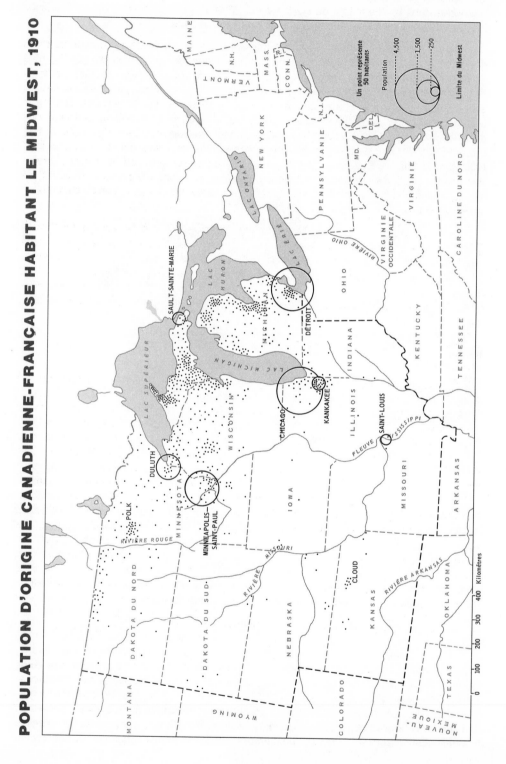

POPULATION D'ORIGINE CANADIENNE-FRANÇAISE HABITANT LE MIDWEST, 1910

mille Canadiens français et le comté de Wayne un autre 8 000 habitants, en majorité, regroupés dans la ville même de Détroit. Deux mille vivaient en petits groupes éparpillés à travers les régions septentrionales et occidentales de l'état.

L'afflux des Américains et l'arrêt de l'immigration en provenance du Québec au cours des années 1820 et 1830 joueraient des rôles prépondérants dans le maintien de l'identité culturelle des Canadiens français. L'historien Saint-Pierre observe que : « Cette période est la plus sombre dans l'histoire des colonies canadiennes du Michigan. Abandonnées à elles-mêmes, battues en brèche par l'intolérance des *Know-nothings*, sans chefs et sans organisation, elles semblaient devoir inévitablement disparaître comme élément distinctif et influent... Les relations avec la province de Québec avaient presque cessé. L'esprit national disparaissait rapidement du coeur de la jeunesse, qui préférait penser et parler en anglais » (Saint-Pierre, 1895, p. 218). C'est seulement dans les régions rurales des comtés de Monroe, St-Clair et Macomb, où la population agricole se trouvait à l'abri des contacts avec les Américains, que le caractère canadien-français distinctif de la population put survivre.

Les collectivités agricoles du Michigan virent leurs effectifs renfloués plus tard, grâce à une nouvelle émigration du Québec lors des années 1850 et à une autre dans les années 1890. Toutefois, cet accroissement fut très faible, la majorité des immigrants des années 1850 ayant été plutôt attirés par les perspectives d'emploi à la frontière forestière. Ceux qui recherchaient à cette époque des terres à cultiver se dirigèrent vers les frontières agricoles de l'Illinois, à Bourbonnais et aux autres colonies des comtés de Kankakee et d'Iroquois.

Illinois

Bourbonnais dans le comté de Kankakee constitua le centre principal du peuplement canadien-français en Illinois. Le nom provient d'une famille Bourbonnais qui tenait vers 1800 un petit poste de traite près de la rivière Kankakee (On ne connaît à peu près rien de cette famille parce qu'elle a migré ailleurs). Noël Le Vasseur, né à Yamaska au Québec en 1799, fonda la colonie agricole au cours des années 1830 après avoir travaillé pendant de nombreuses années dans le commerce des fourrures de la région des Grands Lacs et du Wisconsin (Campbell, 1906, p. 70). À cette époque, d'autres Canadiens français arrivaient et le groupe commençait à se faire desservir par plusieurs prêtres missionnaires, une petite chapelle en bois rond étant érigée en 1841 (Richard, 1975, p. 8). L'arrivée des nouveaux immigrants se faisait au compte-gouttes. C'est alors que Noël Le Vasseur décide à retourner au Québec afin d'encourager ses vieux amis et voisins à le joindre dans les prairies de l'Illinois. En 1844, la première des deux vagues migratoires déferlait et dès 1848, la colonie était assez importante pour obtenir des services d'un curé permanent, le père Courjault. L'historien américain Hansen nous révèle : « Au cours de la première moitié de la décennie 1840, environ 1 000 familles françaises se sont installées dans les alentours et se sont affairées à construire une réplique florissante de la société d'où ils provenaient » (Hansen, 1940, p. 129). Les années 1850 et 1851 furent tranquilles ne témoignant d'aucune immigration; 1852 et 1853 furent par contre des années tumultueuses pour cette colonie agricole.

En 1852, le père Charles Chiniquy, « apôtre de la tempérance » et orateur doué, arriva du Québec à la tête d'une nouvelle vague d'immigration. Chiniquy était emporté et indépendant de nature, ce qui lui a valu de se brouiller avec son évêque, d'abord au Québec puis, par la suite, à Chicago. Ses opinions menèrent à des schismes au sein de la colonie de Bourbonnais. Les divisions s'accentuèrent lorsqu'en septembre 1853 l'église nouvellement reconstruite en charpente fut complètement rasée par le feu. Ciniquy fut soupçonné d'incendie criminel, et se vit obligé de déménager avec un groupe de ses disciples au village voisin de Ste-Anne où il se retrouva aussitôt mêlé, avec un homme d'affaires local, à des disputes de propriétés immobilières. Il en résulta deux procès qui tournèrent court grâce à une défense éloquente de son avocat, Abraham Lincoln. L'évêque de Chicago finit par excommunier Chiniquy en 1856 à cause de ses interprétations peu orthodoxes. Le prêtre rebelle et plusieurs centaines de ses fidèles se joignirent alors à l'Église presbytérienne fondant leur propre congrégation à Ste-Anne. L'apostasie de Chiniquy et de ses disciples fit sursauter la hiérarchie canadienne et lui fit prendre conscience que pour le bien-être des âmes des immigrants, il serait nécessaire de ménager leurs efforts pour approvisionner les jeunes colonies du Midwest en prêtres et en équipements scolaires.

L'autre grand événement de cette période fut marqué par l'arrivée du Illinois Central Railroad en 1853. Le chemin de fer traversait le village de Kankakee de sorte que celui-ci a rapidement remplacé Bourbonnais comme centre commercial des colonies canadiennes-françaises du nord-est de l'Illinois. Bourbonnais demeura toutefois le Pôle culturel et religieux. En 1858, les paroissiens y contruisèrent une église de pierre dédiée à la Bienheureuse Vierge Marie. Son architecture s'apparentait fortement à la vieille église paroissiale du Cap St-Ignace, au Québec, d'où provenaient plusieurs habitants de Bourbonnais. En 1861, les soeurs de la Congrégation de Notre-Dame ouvrirent un couvent pour les jeunes enfants, et en 1865, plusieurs religieux de la Congrégation des Clercs de Saint-Viateur, de Joliette, Québec fondèrent à leur tour une école secondaire sur le modèle des collèges classiques. Le collège des Clercs de St-Viateur devint rapidement une institution-clé pour la conservation de l'identité des Canadiens français non seulement en Illinois mais aussi à travers tout le Midwest américain. En 1874, le collège se vit octroyer une charte universitaire par la Législature de l'état et de cette université seront issus des prêtres, des avocats, des journalistes, des médecins et des quantités de professionnels imbus d'un sentiment très vif de préservation de la langue, de la foi et de l'identité nationale. Le personnel enseignant était au début composé de prêtres du Québec mais dès la fin du dix-neuvième siècle, les anciens du collège, originaires de la région de Kankakee occupent des postes.

On avait besoin des institutions scolaires non seulement pour susciter une prise de conscience commune des Canadiens français en Illinois, mais surtout pour perpétuer les idéaux de conscience nationale et de ferveur religieuse, deux éléments clés de l'identité canadienne-française. Le rôle que jouèrent les écoles et les collèges dans la préservation de la langue n'est pas très clair, mais tout porte à croire que dès 1860, l'utilisation du français était en déclin (Richard, 1975, p. 11).

Peu importe l'observation de Hansen qui laisse croire que les Canadiens français en Illinois « construisaient une réplique florissante » de la société québécoise, les colonies de Kankakee ne semblent pas avoir été des sociétés closes, repliées sur elles-mêmes. Au contraire, il est facile d'y démontrer un niveau élevé de mobilité. Ainsi, certains cultivateurs partirent vers les champs aurifères de Californie aussitôt une terre obtenue et leur famille établie. Georges Létourneau et Joseph Legris sont deux témoignages de ce phénomène étant revenus de quelques années passées en Californie avec de petites fortunes dont ils se servirent pour développer leurs affaires dans la région de Kankakee (Lake City Publishing Company, 1893, p. 606, p. 217). Il est difficile d'évaluer à quel point la société canadienne française était refermée sur elle-même. D'une part, à cause de la gravité de l'apostasie, l'affaire Chiniquy avait créé une division dans les rangs du Groupe. Celle-ci se perpétua dans l'arène politique : les Catholiques étaient Démocrates, les Protestants normalement Républicains. Néanmoins, la plupart des Canadiens français se rallièrent à Georges Létourneau, un Républicain, pour l'élire en 1892 sénateur d'état au seizième district sénatorial d'Illinois. (Lake City Publishing Company, 1893, p. 217).

D'autre part, la croissance de la population à Kankakee se poursuit au cours des années 1860 en dépit du fait qu'il n'y ait plus de terres disponibles à la création de nouvelles fermes. La frontière agricole étant étendue plus loin que le nord-est de l'Illinois, les terres publiques étant occupées par les fermiers, les spéculateurs et les compagnies de chemin de fer, il ne restait plus de terre vierge à la disposition des jeunes pionniers. Avec la fin de la Guerre Civile et la reprise de la construction ferroviaire, les populations en quête de terres se tournèrent vers l'ouest, vers les nouveaux fronts agricoles du Kansas.

Le Kansas

Les Canadiens français qui sillonnaient les plaines à l'ouest du Mississippi au cours du dix-huitième et au début du dix-neuvième siècle, comme guides ou trafiquants de fourrure, et ceux qui fondèrent au Kansas à la fin des années 1860 des colonies agricoles ne partageaient pas les mêmes origines. L'établissement de ces dernières se fit plutôt en fonction de la tête de ligne du chemin de fer à Waterville dans l'est du Kansas, de la disponibilité des terres dans la vallée de la rivière Republican et de l'arrivée des pionniers Canadiens français en provenance de Kankakee (McQuillan, 1975, p. 142). Ces pionniers purent constater l'occupation très avancée des basses terres alluviales le long de la Republican avec le résultat qu'ils optèrent pour des concessions un peu plus au sud dans la partie orientale du comté de Cloud et dans la partie occidentale du comté de Clay. Plusieurs d'entre eux étaient nés au Québec mais presque tous avaient vécu en Illinois avant d'arriver au Kansas. Les nouveaux arrivés de Kankakee occupaient des concessions abandonnées par des fermiers américains et, au cours des années 1870, réussirent à fonder une solide communauté canadienne française (McQuillan, 1978b, p. 146).

La frontière du Kansas représentait un nouveau défi pour les agriculteurs français. La sécheresse et l'approvisionnement difficile en eau étaient des problèmes nouveaux auxquels ils n'avaient pas eu à faire face en Illinois. Malgré ces risques et malgré une profonde crise économique au cours des années 1893 à 1896, la majorité des Canadiens français survivaient et prospéraient. Vers 1915, leurs exploitations agricoles d'envergure relativement importante produisaient des quantités substantielles de blé pour un marché de guerre en pleine expansion. Devenus des agriculteurs florissants, rien dans leurs techniques de travail ne les distinguait de leurs voisins américains (McQuillan, 1978a, p. 72-76).

Bien que de dimensions modestes, ces communautés du Kansas s'organisèrent de façon à conserver pendant longtemps une identité canadienne française distincte. Même s'il n'a jamais atteint un niveau comparable à celui de Kankakee en Illinois, Concordia devint tout de même un centre culturel. Les soeurs de St-Joseph y établit une école paroissiale fréquentée par cent cinquante enfants dont la plupart faisaient partie de la centaine de familles canadiennes françaises de Concordia. Ailleurs, d'autres petits villages comme Aurora, Clyde et St-Joseph accommodaient la population rurale canadienne française. Des églises paroissiales furent construites à Aurora et à St-Joseph où on pouvait presque toujours trouver un prêtre canadien français. Les médecins canadiens français possédaient leurs propres cliniques à Concordia, Clyde et St-Joseph alors qu'à Concordia, le chef-lieu, les avocats canadiens français jouaient un rôle marquant dans l'administration du comté. La société St-Jean-Baptiste de Concordia, de Clyde et de St-Joseph envoyaient les délégués aux congrès nationaux sur la côte est, à plus de 2 000 milles. Grâce à ces institutions et sous la conduite de leurs prêtres, ces petites enclaves de Canadien français purent conserver leur identité jusqu'au vingtième siècle. En dépit du fait qu'il n'y ait presque pas eu d'immigration directe du Québec, ce n'est qu'au début des années 1920 que le français cède le titre de langue dominante à l'anglais (Carman, m.d., p. 214).

Le Minnesota

Au lieu de se diriger vers le Kansas, les Québécois, partis en direction de la frontière des prairies américaines dans les années 1870 et 1880 choisirent la vallée de la rivière Rouge au Minnesota et au Dakota du nord. La plus grande et la plus importante colonie de la vallée de la rivière Rouge fut sans contredit celle du comté de Polk, au Minnesota. Pierre Bottineau, originaire de St-Paul au Minnesota, son fils Jean-B. Bottineau et Isaäc Gervais arrivaient les premiers dans cette colonie. L'aîné Bottineau avait travaillé pendant sa jeunesse comme guide à travers tout le Nord-Ouest pour le gouvernement. « Avec sa connaissance profonde du Nord-Ouest, il déclare que le pays où se sont établis les Canadiens français est le meilleur sous tous les rapports » (Comité de Canadiens français, 1883, p. 5). Gervais était né à Fort Garry au Manitoba et avait été, lui aussi, guide dans le Nord-Ouest avant de déménager avec sa famille au sud de la frontière internationale. Bien que Bottineau et Gervais aient fondé la colonie, c'est à Louis Fontaine que revient l'honneur d'y avoir attiré la migration. Né en 1839, Fontaine était arrivé à St-Paul en 1858, et était rapidement devenu un marchand de grande renommée. En 1878, il déménagea à Crookston où il s'associa à Rémi Fortier et les deux hommes se mirent à écrire à leurs connaissances de St-Paul, les enjoignant de les rejoindre.

Les premiers colons du comté de Polk provenaient des environs de St-Paul, depuis longtemps un centre de la traite des fourrures et devenu centre commercial le long de la frontière agricole. D'autres colons arrivèrent ensuite de la Nouvelle-Angleterre. En effet, au cours des années 1870, le gouvernement canadien avait lancé un nouveau programme de rapatriement des Canadiens français établis en Nouvelle-Angleterre avec le résultat que plusieurs se dirigèrent vers l'ouest pour prendre des concessions dans la nouvelle province du Manitoba. Au grand chagrin des agents du Dominion affectés à la tâche de hâter cette migration vers l'ouest, les agents américains, rémunérés au nombre de personnes recrutées, détournaient à Duluth, les Canadiens français vers des concessions du côté américain de la frontière (Hansen, 1940, p. 179). En plus, les dirigeants de la colonie du comté de Polk attirèrent directement des agriculteurs du Québec. En 1883, ils publièrent un pamphlet qui faisait taire les rumeurs à l'effet que la région n'était pas convenable à l'agriculture. On y dépeignait la fertilité des sols et l'abondance des rivières et des ruisseaux. « C'est une terre noir (sic) qui contient les principes végétaux pour produire 30 minots de blé à l'arpent, en moyenne » (Comité de Canadiens français, 1883, p. 4). En 1882, avec peu de défrichage (puisque la terre était surtout en prairie ouverte) plusieurs agriculteurs réussirent à en récolter plus de 30 minots. Les auteurs du pamphlet prétendaient aussi que les pommes de terre rapportaient de 400 à 600 minots à l'arpent.

Une nouvelle vague de migration atteignit la colonie au cours des années 1880, et l'on estime en 1885 à 5 000 à 8 000 âmes la population canadienne française de la frontière agricole se situant entre Crookston et Red Lake Falls (Watts, 1909, p. 872; Hansen, 1940, p. 216). Crookston, la plus grande ville dans cette section de la vallée, regroupait le palais de justice, le bureau de l'agence foncière et une gare — là où descendaient les arrivants qui voyageaient en train. Si les Canadiens français ne constituaient pas une majorité à Crookston, ils étaient néanmoins suffisamment nombreux pour faire vivre une église et un prêtre canadien français et comptaient un bon nombre d'échevins au Conseil municipal. Le médecin local ainsi que le chef de police étaient aussi Canadiens français. Si Crookston servait de centre de distribution et de déploiement des migrants québécois vers les nouvelles colonies de la vallée, c'est à Gentilly que l'on trouvait le coeur de la colonie. En 1883, on comptait deux écoles, un magasin général et deux hôtels en plus d'une église administrée par le père M.A. Bouchard. Aux alentours gravitaient les villages et villes de Rouxville, Red Lake Falls, St-Hilaire, Beaudry et la Petite Prairie ou Terrebonne.

Chaque centre possédait sa propre église ou école dirigée par un clergé de langue française. Pendant les années 1880, la colonie prospérait et ses dirigeants exhortaient sans cesse leurs concitoyens à venir les rejoindre dans l'ouest. « Comme on a pu le voir par ce qui précède, l'émigrant canadien, quittant sa prairie pour chercher ailleurs des moyens d'existence, trouvera dans le comté de Polk tout ce qu'il aura abandonné dans son pays — ses compatriotes, sa langue, ses coutumes, son clocher et son pasteur, et avec cela des riches terres dont la fertilité rivalise avec celle des contrées les plus fortunées du monde » (Comité des Canadiens français, 1883, p. 11).

Les frontières forestière et minière

Dès les années 1820 les Canadiens français participèrent à l'exploitation des forêts dans le sud du Michigan. Trente ans plus tard l'expansion économique favorisa une nouvelle immigration occasionnant une nouvelle redistribution des effectifs canadiens français (figure 3). C'est l'est du Michigan, en bordure du Lac Huron, qui profite le plus de cette nouvelle immigration. La vallée de la Saginaw devint un centre majeur de coupe de bois, et Bay City, sa ville la plus importante agit d'aimant pour attirer des immigrants canadiens-français. « Les neuf-dixièmes de ces compatriotes gagnaient leur vie dans les chantiers en hiver et dans les scieries en été » (Saint-Pierre, 1895, p. 222). Pas moins de 5 000 Canadiens français vivaient dans de petits hameaux, dispersés à travers les bois dans la péninsule formée par les comtés de Tuscola, Huron et Sanilac. À mesure que l'industrie du bois s'est étendue vers le nord, de nouvelles communautés à prédominance canadienne-française s'établirent : Au Sable, Alpena et Tawas en l'occurrence.

Bien que Bay City ait été la destination privilégiée des Canadiens français de l'industrie de la coupe, l'ouverture de nouveaux fronts pionniers forestiers plus à l'ouest réussit aussi à attirer de nouveaux arrivés. Des ports à fonction forestière apparurent sur les rives du lac Michigan et accueillent des Canadiens français de Détroit et de Chicago, « Les Canadiens, arrivés à Chicago à la recherche d'emploi, se rendirent rapidement compte des perspectives d'emplois dans les bois et les moulins, type de travail auquel ils étaient familiers. Plusieurs des propriétaires des forêts étaient des capitalistes canadiens qui avaient prévu l'ouverture de nouveaux marchés et déplaçaient, en plus de leurs ressources, les bûcherons déjà dans leur emploi » (Hansen, 1940, p. 131). De 1855 à 1860, des villes telles St-Joseph, Grand Haven, Muskegon, Cudington et Kanistee accueillirent d'importants contingents d'immigrants canadiens français, mais, le centre le plus important de la région fut celui de Grand Rapids situé à distance du lac Michigan (figure 3).

Le troisième déplacement d'importance dans la diaspora des Canadiens français au cours des années 1850 se dirigea plutôt vers la péninsule supérieure au nord du Michigan où l'industrie minière et non la forêt constituait le point de mire. La découverte du minerai de cuivre dans la péninsule de Keweenaw au cours des années 1840 créa une ruée; l'ouverture des mines de fer en 1844 près de Marquette ajoutait aux perspectives d'emploi dans cette industrie. L'achèvement du canal de Sault-Ste-Marie en 1855 favorisait son expansion et mettait aussi un terme à un mode de transport et de vie, celui des voyageurs et de leurs canots. Ainsi donc, les premiers Canadiens français à s'engager dans les centres miniers furent les réchappés de la traite de fourrures qui étaient demeurés dans le nord du Michigan au cours des années 1830 après le déclin de la traite. À leur nombre, s'ajoutèrent de nouveaux immigrants au Midwest, arrivés à Chicago à la recherche de travail et ensuite refilés vers les principaux centres miniers, Marquette, Negaunee et Ishpeming.

L'emploi dans ces mines et ces camps forestiers du nord du Michigan et du Wisconsin s'avérait incertain et se caractérisa par une haute mobilité. Les fluctuations du prix du fer

Figure 3

DIFFUSION DES CANADIENS-FRANÇAIS AU MICHIGAN, 1840-1860

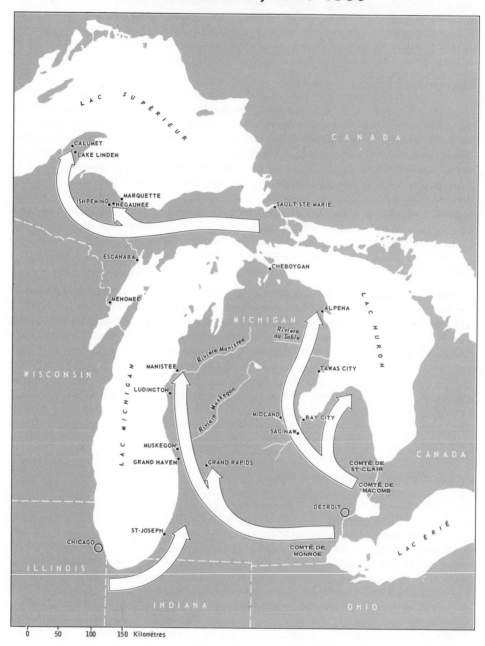

et du cuivre eurent pour résultat la fermeture de mines. La récession économique de 1857 et les premières années de la Guerre Civile firent chuter le prix des métaux et apportèrent le chômage aux Canadiens français qui se retirèrent par conséquent du nord du Wisconsin en 1861 et 1862. La reprise du marché pour les métaux à l'été 1862 engendra une nouvelle demande et les Canadiens français répondirent de nouveau à l'appel dans les mines (Hansen, p. 154). La succession rapide de l'ouverture des champs de coupe sur le front pionnier forestier provoqua des migrations de courte durée et la création de villes-champignons temporaires. Contrairement aux fronts pionniers agricoles, les frontières minières et forestières ne favorisèrent pas le développement de communautés homogènes et stables.

Malgré les conditions d'emploi incertaines dans ces régions, les Canadiens français reprirent leur immigration au cours des années 1880 et 1890 dans les vallées du nord du Michigan et du Wisconsin. Pendant les années 1880, les zones de coupe importantes se situaient plus au sud dans les vallées de Saginaw, Sable, Muskegon et Manistee. Aux années 1890 la frontière forestière s'étira vers l'ouest où les vallées de Cheboygan et de Menominee s'ouvrirent dans le nord du Wisconsin. Ce développement coïncidait avec une nouvelle vague d'émigration du Québec vers la Nouvelle-Angleterre et le Midwest. De 1890 à 1892, un nombre record d'émigrants canadiens arriverait. Il est toutefois difficile de savoir si ces migrations étaient permanentes, le phénomène des migrations saisonnières du Bas St-Laurent aux camps forestiers du Michigan devenant à l'époque aussi courant que celles vers les villes de filatures de la Nouvelle-Angleterre.

Puisqu'on ne sait à peu près rien sur la création de paroisses canadiennes françaises, l'introduction de sociétés nationales du type St-Jean-Baptiste ou encore la distribution des journaux canadiens français (indices de la survivance de l'identité distinctive), il est impossible de savoir dans quelle mesure les Canadiens français purent conserver leur identité dans les camps miniers et forestiers. D'une part, l'environnement et l'économie (chantiers forestiers combinés à de l'agriculture marginale) de ces communautés isolées au nord du Michigan et du Wisconsin étaient beaucoup plus apparentés aux conditions du Québec que ne le furent des comtés de Kankakee, Cloud ou Polk situés sur le front pionnier des prairies. Par contre, d'autre part, la mobilité de la population et l'incertitude des emplois empêchaient la création de communautés stables, la préservation de la langue et la propagation des idéaux nationaux chez les jeunes. À maints égards, les conditions de survivance de l'identité canadienne française ici durent subir les mêmes difficultés que celles rencontrées dans les centres urbains du Midwest.

Les centres urbains

L'histoire des Canadiens français dans les grands centres urbains du Midwest — Détroit, Chicago et St-Paul — se raconte mieux et plus souvent à travers les histoires de leurs paroisses. De fait, l'histoire de ces paroisses ne révèle qu'un seul aspect de l'histoire de la survivance. Ces histoires de paroisses relatent les combats engagés par les Canadiens français pour créer une communauté et préserver leur langue, leur foi et leur identité nationale, mais elles ne tiennent aucunement compte de ceux qui ont abandonné leur foi, qui se sont rapidement américanisés et qui n'ont pas tenu à conserver leur identité d'expatrié québécois. Néanmoins, ces histoires de paroisses révèlent bien les difficultés qu'ont connues les Canadiens français en préservant leur identité. Elles dépeignent aussi le rôle ambigu joué par l'Église américaine dans l'assimilation des immigrants catholiques.

L'arrivée de nouveaux immigrants au dix-neuvième posait un dilemme majeur pour les évêques catholiques américains qui étaient sensibles aux accusations portées par les mouvements « Nativist » et « Know-Nothing » selon lesquelles les catholiques rendaient allégeance à un pouvoir étranger en l'occurrence Rome. Plusieurs de ces évêques désiraient vivement prouver que les immigrants pouvaient devenir de bons citoyens américains tout en demeurant de fervents catholiques. Les fortes pressions exercées pour s'américaniser incitèrent certains membres de la hiérarchie cléricale d'encourager leur ouailles à apprendre l'anglais et à devenir des citoyens naturalisés. En même temps, d'autres membres du clergé y résistèrent, trouvant plusieurs avantages à former des paroisses pour les groupes nationaux différents. Ainsi, l'on pourrait plus facilement répandre des valeurs telles la charité et l'assistance mutuelle, la soumission à l'autorité, l'acceptation de privation matérielle... Les prêtres des vieux pays pourraient s'occuper du bien-être spirituel de ces paroissiens dans leur propre langue. Les valeurs traditionnelles de spiritualité et de dévotion seraient ainsi transmises à la nouvelle génération montante d'Amérique. En somme, la paroisse nationale deviendrait une communauté fortement unie, vouée à des valeurs fondamentales agissant, par conséquent, de remparts contre les attractions du matérialisme et de l'individualisme trop caractéristiques de la société d'accueil.

Le succès des communautés canadiennes-françaises dans les grands centres urbains dépendaient de la présence d'un prêtre canadien français disponible pour les desservir. Saint-Pierre croyait que le curé canadien aux États-Unis était appelé à jouer le même rôle que le clergé au Québec après la Conquête. Il n'était pas simplement question de langue, on désignait parfois des prêtres belges, français et alsaciens pour desservir des paroisses canadiennes-françaises. Le prêtre canadien français se rendait compte que les besoins spirituels de ses ouailles dépassaient largement le fait de recevoir les sacrements dans leur propre langue. « Au sein de ces colonies pauvres, désorientées, où les hommes instruits sont rares et sans moyen d'action sérieux, le curé est le seul chef accepté qui puisse avoir une influence assez considérable sur le peuple pour lui faire faire les sacrifices nécessaires pour perpétuer l'idée nationale. Il peut les entretenir des gloires du passé et à venir, du bienfait d'une bonne éducation bilingue et il est le seul à pouvoir amasser assez de fonds pour maintenir une église et une école canadiennes, les seuls remparts efficaces de notre nationalité » (Saint-Pierre, 1895, p. 261).

Détroit

Les Canadiens français engagés dans la traite des fourrures établirent la première paroisse de Détroit en 1809. Plusieurs membres de la paroisse formèrent une association de sacristains, s'incorporèrent légalement et obtinrent un terrain sur lequel ils érigèrent l'église paroissiale de Ste-Anne. (Cette procédure est exceptionnelle puisque normalement l'église et les terrains adjacents appartiennent de droit à l'évêque catholique local et non à une corporation). L'histoire de cette paroisse et de ses propriétés témoigne des difficultés que rencontraient les Canadiens français dans les dernières décennies du siècle, particulièrement au moment où ils devinrent minoritaires par rapport aux nouveaux immigrants d'Europe.

Les premiers indices des difficultés qui suivraient apparurent dès 1830, lorsque l'évêque local, Mgr Rézé, a apparemment pris possession et utilisé les propriétés adjacentes de la paroisse à Ste-Anne pour garantir le financement de nouvelles églises et de nouvelles écoles au profit de nouveaux immigrants arrivés d'Europe. Mgr Lefebvre, l'évêque suivant, un Belge qui avait peu de sympathie pour les Canadiens français vendit une partie du terrain de Ste-Anne se servant des fonds pour construire sa cathédrale. (La légalité de ces entreprises épiscopales unilatérales semble douteuse). Entre-temps, on demandait aux paroissiens de souscrire pour payer les réparations et les améliorations apportées à l'église et ceci sans aucune aide financière de l'évêque. En 1868, Mgr Borgess, un Allemand et un partisan avancé de l'idée américaine, succéda à Mgr Lefebvre. Le nouvel évêque prétendait que la paroisse était endettée d'une somme de 50 000 $ et s'appropria du reste des propriétés dépendantes de Ste-Anne. Après de longues négociations avec la corporation, l'évêque n'a remis qu'une partie des propriétés, se réservant l'autre à titre d'indemnité pour la dette de la paroisse. L'évêque a par la suite vendu les terrains acquis de cette façon pour la somme de 165 000 $.

De nouveaux obstacles surgirent au milieu des années 1870 lorsque l'évêque Borgess proposa la fermeture de la vieille paroisse pour en créer deux nouvelles ailleurs. La corporation s'opposa à la fermeture de la vieille église; les actionnaires désirant la préserver pour en faire finalement un site historique. Le curé local, le père Théophile Anciaux, a finalement convaincu la majorité des membres de la corporation de vendre une partie de la propriété de Ste-Anne pour 100 000 $ et de prêter cette somme au diocèse à trois pourcent d'intérêt pour vingt ans. (Le taux d'intérêt normal de l'époque se situait entre six et sept pourcent). Peu de temps après, on persuada les membres de la corporation de vendre ce qui restait de la vieille église de Ste-Anne pour la somme de 198 000 $ afin d'en utiliser une partie à la création des deux nouvelles paroisses. L'argumentation de l'évêque pour fermer la vieille église n'était pas dénué de sens. D'une part, l'église occupait un site à potentiel hautement rentable dans le centre d'une métropole en rapide croissance et, d'autre part, plusieurs paroissiens étaient déménagés vers de nouveaux quartiers de la ville, surtout dans l'est.

Au cours des années 1870 et 1880, ce secteur se vit peuplé de nouveaux immigrants canadiens français et doté de l'une des deux nouvelles paroisses qui remplacerait celle de Ste-Anne. Le père Maxime Laporte de Montréal était arrivé à Détroit en 1874 pour aider et desservir les nouveaux immigrants. Il avait désespérément besoin de 5 000 $ afin de construire une école mais il ne rencontrait que des difficultés pour l'obtenir de l'évêque Borgess. La paroisse de St-Joachim finit par recevoir 40 000 $ issus des fonds provenant de la vente de la vieille paroisse de Ste-Anne. L'autre nouvelle paroisse, une nouvelle paroisse Ste-Anne, (qui devait être construite dans les quartiers de l'ouest où demeuraient peu de Canadiens français) avait été octroyée de 100 000 $ toujours tirés des projets de la vente de la vieille paroisse.

Les Canadiens français des quartiers de l'est s'offusquaient de la décision de l'évêque. Au milieu de cette grande agitation, on ordonna au père Laporte de retourner à Montréal. Avant son départ, il en appela à Rome pour un jugement équitable pour ses paroissiens. L'agitation se poursuivit lorsque le successeur du père Laporte, le père Dangelzer, arriva. « Ce prêtre alsacien d'origine parlait le français avec un fort accent allemand et n'était rien de moins qu'un diplomate » (Saint-Pierre, 1895, p. 265). Le tumulte atteignit son apogée lorsque plusieurs hommes masqués sont entrés dans le presbytère et ont menacé le nouveau pasteur, Dangelzer, au bout d'un fusil. La majorité des paroissiens se rendirent alors compte que les événements étaient allés trop loin, et se plièrent aux autorités ecclésiastiques. Même si Rome avait rendu un jugement contre le père Laporte, Mgr Borgess devait aussi modifier ses positions, et quelques années plus tard, en 1888, il fit de plus amples concessions à la paroisse canadienne-française.

L'histoire triste de la paroisse de Ste-Anne a un dénouement quelque peu comparable à l'affaire Chiniquy à Kankakee. St-Pierre, dans sa conclusion de l'histoire note : « Durant les difficultés, beaucoup de Canadiens ont pris l'habitude d'aller aux autres églises, où on ne parle pas français. De leur côté, les Protestants ont profité du mécontentement pour faire des prosélytes, les Baptistes ont formé une congrégation canadienne qui peut compter une centaine de familles ». (Saint-Pierre, 1895, p. 266).

Au fur et à mesure qu'ils assistaient à l'émigration des basses-terres du St-Laurent, les évêques du Québec furent hantés par le spectre de la défection des fidèles. Les évênements au Michigan avaient confirmé ces craintes. Même si les relations entre les Canadiens français et l'évêque n'ont pas toujours été aussi tendues que dans l'histoire de la paroisse de Ste-Anne, d'autres défections se constatèrent au Michigan. Le père Samson rapportait que près de 300 familles canadiennes-françaises avaient adopté le Protestantisme à Grand Rapids au cours des années 1880. À la création du diocèse de Grand Rapids, en 1882, l'évêque Richter incita les prêtres canadiens-français à venir et à rallier leurs compatriotes à l'Église. Ses efforts furent comblés de succès et des tentatives semblables se mirent en branle par la suite dans d'autres régions de l'état. En seulement douze ans, des paroisses canadiennes-françaises s'implantèrent à Muskegon, Albena, Manistee, East Saginaw, West Bay City et Bay City. L'évêque du diocèse de Marquette adopta la même ligne de conduite et de nouvelles paroisses virent le jour à Marquette, Ishpeming, Lake Linden, Calumet, Menominee et Escanaba. C'est ainsi que la survie de la foi des Canadiens français, un des éléments importants de leur identité, fut heureusement sauvegardée dans les villes forestières et minières du Michigan septentrional.

Chicago

L'histoire des paroisses canadiennes-françaises de Chicago est plus réjouissante que celle de Détroit. Néanmoins, la croissance et la survie de ces communautés connurent quand même des problèmes (toujours la même situation d'une population initiale canadienne-française submergée par un afflux d'immigrants européens et d'Américains). À mesure que Chicago s'agrandit en surface et en population au cours du dix-neuvième siècle, les Canadiens français se déplaçaient à l'intérieur de la ville selon les nouvelles perspectives d'emploi et les nouveaux quartiers résidentiels. Lorsqu'ils se regroupèrent dans de nouveaux quartiers, ils exprimèrent le désir de posséder leur propre paroisse et leur propre église et de se faire desservir par leur propre curé. Pour parvenir à ces fins, ils jouissaient souvent de la collaboration de l'évêque local, ce qui favorisa un développement harmonieux des paroisses canadiennes-françaises à Chicago.

Chicago fut fondée dans les années qui suivirent l'attaque des Pottawatomies en 1812 comme modeste poste de traite de fourrure situé sur les rives de la rivière Chicago. Le responsable du poste était Canadien français. Vers 1825, la colonie regroupait une centaine de personnes pour la plupart associées à la traite. On y retrouvait également un petit poste militaire et un prêtre canadien-français, le père Gabriel Richard, venu en 1821 y évangéliser les Indiens. Toutefois, ce n'est qu'en 1833 que la petite population canadienne-française se fit desservir par un prêtre résident, après avoir envoyé une pétition à l'archevêque de St-Louis pour obtenir la permission d'établir une église. En réponse à cette requête, un prêtre français, le père Saint-Cyr, est arrivé et a fait construire l'église Ste-Marie au coin des rues Lake et State. Au début, la congrégation était presqu'exclusivement canadienne-française mais avec l'accroissement rapide de l'immigration au cours des années 1830 et 1840, les Canadiens français se retrouvèrent bientôt minoritaires : « Après quelques années, la congrégation devint beaucoup plus nombreuse et les Canadiens s'y trouvèrent en minorité. Animés de l'esprit canadien-français, attachés à leur langue, pleins de patriotisme, et incapables à cause de leur fierté nationale de marcher à la remorque des autres races venues après eux sur un sol qui avait été pour la première fois arrosé de sueurs apostoliques des Marquette et autres missionnaires de leur sang, ces braves compatriotes demandèrent de se séparer : ce qui leur fut accordé » (Paquin, 1893, p. 13). Par conséquent, les Canadiens français édifièrent une nouvelle église sur la rue Wabash, celle-ci devait par la suite devenir la cathédrale du premier évêque de Chicago.

La seule période où s'élevèrent des difficultés entre l'évêque et les Canadiens français de Chicago survint à la fin des années 1850 début 1860. C'est dans la première paroisse

nationale de St-Louis, érigée en 1848, au coin des rues Clark et Quincy que se soule-
vèrent les causes du litige. Dirigée par le père Lebel, la paroisse avait vécu ses neuf
premières années en toute quiétude. En 1857, un prêtre français, le père Le Meistre,
succède au père Lebel. Le nouveau prêtre se brouilla dans une querelle personnelle avec
ses supérieurs ecclésiastiques, ce qui lui a valu un renvoi à la Nouvelle-Orléans. Le père
Waldran, un Irlandais qui ne parlait pas un mot de français, prit en charge l'administration
de St-Louis et c'est là la cause des problèmes, les prêtres irlandais ne jouissant pas d'une
bonne réputation dans les collectivités canadiennes-françaises, à cause de l'intransigeance
linguistique soutenue par les Irlandais. Peu à peu, les paroissiens canadiens désertèrent
en faveur d'autres églises puisqu'ils ne pouvaient pas comprendre ce que le père Waldran
avait à leur dire.

En 1863, un certain nombre de Canadiens français se regroupa pour organiser des
rencontres paroissiales, ad hoc, dans le sous-sol de l'église St-Patrick. Ils prirent la décision d'essayer de créer une nouvelle paroisse. En accord avec leur requête l'évêque
leur cède un terrain au coin de Congress et d'Halsted. En 1863, Notre-Dame, cette nouvelle paroisse, fut brièvement administrée par le père Montobrig à qui le père Jacques
Côté succéda de 1864 à 1884. Pendant les vingt années d'animation pastorale du curé
Côté, Notre-Dame devint le centre d'accueil des nouveaux arrivants canadiens-français
à Chicago. L'expansion caractérisait les premières années de la paroisse, alors que les
dernières furent marquées par la diminution du nombre de paroissiens. Le principal facteur
en était la décentralisation progressive de la population canadienne-française au cours
des années 1880 vers les nouvelles banlieues. En effet, la décennie de 1884 à 1894
vit la création de plusieurs nouvelles paroisses dans les banlieues du sud, là où les Canadiens français étaient nombreux.

Pour tenir compte de la nouvelle distribution de Canadiens français à Chicago, on
relocalisa la paroisse de Notre-Dame. Dès que le père Achille Bergeron prit la succession
du père Côté en 1884, il vendit le site de la vieille paroisse et acheta un nouveau terrain
à Sibley et Vernon Park Place, dans les banlieues du sud. En 1885, il fit construire, pour
les quatre cents enfants de la paroisse, une nouvelle école sous la direction des Soeurs
de la Congrégation de Montréal. En 1886, il poursuivit la construction d'un nouveau presbytère et en 1887, il termina la construction de la nouvelle église de Notre-Dame. On la
considérait la plus belle église de Chicago, de forme octogonale et bâtie en briques blan-
ches. Elle était surmontée d'une coupole de cent cinquante-cinq pieds (le contracteur et
plusieurs sous-contracteurs étaient Canadiens français). L'église, avec son orgue et sa
chorale très renommée, devint un point de mire des Canadiens français de Chicago. En
1891, le curé Bergeron avait deux vicaires, le père Thérien et le père Granger pour l'aider
à desservir les besoins des deux mille familles de ce district.

Une seconde paroisse fut fondée en 1887 dans les quartiers du sud. Le nombre de
Canadiens français suffisait à Pullman, Gano et Roseland pour louer une salle où le père
Goulet célébrait la messe. Un peu plus tard, le père Trefflé Ouimet était nommé curé mais
une santé chancelante provoqua sa résignation. En 1890, le père J.B.L. Bourassa lui succéda comme curé de la nouvelle paroisse et supervisa le travail de ses paroissiens dans
la construction d'une petite église de briques rouges. Il y ajouta une école pour les enfants
de la paroisse et recruta en 1891 trois soeurs de la Congrégation de Notre-Dame pour
y enseigner. Beaucoup plus modeste que la paroisse de Notre-Dame, la paroisse de
Pullman ne comptait que cent cinquante familles.

En 1889, on a une fois de plus créé une paroisse canadienne-française, celle-ci située
à Brighton Park dans la banlieue ouest. Le père J. Lesage, curé de cette nouvelle paroisse,
St-Joseph, avait comme fonctions non seulement l'administration des besoins des Cana-

diens français rassemblés dans les quartiers de l'ouest, mais aussi la coordination de toutes les activités des organisations canadiennes-françaises de l'archidiocèse de Chicago. Vers 1893, deux cent cinquante familles formaient la paroisse, plusieurs d'entre elles originaires de la vieille paroisse de St-Jean-Baptiste à Bridgeport. En quelques années, le curé Lesage anima la construction d'un édifice à deux étages qui abritait le presbytère et l'école paroissiale à l'étage supérieur et l'église au rez-de-chaussée. En septembre 1891, cinq religieuses de la Congrégation de St-Joseph arrivèrent de Concordia au Kansas pour enseigner aux deux cents enfants inscrits à l'école paroissiale. Paquin note : « S'il existe au milieu de nos compatriotes de Brighton Park tant d'esprit d'union et de progrès, c'est dû à leur club Jacques-Cartier qui marche sous la direction éclairée du pasteur de la paroisse » (Paquin, 1893, p. 85).

Située au coin de la rue Halsted et de la 31e rue, la paroisse de Saint-Jean-Baptiste du district de Bridgeport connut un très modeste début. Elle ne fut jamais vigoureuse parce que les Canadiens français de ce quartier étaient peu nombreux et très éparpillés. En 1889, la propriété de la paroisse fut vendue et plusieurs paroissiens se joignirent à la paroisse de Saint-Joseph de Brighton Park. Quelques Canadiens français étant demeurés dans la zone de Bridgeport, le père A. Bélanger réorganisa en 1892 la paroisse Saint-Jean-Baptiste moins de trois milles plus au sud de l'ancien site. C'était une entreprise ambitieuse de la part d'un prêtre récemment arrivé de Montréal pour un séjour de repos. Mais le père Bélanger s'intéressait de près au problème de l'assimilation des Canadiens français dispersés dans ce quartier, en dépit du fait qu'ils n'étaient desservis par non moins de sept autres églises locales. « Naturellement, nos compatriotes, connaissant plus ou moins l'anglais, et disséminés dans ce nouveau quartier de plusieurs milles carrés, étaient portés à fréquenter ces églises » (Paquin, 1893, p. 24). Le prêtre de Montréal se porta acquéreur d'une ancienne église protestante qu'il fit déménager au coin de Peoria et 50e Court et ramena avec succès les Canadiens français à la nouvelle paroisse réorganisée de Saint-Jean-Baptiste.

Les paroisses canadiennes-françaises de Chicago semblent avoir connu plus de succès que celles de Détroit. Plusieurs organisations nationales se rattachèrent aux paroisses de ces deux villes, les sociétés Saint-Jean-Baptiste, les clubs Jacques-Cartier, les divisions des Forestiers Catholiques pour n'en nommer que quelques-unes. Ces organismes rappelaient constamment aux Canadiens français leur héritage national et favorisaient la conservation de leur identité propre. À Chicago, des éléments supplémentaires peuvent expliquer la vigueur de la communauté canadienne-française. D'abord, les évêques de Chicago furent sympathiques à l'érection de paroisses nationales canadiennes-françaises; de plus, ces paroisses furent administrées par des prêtres du Québec et les écoles composées d'un personnel de religieuses du Québec. Ensuite, vers la fin des années 1880, le nombre de prêtres et de religieuses canadiens-français nés aux États-Unis se mit à croître. C'est ainsi que les paroisses de Chicago surent maintenir des liens avec les communautés rurales de l'Illinois et aussi du Kansas. Les soeurs de Concordia et les prêtres de Bourbonnais remplirent le rôle de leadership dans ces communautés. Paquin, l'historien des Canadiens français de Chicago rapporte la loyauté de la seconde génération de Franco-américains à l'identité canadienne-française. « Bien que nés et élevés aux États-Unis, les prêtres d'origine canadienne-française qui viennent de Bourbonnais se montrent toujours au premier rang pour sauvegarder notre foi et notre langue et faire revivre au milieu de nous nos institutions nationales » (Paquin, 1893, p. 36).

Minneapolis — St-Paul

Les communautés canadiennes-françaises de St-Paul et de Minneapolis ne semblent pas avoir été aussi vigoureuses que celles de Chicago et dès la fin du dix-neuvième siècle, les espoirs de conserver une identité distinctive se révélaient déjà minces dans les villes jumelles. St-Paul fut fondé vers la fin des années 1830 par un métis surnommé « Pig-eye » (Oeil de cochon) Parent qui y avait ouvert un poste de traite. La proportion canadienne-française de la population de St-Paul s'est accrue de la même manière que celle de Détroit, c'est-à-dire qu'elle bénéficia du déclin de la traite des fourrures pour regrouper les vieilles familles des voyageurs à la retraite. À l'ouverture des chantiers forestiers et miniers au nord-est du Minnesota, d'autres Canadiens français arrivèrent à St-Paul, mais en petit nombre. L'arrivée du chemin de fer, l'ouverture de l'ouest canadien et la politique de rapatriement des Canadiens de la Nouvelle-Angleterre amenèrent inévitablement des Canadiens français vers St-Paul et quelques-uns d'entre eux y demeurèrent. Au cours des années 1890, on comptait trois paroisses canadiennes-françaises dans la région de St-Paul — Minneapolis.

Ce sont les pères maristes qui organisèrent la paroisse canadienne-française de St-Paul. Ils avaient été activement impliqués dans les paroisses canadiennes-françaises de la Nouvelle-Angleterre et de Boston et ils connaissaient donc très bien les difficultés d'adaptation à la vie urbaine auxquelles faisaient face les Canadiens français. À St-Paul, toutefois, les Canadiens français semblaient se soucier beaucoup moins de leur langue et de leur identité nationale que de leur réussite économique. De fait, plusieurs d'entre eux devinrent financièrement aisés mais du même coup perdirent leur héritage culturel. « St-Paul est une belle et prospère cité, une ville de progrès, d'affaires où nous trouvons une population canadienne de 8 000 âmes. Les professions libérales, la finance, le commerce, les industries sont très bien représentés par nos compatriotes, quelques-uns occupent même les plus hautes sphères commerciales. Ils forment une très belle société canadienne comme elle existe au pays, mais l'école paroissiale n'est pas assez fréquentée par les enfants canadiens » (La Société des Publications Françaises des États-Unis, 1891, p. 866).

En 1891, il se trouvait à Minneapolis environ 10 000 Canadiens français regroupés en deux paroisses, Notre-Dame et Ste-Clothilde. Malgré tous les efforts des prêtres, les pères P. Daignault et E. Martin, la fréquentation des écoles paroissiales était faible. Comme à St-Paul, plusieurs Canadiens français réussissaient dans les professions, les affaires et l'industrie. Malgré les succès remportés par la communauté canadienne-française dans le domaine des affaires, l'on notait avec inquiétude l'apathie générale des Canadiens français vis-à-vis de la langue française dans les écoles paroissiales et de ce que cette apathie pourrait augurer dans l'avenir. Le rapport de Minneapolis dans le Guide Français de 1891 commente : « Espérons que les autorités religieuses si empressées à sauvegarder les intérêts des écoles paroissiales de langue anglaise comprendront qu'il est aussi essentiel pour le Canadien d'avoir son école paroissiale canadienne-française que son église, son pasteur, car celui qui perd sa langue, perd généralement sa foi; gardiennes de la foi catholique, les autorités religieuses doivent prendre les moyens de la conserver chez nous comme chez les autres nationalités » (La Société de Publications Françaises aux États-Unis, 1891, p. 868).

CONCLUSION

La survie d'une communauté ethnique dépend directement de son importance numérique, de sa stabilité, du degré de continuité de l'immigration en provenance de la mère-patrie ainsi que des contacts soutenus entre cette communauté et les autres du même groupe ethnique dispersés à travers le Midwest. Il n'est pas surprenant de constater que de toutes les communautés canadiennes-françaises du Midwest, celles de l'Illinois aient connu le plus de succès. De fait, les communautés de Kankakee étaient importantes numériquement, et, de plus, étaient au centre d'un réseau de contact qui existait chez les Canadiens français du Midwest. Bien qu'il n'y ait pas eu d'immigration substantielle du Québec vers Kankakee après les années 1850, il existait une migration soutenue de prêtres et de religieuses qui y établirent des écoles y compris le collège St-Viateur. Les contacts furent vitaux à la survie de l'identité canadienne-française en Illinois. Le collège eut un impact majeur sur la formation de jeunes professionnels canadiens-français et surtout sur la prise de conscience de leur héritage culturel. Le collège a contribué aussi à la formation de prêtres américains qui ont continué à conserver vivant, dans leur oeuvre pastorale, leur idéal national. La formation et la présence de prêtres et de religieuses canadiens-français, qu'ils soient nés au Québec ou aux États-Unis, étaient indispensables à la survie de l'identité nationale des Canadiens français.

L'Église pouvait jouer un rôle positif pour la survivance de l'identité nationale si les évêques locaux le voulaient bien. L'histoire des paroisses canadiennes-françaises de l'archidiocèse de Chicago semble avoir été à l'abri des discordes. À Détroit, l'histoire est plus triste : quelques Canadiens français abandonnèrent leur Église et adoptèrent la foi protestante à cause des démêlés avec l'évêque. Le malaise des communautés canadiennes-françaises de St-Paul — Minneapolis ne peut pas être attribué au manque d'écoles paroissiales ou de prêtres canadiens-français, ni à des frictions avec les autorités cléricales. Il faut y voir plutôt l'influence d'autres facteurs : le succès financier des Canadiens français à Minneapolis — St-Paul va de pair avec leur américanisation rapide.

Cette analyse préliminaire du fait canadien-français dans le Midwest américain au dix-neuvième siècle n'a identifié que quelques facteurs qui expliquent la survie de l'identité canadienne-française. Il reste à examiner plusieurs phénomènes. Par exemple, plusieurs tentatives furent effectuées pour publier les journaux destinés aux communautés canadiennes-françaises des états du Midwest. Une recherche de la distribution de ces journaux canadiens-français de même que leur éventuel déclin fournirait un indice de l'intensité du sentiment national et de l'intérêt pour la survie de la langue. On possède peu de renseignements actuellement sur l'enseignement de la langue dans les écoles de paroisse ou encore sur la période où la langue française cessa d'être la langue de communication à la maison. De même, le rôle des sociétés nationales, si importantes dans les centres urbains, n'est pas encore adéquatement étudié.

Les géographes ont encore beaucoup de travail à accomplir que ce soit dans le domaine culturel ou historique, et bien qu'à prime abord la documentation semble éparse, il y a abondance de témoignages écrits à dépouiller. En plus des recensements des états du Minnesota, du Wisconsin, de l'Illinois et du Michigan, il existe un nombre imposant d'annuaires urbains et d'atlas de comtés qui pourraient nous éclairer sur les phénomènes de croissance, de stabilité ou de déclin des communautés canadiennes-françaises. Ces annuaires des Canadiens français aux États-Unis contiennent énormément d'informations concernant les diverses sections ainsi que l'adhésion aux sociétés nationales comme celle des sociétés Saint-Jean-Baptiste, concernant aussi la distribution des paroisses canadiennes-françaises, des prêtres, des écoles, des professeurs. L'information tirée de ces annuaires n'est pas toujours uniforme, mais une fois combinée avec d'autres sources, il est possible de dévelopepr une image valable du succès ou de l'échec de chaque communauté. Enfin, un travail sur le terrain révélera la condition de ces communautés aujourd'hui. Au cours de ces dernières années, j'ai visité les régions agricoles du comté de Cloud, au Kansas, et du comté de Polk au Minnesota où la prépondérance des noms canadiens-français sur les boîtes à lettres le long des routes rurales témoigne de la persistance des familles arrivées depuis un siècle environ. Dans les cimetières locaux, les inscriptions funéraires prouvent que la langue française était encore importante dans les années 1920. Une recherche additionnelle sur le terrain doit être entreprise, surtout dans les petites villes le long des frontières septentrionales du Michigan, du Wisconsin et du Minnesota afin d'établir le niveau de prise de conscience de l'héritage canadien-français dans ces communautés. Déjà, on pourrait avancer que l'assimilation des Canadiens français a été plus rapide dans les villes et dans les régions agricoles plus prospères du Midwest américain, c'est-à-dire aux endroits où les succès financiers ont été possibles. De même, on pourrait du même coup démontrer que c'est dans les régions marginales où l'activité forestière se combinait à une agriculture de subsistance que la survivance de l'identité canadienne-française s'est le mieux défendue.

BIBLIOGRAPHIE

CAMPBELL, Charles B. (1906) Bourbonnais or the early French settlements in Kankakee County, Ill., *Transactions of the Illinois State Historical Society*, 11 : 65-72.

CARMAN, J. Neale (n.d.) *Foreign Language Units of Kansas*. Topeka, Kansas State Historical Society, unpublished manuscript.

COMITÉ DE CANADIENS-FRANÇAIS (1883) *Description de la Colonie Canadienne du Comté de Polk*. Crookston, Minnesota.

GENTILCORE, R. Louis (1957) Vincennes and French Settlement in the Old Northwest. *Annals, Association of American Geographers*, 47 : 285-297.

HANSEN, Marcus Lee (1940) *The Mingling of the Canadian and American People*. New Haven, Yale University Press.

JOHNSON, Hildegard Binder (1958) French Canada and the Ohio Country: A study in early spatial relationship. *Canadian Geographer*, 3 : 1-10.

LAKE CITY PUBLISHING COMPANY (1893) *Portrait and Biographical Record of Kankakee County, Illinois*. Chicago, Lake City Publishing Company.

LA SOCIÉTÉ DE PUBLICATIONS FRANÇAISES DES ÉTATS-UNIS (1891) *Le Guide Français des États-Unis*. Lowell, Mass., La Société de Publications Françaises des États-Unis.

McQUILLAN, D. Aidan (1975) *Adaptation of Three Immigrant Groups to Framing in Central Kansas 1875-1925*. Madison, University of Wisconsin, Department of Geography, unpublished Ph.D. dissertation, 429 p.

McQUILLAN, D. Aidan (1978a) Farm Size and Work Ethic : Measuring the success of immigrant farmers on the American grasslands, 1875-1925. *Journal of Historical Geography*, 4 : 57-76.

McQUILLAN, D. Aidan (1978b) Territory and Ethnic Identity, some new measures of an old theme in the cultural geography of the United States. In James R. Bison (Ed.) *European Settlement and Development in North America. Essays on Geographical Change in Honour and Memory of Andrew Hill Clark*, Toronto, University of Toronto Press, p. 136-169.

PAQUIN, Elzéar (1893) *La Colonie Canadienne Française de Chicago*. Chicago Stromberg, Allen et Cie.

RICHARD, Adrien M. (1975) *The Village: A Story of Bourbonnais*. Bourbonnais, Centennial Committee of the Village of Bourbonnais.

SAINT-PIERRE, Telesphore (1895) *Histoire des Canadiens du Michigan et du Comté d'Essex, Ontario*. Montréal, Typographie de la Gazette.

WATTS, William (1909) Polk County, Minnesota. In *History of the Red River Valley*, p. 860-881.

VII

Les gens qui ont pioché le tuf : les Français de la Vieille Mine, Missouri

Gerald L. GOLD

Cherchant à apporter quelques précisions sur l'origine du nom de la Vieille Mine (Old Mines), Tom Thebeau résume ses 83 années d'expérience en une seule pensée :

C'est tout le mon' qui a pioché le tuf. Old Mines ! That's why they call it Vieille Mine in French.

Entourés de quelques autres familles, Tom Thebeau et sa femme habitent une maison de bois rond à une courte distance de l'église de St-Joachim, à la Vieille Mine au Missouri. Ils font partie de ce qui reste du Missouri français autrefois un avant-poste de l'Amérique française qui fut établi pendant la foulée des activités coloniales françaises et espagnoles dans la partie supérieure de la vallée du Mississippi. Pour la France, l'intérêt principal de cette région était les mines de plomb, une ressource déjà bien connue des Indiens du Missouri. Quoique les mines de sel et la traite des fourrures avaient aussi une certaine importance c'est l'exploitation des mines de plomb qui prime du début du 18e siècle à nos jours.

Les mineurs ont toujours vécu en marge de l'économie du marché. Victimes d'un isolement physique et social et ne possédant qu'une technologie minière rudimentaire en vue de l'exploitation du plomb et, éventuellement, de la barite, ils ont fait appel à une économie familiale et agricole, dite de basse-cour, ainsi qu'à la chasse et à la cueillette dans les campagnes des Ozarks pour subvenir à leurs besoins fondamentaux. Ils se sont ainsi opposés aux pressions grandissantes exercées sur leur main-d'oeuvre et ont réussi à entretenir pendant plusieurs générations un réseau très dense de liens de parenté et de relations privilégiées au niveau des voisinages. Jusqu'à la deuxième guerre mondiale, alors que l'ère de la mécanisation et de l'intervention de l'état étouffe leur mode de vie, la demande pour le plomb et la barite (ou tuf) arrachés à la main avait permis aux mineurs de conserver leur mode de production ainsi que les traits linguistiques et culturels s'y rattachant.

Les marchands impliqués dans le commerce du plomb au Missouri français vivaient parmi les commerçants, bateliers et fermiers de Ste-Geneviève et de ses environs. Bien que ces marchands étaient d'origine québécoise, tout comme les mineurs, et que seulement une cinquantaine de milles séparaient leurs communautés respectives, les deux groupes ont évolué séparément une fois que la Louisiane fut acquise par les Américains. Les marchands se sont réfugiés à Ste-Geneviève suite à la pénétration américaine de l'Illinois français y retrouvant un accueil favorable sous le régime espagnol (1763-1801). Cependant, cette bourgeoisie n'a pas pu résister aux subséquentes implantations de Yankees et d'Allemands et elle fut vite absorbée par ces nouveaux éléments.

Tandis que l'assimilation de la communauté riveraine francophone de Ste-Geneviève aux nouveaux arrivés se voulait totale vers 1875, les hameaux de mineurs de plomb, économiquement et socialement circonscrits, offraient une résistance beaucoup plus considérable à l'américanisation.

Cette étude exploratoire du milieu minier est le résultat d'une série d'entrevues et d'observations effectuées lors d'un court séjour à la Vieille Mine et à Ste-Geneviève en 1977 agrémentée d'une lecture de la littérature pertinente. Nous poursuivons un double but : établir un lien entre peuplement et activité commerciale d'une part, et décrire la création d'une enclave francophone dans la région de la Vieille Mine, comté de Washington au Missouri, située sur un territoire géré autrefois par une administration soit française, soit espagnole du district de Ste-Geneviève, d'autre part. L'hypothèse élaborée ici est que la production à petite échelle du plomb et de la barite a créé une situation propice à l'expression d'une culture villageoise française. Cependant, avec la fin de l'exploitation minière artisanale, alors qu'ils ne possédaient aucun soutien institutionnel qui leur était propre, les mineurs semblent s'engager sur la même voie d'assimilation qu'avaient entreprise les marchands trois ou quatre générations auparavant. Toutefois, au moment même où l'effondrement des traits culturels et linguistiques des communautés minières s'achève, certains individus tentent de nouveaux efforts pour renverser la vapeur.

LES DÉBUTS DE L'EXPLOITATION DES MINES DE PLOMB DANS LE HAUT-MISSOURI

Il est possible qu'au 18e siècle les Indiens de la région aient déjà développé un certain commerce du plomb, ayant appris des coureurs de bois ou de l'expédition Joliette et Marquette de 1673 son utilité dans les armes à feu (Thwaites, 1903, p. 299-301). Que l'origine des mines soit pré-coloniale ou non, il n'en demeure pas moins que les Français se fiaient fortement aux Indiens comme prospecteurs et, dans le cas de Julien Dubuque qui négocia avec les Saulk et les Fox à Prairie-du-Chien, ces derniers s'occupaient même de l'exploitation et de la transformation du « plomb français » (*Ibid.*, p. 313-316).

Au tout début les Français avaient recours aux esclaves pour exploiter le minerai. Après une brève et infructueuse période où le gouverneur Crozat tenait le monopole de la production, Philippe François de Renault entreprit d'exploiter une mine connue sous le nom de Mine-à-Breton, dans la région de Potosi (Fig. 1 et 2). Toutefois, malgré les 500 esclaves de Saint-Dominique travaillant pour Renault et en dépit de la présence de nombreux autres au service des marchands de Ste-Geneviève dès sa fondation en 1735, les mines du Missouri souffraient d'un sérieux manque de main-d'oeuvre. C'est ainsi que n'importe qui possédant les mêmes techniques que les Indiens, pouvait s'établir dans la région dès le 18e siècle (Thwaites, 1903, p. 308-310). Vers 1800 la plupart des familles de Ste-Geneviève étaient impliquées dans l'exploitation du plomb, activité qui intéressait également la majorité des marchands de la place (Rozier, 1980, p. 96).

À l'époque de l'achat de la Louisiane plusieurs Américains de marque furent attirés par cette industrie florissante. Des hommes comme Moses Austin s'installèrent dans la région implantant des techniques minières modernes, y compris des puits, à Mine-à-Breton. Cet endroit fut d'ailleurs rebaptisé Potosi en l'honneur de sa contrepartie mexicaine. Avant 1802, Austin fait construire une manufacture de feuilles de plomb ainsi qu'un moulin à grain. Toutefois, les Français de la Vieille Mine s'entêtent toujours à appeler la ville Breton, prononcée « Barton », au lieu de Potosi laissant soupçonner qu'ils prêtent un plus grand sentiment d'appartenance envers Asa Breton qu'envers l'Américain Moses Austin.

> Breton was native of France... born in the year 1710 served in the armies of France... In the year 1755 he took part in the defeat of Braddock's troops at Fort Duquesne, now Pittsburgh. Breton came to Upper Louisiana, now Missouri and became a hunter and a miner. Whilst hunting he discovered the « Breton Mines » (1763)... he lived with the Micheau family... two miles above the then town of Ste. Geneviève... In his old age, he would walk to the church regularly every Sabbath day to Ste. Geneviève. He died March 1st 1821, and was buried in the Catholic cemetery by Reverend Father Henry Pratte, parish priest. He lived to the extraordinary age of 111 years (Rozier, 1890, p. 91).

Au cours de leur histoire, les Ozarks ont connu de nombreuses vagues de prospérité, soutenues par un mode d'exploitation capitaliste intensive, suivies de périodes d'inertie engendrées par le développement des transports et l'attrait de nouvelles ressources abondantes et plus rentables (Sauer, 1920, p. 81). Aussi faut-il comprendre que la présence d'entrepreneurs miniers et le développement éventuel des mines de plomb et de barite n'ait rien de surprenant. Ce qui distingue cette activité minière est son étroite affiliation avec un groupe ethnique particulier, les Français du Missouri.

Figure 1

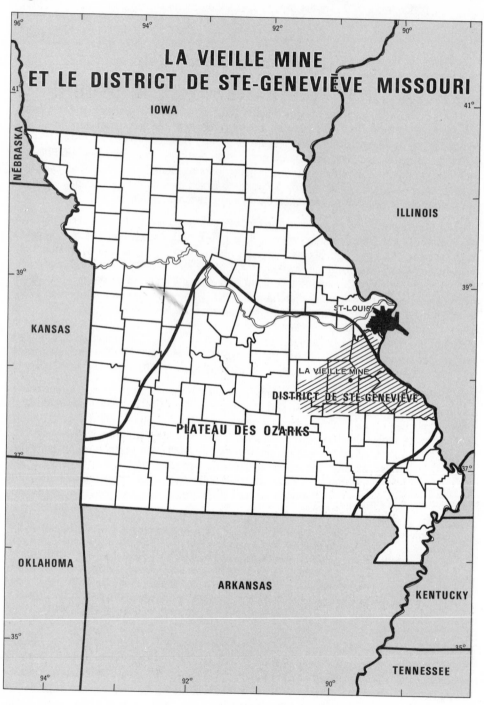

Figure 2

COMTÉ DE WASHINGTON:
FOYER CULTUREL FRANÇAIS DU MISSOURI

ILLINOIS

RIVIÈRE MISSOURI

ST-LOUIS

CAHOKIA

Population d'origine française
à plus de 90%

Gisements majeurs de barite

FESTUS
CRYSTAL
CITY

FLEUVE MISSISSIPPI

RICHWOOD

DE SOTO

RACOLA

LA VIEILLE MINE

STE-GENEVIÈVE

FORT-DE-CHARTRES

WASHINGTON   CADET

KASKASKIA

POTOSI

BONNE-TERRE

LEADWOOD

IRON MOUNTAIN

Dès 1860, les centres miniers de l'arrière-pays de Ste-Geneviève tels Mine-à-Breton, Mine-La-Motte, la Vieille Mine et St-Michel constituaient une région distincte avec une identité propre (Sauer, 1920, p. 81). Ste-Geneviève s'avérait l'endroit le plus favorable au transbordement du minerai. Celui-ci transporté jusqu'à Fort-de-Chartres par cheval puis à Ste-Geneviève par charette, était alors embarqué sur des bateaux à quille ou des chalands pour un périlleux voyage sur le Mississippi jusqu'à la Nouvelle-Orléans (Ellis, 1929, p. 34-35). Avant l'acquisition de la Louisiane par les Américains, les profits de ce commerce revenaient aux marchands français de Ste-Geneviève. Par la suite St-Louis a tiré avantage de sa position stratégique au confluent du fleuve Mississippi et de la rivière Missouri, avantage qui fut confirmé avec l'introduction du bateau à vapeur.

Les intentions espagnoles pour l'exploitation des ressources du Missouri se traduisaient par l'établissement des réfugiés français provenant de l'Illinois et des autres états américains sur les terres agricoles de la plaine alluviale, créant ainsi plusieurs colonies dont Nouveau Bourbon, tout près de Ste-Geneviève, avec une population de 461 personnes en 1797. Les Espagnols espéraient par le fait même y établir le grenier des plantations de la Louisiane et de la côte du Golfe (Sauer, 1920, p. 87). Mais même en Basse Louisiane où les Espagnols avaient attribué de vastes territoires aux exilés acadiens, ces habitants francophones ne pouvaient être contraints à produire un surplus pour exportation. Les autorités coloniales déployaient peu d'efforts pour promouvoir le développement agricole des hautes terres et les habitants se bornaient à cultiver des terres appartenant à l'ensemble de la communauté (le « grand champ »). Cette tendance à l'agriculture vivrière, d'une part, et l'intérêt des marchands pour le plomb, le sel et le commerce des biens de luxe de la Nouvelle-Orléans, d'autre part, retardent l'expansion des terres agricoles et le progrès technologique. Ce conservatisme des populations d'expression française transparaît clairement à travers les technologies employées dans l'exploitation du plomb et du tuf.

LES PIOCHES

Suite à ses voyages du début du 19ᵉ siècle, Timothy Flint décrit les principales localités minières françaises en termes des entreprises qui les exploitent : Barton (Mine-à-Breton), Shibboleth, Lebaum's, Old Mines (Vieille Mine), Astraddle, La Motte, A Joe, Renault's, New Diggins, Liberty, Cannon's, Silver's, A. Martin etc. (Flint, 1828, p. 86). Nul doute que l'exploitation minière marquait déjà sévèrement le paysage :

> Coarse and dilapidated air furnaces, immense piles of slag and all the accompaniments of smelting, show in how many deserted places these operations have been performed. The earth, thrown up in the diggings, has portions of oxidized minerals, and acquires in the air a brilliant reddish hue; and the numberless excavations have the appearance of being graves for giants. It is a hundred years since the French began to dig lead in this region. (Flint, 1828, p. 87).

Le plomb a été exploité jusqu'à ce que les compagnies qui achetaient des mineurs leurs chargements de minerai (livrés en charette) ferment leurs portes. Toutefois, grâce à la demande pour la barite, longtemps considérée comme résidu, les mines sont demeurées actives et le sont toujours.

Flint avait constaté l'importance de la barite dans la production de carbonate de plomb (plomb blanc) et déplorait le peu d'effort manifesté à manufacturer ce produit ou même des feuilles de plomb. Il mentionne d'ailleurs qu'à l'ouest du Mississippi, nul autre endroit semblait aussi propice à l'instauration de manufactures, spécialement celles de plomb (Flint, 1828, p. 57). Ce serait à St-Louis que l'on retrouverait le plus grand producteur de carbonate de plomb de l'ouest américain, la « Collier White Lead and Oil Works », établie en 1837 par « Dr. Reed » et Henry T. Blow (Dacus and Buel, 1878, p. 243-244). Entretemps, l'exploitation des mines de plomb et de barite demeure une activité marginale, parce que mal rémunérée et sous-capitalisée, mais elle s'intègre bien dans le mode de production artisanale des familles francophones.

La poursuite de l'activité minière et, de ce fait, la présence de mineurs ont été assurées par la grande quantité de minerai situé près de la surface et donc ne requérant qu'un équipement rudimentaire (la pioche et la pelle), l'absence d'une taxe de production et une demande constante de plomb et de ses sous-produits (Sauer, 1920, p. 83). Il se pourrait que les problèmes de main-d'oeuvre permanente insuffisante aient comme source le refus des mineurs français d'abandonner la sécurité que leur procurait une économie domestique de basse-cour pour se consacrer entièrement à un travail instable, sujet aux fluctuations des cycles de l'industrie capitaliste américaine de l'époque.

D'ailleurs, les instigateurs même de l'exploitation minière la voyaient comme partielle et saisonnière. Comme le déclarait de façon optimiste en 1804 le fondateur de Potosi (Mine-à-Breton), Moses Austin, dans un rapport aux dirigeants américains : « every farmer may be a miner, and, when unoccupied on his farm, may, by a few weeks' labor, almost at his own door, dig as much mineral as will furnish his family with all imported articles" (Sauer, 1920, p. 83). Pourtant, à la fin du 19e siècle, il n'existait aucune compétition entre Français et les divers groupes d'immigrants pour obtenir des droits miniers. L'exploitation minière étant dangereuse, offrant de faibles revenus et attirant peu d'investissements, cette option jadis avantageuse devient une activité parmi plusieurs au sein d'une économie pluraliste pratiquée par un peuple ayant peu d'alternatives pour assurer sa propre survie (Gerlach, 1976, p. 151).

Dans les années 30, on procédait encore à l'extraction de la barite avec un treuil et un sceau abaissé dans des trous d'une vingtaine de pieds de profondeur. À l'aide de la pioche et de la pelle, on arrachait le minerai pour ensuite filtrer la barite de la boue dans une passoire fabriquée à la main. Jadis, le plomb était apporté à l'une des vingt petites fonderies de la région dont il ne reste aujourd'hui que les ruines d'une d'entre elles. Plus tard lorsque l'exploitation de la barite prenait de l'importance, le mineur vendait son chargement à une compagnie minière après l'avoir apporté à un centre de traitement d'où on l'acheminait vers l'extérieur par chemin de fer. Lors de l'apparition de la pelle mécanique, quelques mineurs ont pu continuer leur emploi, mais « others simply retired to live on welfare or no income at all » (Gerlach, 1976, p. 151). Le paysage, déjà cicatrisé au début du 19e siècle comme le soulignait Flint, « became so exhausted after the mechanized mining a crow had to bring his own food to fly over it » *(ibid.)*.

La population âgée de plus de 60 ans qui habite actuellement la Vieille Mine conserve des souvenirs ardents mais souvent amers de cette époque. Rosie Pratt a grandi à proximité des mines de plomb à Mine-à-Canon et dépeint en quelques mots la dureté et la misère de cette vie :

> C'était dur dans ce temps-là. Piocher des fois toute la semaine pour un load de tuf. Ils ont toujours des moulins. Le mon'i' travaille toujours au moulin, mais i' pioche plus le tuf avec leurs mains... avec le pic. Oh ! Pauv' vieux Pop i' venait piocher et là pis i' enssissait su' la petite galerie là, pis tout mouillé de sueur... C'est terrible comme le monde a travaillé...

'Noo' Coleman raconte ses débuts dans le métier :

> I' piochait tout. Tout le monde la même chose. C'est lui (son père) qui m'a montré comment partir, Mon premier jour... le premier trou.

Mais malgré la privation et la fatigue engendrées par une vie de mineur, ces gens parlent à regret de l'autonomie que leur procurait un mode de production domestique :

> On achetait pas grand' chose. On élevait des cochons, un boeuf, et on a pioché. On a acheté la farine, le sucre, le café. On faisait le boudin, des andouilles, le bouilli. La chasse des lapins... des écureuils... rien d'aut'.

LES VILLAGES FRANÇAIS

Déjà en 1935, Ward Allison Dorrance rapporte qu'on retrouve très peu de Créoles (au Missouri on se referait ainsi aux Français de la région) vivant dans les communautés riveraines du Mississippi, sauf à Festus et à Crystal City où plusieurs travaillent dans les usines. À Ste-Geneviève on ne compte plus qu'une vingtaine de familles typiquement françaises (Dorrance, 1935, p. 43). Des Allemands se sont installés le long du fleuve et même vers l'intérieur des terres, comme à French Village et à Bonne Terre. C'est ainsi que la Vieille Mine et ses environs deviennent la seule concentration de gens d'expression française dans le district de Ste-Geneviève.

Le comté de Washington est unique en son genre du fait que la Vieille Mine et l'Union Township qui l'entourent (englobant 90% de la paroisse de la Vieille Mine) avait, en 1930, une densité de population de 43 habitants au mille carré. En 1970, cette densité était de 40,4, soit trois fois plus élevée que dans le reste du comté (Gerlach, 1976, p. 154). L'origine du village remonte au début du 18e siècle, avant la fondation de Potosi par Moses Austin. Au cours de son existence, la Vieille Mine a connu un très faible taux d'émigration. Au contraire, au milieu du 19e siècle, afin de fuir les Américains et de re-joindre leurs semblables, plusieurs familles françaises s'y installent.

Construite en 1828, l'église de St-Joachim est l'une des plus anciennes à l'ouest du Mississippi. Les nombreuses maisons en bois rond et de style québécois abritent souvent tour à tour les générations successives d'une même famille. Sur les plans physique et social la Vieille Mine est devenue une enclave, l'ultime moyen de défense et de survie, à l'intérieur de laquelle les principaux regroupements sont constitués en réseaux familiaux. La plupart des habitants sont regroupés en voisinages, tel le Village-à-Thebeau, constitué d'une quinzaine de ménages représentant un minimum de trois familles étendues. Il y a entre 3 et 10 personnes au sein de chaque ménage (Gerlach, 1976, p. 154). Les échan-ges sociaux et les coups de main se sont développés à l'intérieur de ces voisinages.

Comme dans bien d'autres régions de l'Amérique française, les gens s'identifient par des sobriquets, et même des lieux sont souvent connus sous une appellation locale plutôt que par le nom officiel. Pour reprendre un exemple, on appelle Barton la ville de Potosi; Gros-Vesse était le nom d'un conteur bien connu du début du siècle. Ceci fait donc partie de l'héritage d'un style de vie simple et d'un milieu familier, où les échanges et les visites se faisaient entre la Vieille Mine et Barton, le centre de service, en passant par la Côte des Grenouilles, débouchant sur les hameaux voisins tels Racola, Richwood, Canon Mines, Tuf et La Motte.

Lors des nombreux bals et encore plus nombreuses veillées, les gens prenaient grand plaisir à écouter les histoires des conteurs. Au cours des années 30, Joseph Médard Carrière répertoria plus de contes que de chansons dans le folklore vivant, tant l'intérêt pour ces contes était ardent (Carrière, 1937, p. 8). D'ailleurs, avant son enquête, les récits de conteurs étaient intégrés à la vie quotidienne des mineurs :

> One hears often at Old Mines of several *conteurs* who used to be asked by miners working in the same field to tell the famous story of Renaud de Montauban. As this modern version of the old medieval favorite took a whole day to tell, the listeners got together and gave the story-

teller a big pile of barite before he would begin. No longer can anyone be found in Old Mines who knows the tale from beginning to end. (*Ibid.*, 16n)

Plusieurs festivités annuelles permettaient la conservation des liens étroits, au sens de « communitas » (Turner, 1969) à l'intérieur d'une population francophone dispersée. On retrouvait entre autres le Jour de l'An avec la Guignolée chantée de porte en porte, et le Mardi Gras. La plupart des chercheurs qui se sont penchés sur la Vieille Mine sont d'accord pour dire que la Guignolée constitue l'institution ethnique la plus importante du Missouri français (Dorrance, 1935, p. 36 et 43; Carrière, 1937, p. 6-7). Certains vont même jusqu'à dire que la Guignolée est dénaturée à Ste-Geneviève mais authentique à la Vieille Mine (Gerlach, 1976, p. 155). Dans son film sur la Vieille Mine, André Gladu présente la Guignolée comme étant le dernier vestige des traditions passées, tout ce qui reste d'une culture qui meurt (Gold, 1978). Lors des entrevues effectuées à la Vieille Mine en 1977, plusieurs des répondants offraient d'interpréter la Guignolée au violon ou en la chantant. Noo' Coleman, un mineur à la retraite, explique que cette fête faisait appel à la générosité de chacun et qu'en retour toute la communauté partageait les bienfaits de cette générosité :

In' avait un qui était le lecteur... pis i' (les gens) donnaient une petite tarte ou ben une galette ou une poule. Des fois i'y avaient ramassé 25 sous. Après ça pis i' donnaient une danse et tous les aut' ça qui avaient donné avec la guignolée... i' payaient pas rien et pis les aut' i' payaient 25 sous... danser tout la nuit et pis manger ça i, voulaient manger. À peu pès 5 ou 6 ans, ça c'est gone. Fini.

Par rapport à la Guignolée, le Mardi Gras tient une place de moindre importance. C'était l'occasion d'organiser une mascarade itinérante et, tout comme en Louisiane, de chanter l'air du Mardi Gras[1].

À la Vieille Mine, où les traditions des fêtes d'antan sont presque disparues, on ne retrouve plus que quelques centaines de personnes parlant encore le français[2], et ceux-ci le parlent beaucoup moins souvent qu'il y a trente ans. Quant à l'Église, elle portait jusqu'à très récemment, très peu d'intérêt à l'héritage culturel. Aussi, l'élite régionale, c'est-à-dire les anciens marchands français et les professionnels des communautés riveraines, n'est plus reconnaissable en tant que groupe ayant la même appartenance ou solidarité ethnique.

« C'EST PU COMME ÇA ANYMORE »[3]

Depuis l'acquisition de la Louisiane par les Américains, on ne retrouve plus aucune école française dans le district de Ste-Geneviève. Aussi, après la première Guerre mondiale, le règlement sur l'éducation obligatoire ne prévoyait aucun recours pour les francophones unilingues d'âge scolaire. Pire encore a été la transition des années 30, de la pioche et la pelle aux techniques minières modernes, éliminant de ce fait le français comme langue de travail dans les mines de plomb. Dans cette situation de retrait et étant donné l'absence d'une élite solide, les Français du Missouri ont assisté à la désintégration de leur communauté linguistique. Ceux qui ont conservé leur langue en ont subi des lourdes conséquences : l'isolement, l'aliénation et souvent la honte. Perspicace, Tom Thebeau interprète en ces termes les problèmes des francophones du Missouri :

Tous les vieux sont morts. Ça resse de jeunes, pis les jeunes i' connaissent pas. C'est comme ça nous aut' on a oublié. I' n'a pas beaucoup qui charre français là bas (à Barton). They die you know. That's all gone out'... All my kids were French, and they can't talk... (ils ont appris) en français... mais après qu'i sont mariés, i' n'ont pas charré un mot.

Carrière remarquait, au cours des années 30, l'état pitoyable du français au Missouri en caractérisant les enfants qui écoutaient les conteurs comme des bilingues passifs

(Carrière, 1934, p. 15). L'utilisation du français en tant qu'élément de socialisation a fléchi avec la disparition de l'économie familiale et de la production minière artisanale.

L'Église catholique à laquelle adhère la presque totalité de la population de la Vieille Mine n'a jamais tenté d'instaurer un réseau de paroisses ethniques au Missouri, ce qui aurait joué un rôle important quant au maintien du français. Les résidents actuels de la Vieille Mine n'ont jamais assisté à une messe célébrée en français, puisque la dernière de la sorte à Ste-Geneviève remonte à 1893 (Dorrance, 1935, p. 46). Dorrance écrit qu'au début du siècle, un Créole d'origine belge arrivant de St-Louis, le père Tourenhaut, fit quelques tentatives pour conserver le français dans l'église de Ste-Geneviève et dans les villages de l'arrière-pays, mais en vain (*Ibid.*, p. 43).

Les habitants de la Vieille Mine ne connaissent que quelques fragments de prières en français qui leur ont été transmis oralement de leurs parents. Ces gens sont conscients de l'inertie de l'Église lorsqu'il s'agit de défendre le français ou de le reconnaître à sa juste valeur :

> (Le curé) parle en français. C'est pas même français que moi je parle. I' vient de St-Louis, mais il est Bohemian. Ina des choses qu'i comprend mais pas beaucoup...

> Mes prières i' sont en anglais, moi j'avais accutumé pour longtemps, longtemps à prier en français. Et pis là on a commencé à prier en anglais. (Pourtant son père disait ses prières en anglais).

À l'opposé de la situation retrouvée en Louisiane contemporaine, le français au Missouri est complètement à l'écart de la politique locale, quoique certains revendiquent le fait que les soins médicaux ne soient pas disponibles en français, ce qui était possiblement le cas pour la génération précédente. Il serait intéressant de savoir si les mineurs pouvaient négocier en français avec les compagnies qui achetaient leur minerai. Toutefois, ceci et bien d'autres aspects socio-linguistiques devront faire l'objet de recherches futures.

Malgré le triste tableau que nous présente la situation du français au Missouri, une lueur d'espoir existe grâce à un mouvement local qui institua récemment l'enseignement du français aux enfants d'âge scolaire ou à toute personne qui en manifeste l'intérêt. Fonctionnels depuis 1977, ces cours étaient offerts dès 1979 sur une base hebdomadaire, par un professeur qualifié venant de St-Louis. Une vingtaine de personnes de tout âge participent à ces cours qui portent une attention particulière au dialecte du français régional. De concert avec cette entreprise, Charlie Pashia, un violoneux bien connu, s'impliqua dans les festivals folkloriques francophones à St-Louis et ailleurs, où l'on retrouvait des musiciens de la « renaissance musicale folklorique » de la Louisiane, du Dakota du Nord et de la Nouvelle-Angleterre. Cependant, c'est à regret que l'on constate que, quoique ces activités soient fortement encouragées par les plus vieux, elles se déroulent dans l'absence totale d'un contexte social favorisant l'utilisation du français. Aussi est-il douteux qu'elles provoquent des changements suffisamment profonds pour influencer l'avenir des Français de la région.

NOTES

[1] Tom Thebeau se souvient de ces quelques mots de la chanson :
À Paris, y'a trois filles, une qui coude et une qui file (bis)
O les bons mardis gras, les bons mardis gras.
Ces paroles n'ont aucune vraisemblance avec l'actuelle chanson du Mardi Gras du sud de la Louisiane.

[2] Le recensement de 1970 dénombre 16 086 habitants ayant le français comme langue maternelle au Missouri, dont 196 dans le comté de Washington. Le nombre de francophones à la Vieille Mine semble avoir été sous-estimé par le recensement.

[3] Mlle Rosie Pratt, de la Vieille Mine, s'était exprimée en ces termes (« C'est pus comme ça anymore ») dans un film d'André Gladu (Gold, 1978).

BIBLIOGRAPHIE

CARRIÈRE, Joseph Médard (1937) *Tales from the French Folk Lore of Missouri*. Evanston, North-western University Press.

DACUS, J.A. and BUEL, James W. (1878) *A Tour of St. Louis; or the Inside Life of a Great City*. St. Louis, Western Publishing Co.

DORRANCE, Ward Allison (1935) The Survival of French in the District of Sainte-Genevieve. *The University of Missouri*, Studies X, 2.

ELLIS, James Fernando (1929) *The Influence of Environment on the Settlement of Missouri*. St. Louis, Webster Publishing Co.

FLINT, Timothy (1828) *A Condensed Geography and History of the Western States or the Mississippi Valley. V. II.* Cincinnati William M. Famsworth (reprinted by Scholars' Facsimiles and Reprints, Gainesville, Fla.).

GERLACH, Russel L. (1976) *Immigrants in the Ozarks, A Study in Ethnic Geography*. Columbia, University of Missouri Press.

GOLD, Gerlad L. (1976) Review of *Cé pu comme ça anymore* (and four other films by André Gladu). *American Anthropologist* 80, 760-762.

ROZIER, Firmin A. (1980) *Rozier's History of the Early Settlement of the Mississippi Valley*. St. Louis, G.A. Pierrot & Son.

SAUER, Carl O. (1920) *The Geography of the Ozark Highland of Missouri*. N. Y., Greenwood Press.

THWAITES, Reuben Gold (1968 and 1903) Early Lead Mining on the Upper Mississippi. *In* R.G. Thwaites, *George Rogers Clark and Other Essays in Western History*. Freeport, N. Y., Book for Libraries Press.

TURNER, Victor (1969) *The Ritual Process : Structure and Anti-Structure*. London, Routledge and Kegan Paul.

VIII

Maillardville :
à l'Ouest rien de nouveau

Paul-Y. VILLENEUVE[1]

Si la grande majorité du peuple québécois s'est conformée à l'idéologie développée par sa petite bourgeoisie selon laquelle « Au Québec notre Ouest c'est le Nord » (Morissonneau, 1978), il reste que, depuis les tout débuts, bon nombre de Canadiens, de Canadiens français, puis de Québécois ont pris le chemin de l'Ouest. Certains se sont même établis dans cet « extrême Ouest » qu'est la Colombie-britannique. Parmi ces derniers, les gens de Maillardville constituent le noyau le plus distinct et le plus repérable.

Maillardville regroupe quelques centaines de familles canadiennes françaises à Coquitlam, dans la banlieue éloignée de Vancouver, entre le fleuve Fraser et « l'Inlet Burrard ». La communauté francophone s'étale sur les flancs d'une colline qui s'élève à partir de la plaine d'épandage du fleuve. Au pied de la colline, le long de la rue Brunette, ou dans son voisinage immédiat, le gros des familles de la communauté se regroupe autour d'institutions familiaires : églises, écoles et couvents, caisse populaire, etc. Le développement urbain ambiant soumet les abords de la rue Brunette à une vive spéculation foncière, ce qui engendre, selon le schéma classique, la dégradation de l'habitat résidentiel et le remplacement progressif de celui-ci par des affectations commerciales. Par contre, plus on gravit la colline, plus la qualité de l'habitat s'améliore pour prendre, tout au sommet, l'aspect d'une banlieue cossue. Ici, la proportion de familles francophones dans la population totale reste très faible : dans l'ensemble du District de Coquitlam, elle fait entre 8 et 10%; au pied de la colline elle peut dans certaines rues dépasser 75%; mais en haut de la colline elle s'abaisse à moins de 1%. Or, la position occupée par ce 1% des familles francophones dans la structure sociale de Coquitlam et de la région métropolitaine de Vancouver est en général très supérieure à celle des familles francophones vivant plus bas sur la colline. À Maillardville, tout se passe comme si, pour « réussir » socialement, il ne suffit pas d'être venu à l'Ouest, il faut aussi « gravir la colline ».

L'origine de la communauté francophone de Maillardville est récente. Elle remonte au début du XXe siècle, plus précisément aux années 1908-10. À l'époque, les forêts de la Colombie-britannique étaient mises en exploitation sur une grande échelle. Un moulin à scie, dont on affirma qu'il était le plus grand du monde, fut construit à Fraser Mills, tout près de New Westminster, dans le District de Coquitlam. Les propriétaires du moulin employaient une main-d'oeuvre anglo-saxonne, mais aussi des Asiatiques, principalement des Chinois et des Indiens. La très grande docilité et l'ardeur au travail des Orientaux eurent apparemment pour effet de provoquer l'exaspération des travailleurs anglo-saxons. Des conflits raciaux éclatèrent entre les deux groupes. Les propriétaires du moulin eurent alors l'idée « géniale » de résoudre ce problème en faisant appel à une main-d'oeuvre reconnue elle aussi pour sa grande docilité, mais qui présentait en plus l'avantage d'être blanche et celui de ne pas pouvoir être considérée comme « immigrante-usurpatrice » puisqu'elle venait du pays même. Mais venait-elle vraiment du même pays, ou plutôt, en migrant vers l'Ouest, ne se dirigeait-elle pas en terre étrangère, et sa situation ne devenait-elle pas, de fait, celle d'un groupe d'immigrants ?

De toute façon, les propriétaires du « Fraser Mills » agirent avec beaucoup de doigté. Ils dépêchèrent un prêtre irlandais au Québec, dans les Cantons de l'Est et dans l'Outaouais, régions où abondaient les ouvriers qualifiés de moulins à scie et où, en plus, le contact avec les Loyalistes avait « ouvert l'esprit » des francophones au monde anglo-saxon. Près d'une centaine de familles furent recrutées et des wagons affrêtés pour les expédier jusqu'à « Fraser Mills ». Une entente stipulait qu'un emploi serait assuré aux migrants eux-mêmes et à leurs fils au moulin de Fraser Mills. La compagnie aida à construire l'église de la première paroisse, Notre-Dame-de-Lourdes. Un prêtre venu de France, l'abbé Maillard, en fut le premier curé. Il donna son nom au village, qui ne fut jamais une entité politico-administrative, mais demeura un lieu-dit à l'intérieur du District de Coquitlam.

Pendant quelques décennies, la communauté put vivre en vase clos. Il fallait plus d'une heure pour se rendre à Vancouver, et les environs immédiats étaient peu peuplés. Au moulin même, le travail était organisé de telle sorte que les contacts hors-groupe furent pendant longtemps réduits. Hormis le fait que le travail dans un moulin à scie exige rarement des échanges verbaux élaborés, les Canadiens français furent regroupés dans des équipes dirigées par des contremaîtres bilingues choisis parmi eux. Les salaires étaient meilleurs qu'au Québec et le climat combien plus clément. La vie s'écoula donc, paisible, jusqu'à la grande Crise.

Plusieurs changements se produisirent alors. Une seconde paroisse fut mise sur pied, Notre-Dame-de-Fatima, pour accueillir des Canadiens français en provenance de Willow Bunch en Saskatchewan. Ceux-ci, dont plusieurs sont établis en Saskatchewan depuis peu, doivent quitter cette province sous la double pression de la Crise et du « Dust Bowl ». Une chaîne migratoire s'établit alors entre Willow Bunch et Maillardville, comme il s'en était aussi établie une avec les Cantons de l'Est et l'Outaouais après 1908-10. Mais les conditions économiques ne sont guère meilleures en Colombie qu'en Saskatchewan, et l'action syndicale contribue à solidariser les travailleurs francophones et les travailleurs anglophones.

Par la suite, les pressions assimilatrices s'accélèrent. La reprise économique due à la guerre et la suburbanisation des années cinquante ont pour effet de noyer la communauté dans un milieu ambiant anglophone. C'est l'époque des luttes pour le maintien d'écoles séparées catholiques... et françaises. Des luttes doivent être livrées sur deux fronts. D'abord, la communauté se bat sans succès contre la législature provinciale pour que ses membres puissent avoir le choix de payer ou la taxe scolaire destinée aux écoles publiques, ou celle destinée aux écoles séparées. De plus, la hiérarchie catholique du diocèse de Vancouver est anglophone et peu soucieuse de maintenir un clergé et des enseignants francophones dans les deux paroisses. Or, les écoles publiques enseignent le français, au moins comme langue seconde. Dès lors, les parents de Maillardville sont placés devant un choix difficile : faut-il privilégier la langue française ou la religion catholique dans l'éducation de leurs enfants ? Car il apparaît que l'école publique assure une meilleure connaissance de la langue française que l'école séparée, et le coût est moins élevé. Le dilemme est de taille, comme plusieurs autres auxquels les membres de minorités ethniques en milieu étranger font face. Beaucoup de choix existentiels ont en effet une forte incidence sur le rapport de l'individu à son groupe ethnique : le choix d'un conjoint ou d'une conjointe, le choix du lieu de résidence, le choix d'un emploi et d'un lieu de travail. La nécessité de faire ces choix produit chez l'individu une tension plus ou moins déstructurante selon la position de celui-ci par rapport à la culture de son groupe d'origine et celle de la société ambiante. Ou il se situe encore à l'intérieur de sa culture d'origine, ou il est presque complètement assimilé à celle de la société ambiante. Il a dans les deux cas un univers de valeurs relativement stables par rapport auquel il peut prendre des décisions. Ou bien il se situe de façon plus ou moins pérenne au milieu du passage d'une culture à l'autre, est de ce fait marginalisé, et certaines décisions peuvent alors le traumatiser profondément.

Cette approche de psychologie sociale, hautement fonctionnaliste, est celle que j'ai utilisée (Villeneuve, 1971) pour rendre compte des choix de localisation résidentielle des membres de la communauté à l'intérieur du District de Coquitlam, un espace de 25 kilomètres carrés. Le modèle construit alors postulait que les comportements spatiaux des membres de la communauté résultaient de la réponse apportée à la tension créée, d'une part, par le besoin d'intégration à la société ambiante, et d'autre part, par le besoin de retenir l'identité au groupe ethnique et à sa culture. Selon que le premier ou le deuxième besoin s'avérait le plus marqué, l'individu se localisait plutôt loin ou plutôt près du noyau originel du groupe. Il fut alors possible de montrer que des différentiels très petits de distance du centre (moins de 0,5 kilomètre) correspondaient à des différences marquées sur les échelles d'intégration sociale et d'identité culturelle. Il fut également possible de repérer les changements dans la répartition spatiale des membres de la communauté résultant de l'agrégation et de l'accumulation de ces décisions individuelles dans le temps. Il fut même possible d'apprécier l'effet en retour du comportement résidentiel sur l'intégration et l'identité et de suggérer que seule une stratégie de localisation discutée et planifiée au niveau du groupe pouvait contribuer à résoudre « marginalisation » et « traumatismes ». Bien entendu, une telle stratégie ne fut pas appliquée, ni à Maillardville ni ailleurs, et ceci est fort heureux car elle n'aurait probablement pas réussi, étant basée sur une conception partielle et idéologique de la « question ethnique ».

La société ambiante et le groupe ethnique sont tous deux considérés comme des agrégats d'individus placés sur des continuums d'intégration, d'identité et de localisation spatiale le long desquels ils peuvent se déplacer presqu'à loisir. Cette conception est idéologique dans la mesure où elle fait l'hypothèse que la mobilité à l'intérieur des structures est suffisante pour résoudre les conflits, car ceux-ci ne seraient que des problèmes d'adaptation. Elle postule que les structures en présence n'ont pas elles-mêmes à être modifiées, ou du moins pas de façon profonde. Il s'agit là d'une idéologie du *statu quo* propre aux approches fonctionnaliste, structuraliste et systémique. Cette conception reste par ailleurs très partielle car les deux structures en présence, la société ambiante et le groupe ethnique ne sont que très improprement spécifiées. En un mot, les classes sociales sont absentes de l'analyse. Or, il devient de plus en plus évident que la question ethnique ne peut être traitée séparément de celle des classes sociales. À ce sujet, les ouvrages récents de Bourque (1977) et de Monière (1977) montrent amplement qu'une analyse conjointe des rapports ethniques et des rapports de classe jette une toute autre lumière sur des phénomènes dont l'explication était jusqu'ici considérée comme classée. Il n'est peut-être pas inutile de souligner que les questions ethnique, régionale et nationale se recouvrent amplement et que l'étude des rapports sociaux (économique, politique et idéologique) de production aide grandement à fixer les limites de ce recouvrement.

Il s'agira donc maintenant d'esquisser une réinterprétation de nos données sur la communauté de Maillardville à l'aide d'une conception matérialiste dialectique des classes sociales. Cette conception est succinctement présentée ailleurs (Villeneuve, 1978). Elle s'appuie sur les concepts de mode de production et de formation sociale, et pose la lutte des classes et les contradictions plutôt que les processus d'adaptation et de recherche de l'équilibre, comme moteurs du changement social.

Les travaux d'Amin (1970, 1973) suggèrent que la question des minorités ethniques dans les villes nord-américaines et européennes aurait intérêt à être abordée comme un cas spécial de développement inégal. Déjà, Emmanuel appliquait, de façon quelque peu exagérée, sa thèse des différentiels de salaire (comme étant à la source de l'échange inégal) aux minorités ethniques en milieu urbain : « il y a moins d'interpénétration entre les groupements raciaux ou même ethniques, à niveaux de vie originalement différents, qu'entre les classes et les couches sociales... Ces immigrants vivant en vase clos conservent indéfiniment leur type traditionnel de consommation et leur bas niveau de besoins. Ils touchent généralement des salaires correspondants beaucoup plus bas que ceux des Américains anglo-saxons. » (Emmanuel, 1969, p. 159-160)

Cette vision des choses est différente de celle proposée plus haut à partir de l'optique fonctionnaliste. Elle l'est parce qu'elle postule une distinction nette entre le groupe ethnique et la société ambiante. Il y a là deux structures sociales inégalement développées, et le contact entre les deux contribue habituellement à maintenir, et parfois à aggraver, cet inégal développement. Ceci est probablement lié au fait que le groupe ethnique et la société ambiante sont, chacun de leur côté, structurés en classes. Toute la problématique de conservation-dissolution des modes et des stades de production non dominants dans une formation sociale (Poulantzas, 1974, p. 108 et ss.) s'applique aux rapports de classe qui se nouent, d'une part à l'intérieur du groupe ethnique et à l'intérieur de la société ambiante, et d'autre part entre le groupe ethnique et la société ambiante.

Dans le cas de Maillardville, la structure de classe du groupe ethnique canadien-français est initialement la suivante : les travailleurs de l'industrie du bois, prolétarisés dans les moulins à scie du Québec pendant la deuxième moitié du 19ᵉ siècle; les agriculteurs provenant de Willow Bunch, prolétarisés à leur arrivée en Colombie-britannique; la petite bourgeoisie composée de quelques artisans, commerçants, professionnels, et de sa fraction hégémonique, le clergé. Cette petite bourgeoisie a développé au Québec depuis la Rébellion manquée de 1837-38 une idéologie à caractère réactionnaire, ultramontaine au plan religieux, et de collaboration avec la bourgeoisie anglaise sur le plan socio-politique (Monière, 1977, p. 156 à 226). Les travailleurs récemment prolétarisés et urbanisés, n'ont pas, avant la crise, de conscience de classe claire et, de ce fait, sont assez nettement sous l'emprise idéologique de la petite bourgeoisie.

Du côté de la société ambiante, il faut retenir très schématiquement les classes sociales suivantes : une classe ouvrière provenant des Îles britanniques, mais de plus en plus du continent, ces Européens ayant été plus longuement exposés au mode de production capitaliste que les Canadiens français; une bourgeoisie industrielle et marchande qui « développe » la Côte ouest; et une petite bourgeoisie dont les fractions commerciales et cléricales seront celles qui entretiendront des rapports significatifs avec la communauté de Maillardville. Mais pour être plus précis, il faudrait inclure la partie supérieure de la hiérarchie ecclésiastique de Vancouver dans la bourgeoisie. On a vu plus haut l'influence assimilatrice de la hiérarchie, qui en cela, s'oppose, au moins légèrement à la bourgeoisie industrielle. À l'époque, on assiste aux débuts de la monopolisation de l'économie canadienne, et les propriétaires du moulin de Fraser Mills appartiennent à ce monopolisme en formation.

Les rapports qui s'établissent entre la communauté et la société ambiante vont relever d'un certain nombre de contradictions qui rendent compte d'une série de phénomènes, étudiés par la science sociale fonctionnaliste sous le thème des « relations ethniques », et qui vont du rythme d'assimilation linguistique au comportement spatial, en passant par l'intégration culturelle et structurelle traitée par des auteurs comme John Porter (1965).

Par exemple, le rythme migratoire des Canadiens français vers Maillardville, et le rôle de structure d'accueil joué par la communauté auprès des nouveaux arrivants, relèvent d'une contradiction mobilité/immobilité de la force de travail, qui elle-même s'imbrique dans le procès de développement du mode de production capitaliste. Pendant la période de haute conjoncture du début du siècle, l'aspect principal de la contradiction (Badiou, 1976, p. 70) sera la mobilité voulue par le capital qui développe l'Ouest. Mais toujours l'immobilité imposée par la barrière linguistique permet de maintenir à disposition un marché captif de main-d'oeuvre. Cette contradiction a dominé l'histoire du Québec depuis deux cents ans et celle de Maillardville depuis sa fondation. En période de basse conjoncture généralisée les travailleurs doivent organiser leur mobilité : le retour à la terre au Québec, le passage de Willow Bunch à Maillardville dans l'Ouest, pendant la Crise.

La petite bourgeoisie collaboratrice joue un rôle important dans la gérance de cette contradiction : d'une part, elle travaille avec acharnement au maintien de la langue et de la foi dans le peuple et accroît ainsi l'immobilité relative de celui-ci, soit à l'échelle de tout le

Québec, soit dans les petits villages français de l'Ouest, comme Maillardville, qui en plus, accusent généralement un retard idéologique de quelques décennies par rapport aux idéologies dominantes au Québec ou au Canada; d'autre part, elle inculque le « respect de l'autorité » (Monière, 1977, p. 210), trait qui suit le travailleur au cours de ses migrations, et qui accroît également sa « plasticité » sur le lieu même de la production. Ainsi, plus ou moins consciemment, elle collabore puissamment à l'exploitation de l'ouvrier de Maillardville par le capital industriel de Vancouver.

Jusqu'à la Crise, les gens de Maillardville étant encore fortement sous l'emprise de leur petite bourgeoisie et la vie gravitant surtout autour du moulin à scie, le maintien de l'identité culturelle reste l'aspect principal de la contradiction intégration/identité. La mécanisation du moulin et la tertiarisation de l'économie de Vancouver, deux aspects locaux des mesures générales mises de l'avant pour résoudre la crise des années trente, vont provoquer une diversification importante de la structure de l'emploi dans la communauté. Une proportion grandissante des gens de Maillardville entrera en contact avec la petite bourgeoisie commerçante anglophone (de New Westminster surtout), et trouvera des emplois dans le commerce et les bureaux. Ces emplois exigent des contacts soutenus, en anglais, avec la société ambiante. Ils sont occupés par les jeunes, la troisième génération d'hommes qui n'a pas d'emploi assuré au moulin, et les femmes. Le processus s'accélère pendant les années cinquante et soixante, de telle sorte que l'intégration devient l'aspect principal de la contradiction intégration/identité. Mais il y a résistance à l'intégration puisqu'il s'agit bien d'un processus contradictoire. Certains éléments de la petite bourgeoisie francophone de Maillardville luttent avec acharnement contre l'assimilation. Ils profitent en cela d'un mouvement pan-canadien qui culmine lors des tentatives de mise en oeuvre des recommandations de la Commission d'Enquête sur le Bilinguisme et le Biculturalisme. Les motivations de cette fraction « activiste pour la cause française » sont de deux ordres. Il y a, bien sûr, un désir profond de préserver les valeurs culturelles du groupe, valeurs souvent opposées aux valeurs sociétales dominantes. Ce type de motivation est facilement détectable dans le discours de cette fraction de la petite bourgeoisie francophone. Une autre source de motivation, moins apparente, résulte du fait que le groupe ethnique, à cause de son caractère distinct, constitue une base de pouvoir économique et politique pour cette petite bourgeoisie. Pendant ce temps, il faut bien constater que les ouvriers et les employés de Maillardville doivent eux, s'assimiler pour survivre. C'est donc en anglais qu'ils prennent graduellement conscience de leur double condition d'exploités économiques et de dominés culturels.

NOTE

[1] Ce court texte est un essai de réinterprétation du matériel empirique contenu dans un travail qui date déjà de quelques années : VILLENEUVE, P.Y. (1971) *The Spatial Adjustment of Ethnic Minorities in the Urban Environment*, Seattle, université de Washington, département de Géographie, thèse de doctorat non publiée.

BIBLIOGRAPHIE

AMIN, S. (1970) *L'accumulation à l'échelle mondiale.* Paris et Sfan Dakar, Anthropos, 2 volumes, 502 et 446 pages.
AMIN, S. (1973) *Le développement inégal.* Paris, Ed. de Minuit, 365 pages.
BADIOU, A. (1976) *Théorie de la contradiction.* Paris, Maspéro, 114 pages.
BOURQUE, G. (1977) *L'État capitaliste et la question nationale.* Montréal, Les Presses de l'université de Montréal, 384 pages.

EMMANUEL, A. (1969) *L'échange inégal.* Paris, Maspéro, 422 pages.

MONIÈRE, D. (1977) *Le développement des idéologies au Québec.* Montréal, Ed. Québec/Amérique, 381 pages.

MORISSONNEAU, C. (1978) *La terre promise : le mythe du Nord québécois.* Montréal, Hurtubise HMH, 212 pages.

PORTER, J. (1965) *The Vertical Mosaic: An Analysis of Social Class and Power in Canada.* Toronto, Les Presses de l'université de Toronto.

POULANTZAS, N. (1974) *Les classes sociales dans le capitalisme aujourd'hui.* Paris, Ed. du Seuil, 347 pages.

VILLENEUVE, P.-Y. (1971) *The Spatial Adjustment of Ethnic Minorities in the Urban Environment.* Seattle, université de Washington, département de Géographie, thèse de doctorat non publiée, 210 pages.

VILLENEUVE, P.-Y. (1978) Classes sociales, régions et accumulation du capital, *Cahiers de géographie du Québec*, Vol. 22, n° 56, 159-172.

IX

Les migrations acadiennes

Robert A. LEBLANC

Par la création d'enclaves ou d'exclaves de groupes minoritaires, la diversité cultu-relle et la mobilité des frontières nationales ont souvent été à l'origine de l'instabilité politi-que des États. Le déplacement forcé de populations au-delà de leurs frontières nationales est un moyen de résoudre une pareille situation. Les mesures prises en Europe centrale (Shatter Belt) au lendemain de la Deuxième Guerre Mondiale, pour éliminer le problème des minorités en sont un exemple récent et bien connu. L'histoire coloniale de l'Amérique du Nord nous fournit des exemples similaires. Ainsi, au cours de la période où Français et Anglais se disputaient le contrôle de l'Amérique du Nord, une nouvelle ligne frontalière fut tracée sur la carte politique de ce continent. Les Acadiens, d'ascendance française et catholique, et antérieurement rattachés à l'empire colonial français, se retrouvèrent sou-dainement liés à l'empire anglais. Ce nouveau statut des Acadiens généra une telle insta-bilité politique, qu'à la veille de la lutte finale entre Britanniques et Français, l'on décida de leur déportation. Au cours des années qui suivirent cette expulsion, les Acadiens tentèrent un retour à leur terre natale, ou cherchèrent une nouvelle patrie. Leurs efforts furent rare-ment récompensés. Ce n'est que vers les années 1800 qu'ils parvinrent à une certaine stabilité d'occupation. Cette étude s'intéresse précisément aux migrations acadiennes, à leurs foyers éphémères, puis permanents d'occupation.

LA SITUATION EN ACADIE

Des colons français s'établissent en Acadie au tout début du 17e siècle[1]. Leur im-plantation, le long du littoral de la baie Française (baie de Fundy), est importante dans la compréhension de la trame historique qui se prépare (figure 1). L'éloignement de cette petite communauté française par rapport à celle plus importante de la vallée du Saint-Laurent allait contraindre l'Acadie à « vivre son isolement ». Bien que d'origine commune, un clivage culturel se dessina forcément entre les deux communautés. Les liens avec la France étaient aussi réduits à leur plus simple expression, et aucun apport migratoire français ne viendra grossir les rangs de la colonie après 1672[2].

La proximité de la Nouvelle-Angleterre exerça par ailleurs une influence prépon-dérante. Forts d'une situation géographique d'intérêt, Français et Anglais en tirèrent profit : la baie du Maine permettait un accès aisé et rapide. Une activité économique commune, la pêche, les rapprocha et les divisa successivement. Les dissensions intermittentes et sans gravité du début firent place à des luttes plus chaudes et à des récidives fréquentes : la forteresse française de Louisbourg fut à plus d'une reprise la cible d'assauts. Et les pillages itératifs perpétrés à Port-Royal, première agglomération de l'Acadie au 17e siè-cle, creusèrent davantage le fossé entre les deux communautés[3]. L'année 1713 marque la signature du traité d'Utrecht; l'Acadie passe aux mains des Anglais, et les Acadiens de-viennent ainsi les sujets de la Couronne britannique.

Cette paix signifie une ère de prospérité pour la communauté acadienne : ses effectifs passèrent de 2 000 en 1710 à 8 000 en 1739[4]. De nouvelles agglomérations virent le jour dans la partie septentrionale de la baie Française. Cette croissance démographique était de nature à troubler la quiétude du conquérant. Cette crainte était d'autant plus justifiée qu'une reprise des hostilités avec la France semblait imminente, et que les Acadiens refu-saient de prêter le serment d'allégeance au souverain britannique. La complexité d'évé-nements subséquents, dont nous exempterons le lecteur, rendirent inévitable leur dépor-tation[5]. L'on sait que le gouverneur Lawrence aurait, de son propre chef, sans l'approba-tion du gouvernement britannique, décidé de cette déportation. Le démembrement de la communauté acadienne se fit à la fin de l'été et au cours de l'automne 1755.

Figure 1

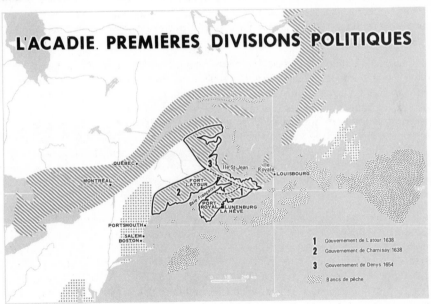

En 1755, la colonie acadienne comptait 16 000 membres, dont près de 50% étaient sous juridiction britannique[6]. En conformité avec le traité d'Utrecht de 1713, la France détenait toujours dans ce secteur certains territoires : l'île Royale (Cap-Breton), l'île Saint-Jean (Île-du-Prince-Édouard) et la province actuelle du Nouveau-Brunswick. Ces possessions françaises ne furent pas originellement des pôles d'attraction de la population acadienne, mais elles le deviendront durant la période 1749 à 1754, pour ceux qui fuient par anticipation la colonie principale[7]. On évalue à 1 000 le nombre de fugitifs s'étant installés dans ces territoires toujours français (figures 2 et 3). Le bilan des déportés se ramènent dès lors à 7 000.

Figure 2

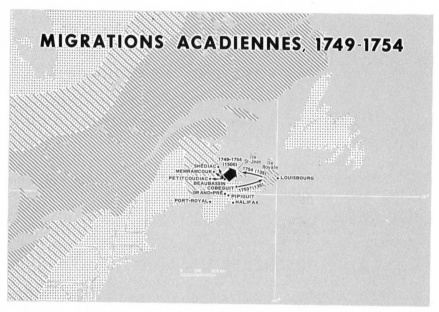

Figure 3

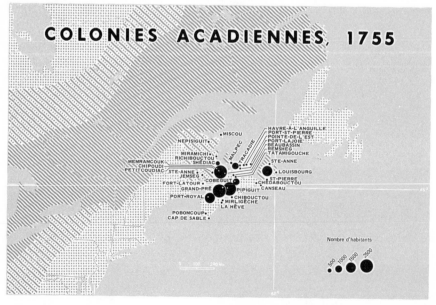

MIGRATIONS   ACADIENNES

NOMBRE DE MIGRANTS

CONTEXTE GÉOPOLITIQUE

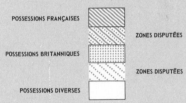

QUÉBEC ● 1755-1758 (1500)

ÎLE ST-JEAN

ÎLE ROYALE

MAINE

N.

NEW YORK

MASS.

CONN. R.I. (700)

PENNSYLVANIA N.J. (250)

(500)

DEL. (1000)

VIRGINIA (1100)

NORTH CAROLINA (500)

SOUTH CAROLINA (500)

GEORGIA

1757 (400) 1756

1756

NOUVELLE-ORLÉANS

MIGRATIONS ACADIENNES
1755-1757

ANGLETERRE

(1100)

LES MIGRATIONS 1755-1757

En premier lieu, c'est le dépeuplement de la péninsule acadienne. Les colonies américaines, qui se partagèrent ces nouveaux arrivants, ne leur réservèrent pas un accueil des
plus chaleureux. La colonie de la Virginie, à même les fonds publics, remit sur des bateaux
en partance vers l'Angleterre les 1 100 exilés dont on l'avait gratifiée[8]. Par ailleurs, la Caro-
line du Sud et la Georgie se montrèrent très empressées à encourager (et même à aider)
ceux qui voulaient bien retourner par la mer en Acadie. Quelques exilés revinrent, par voie
de terre, jusqu'à la rivière Saint-Jean (Nouveau-Brunswick). La plupart des exilés furent
éparpillés, dans de nombreuses agglomérations, à travers les diverses colonies américaines.

Durant cette période, près de 2 000 Acadiens trouvèrent refuge à l'île Saint-Jean. Un
second contingent de 1 500 adoptèrent la proximité de la ville de Québec, et se fixèrent
dans les seigneuries en bordure du Saint-Laurent. À l'exception de ce dernier groupe, les
Acadiens trouvèrent rarement refuge dans des lieux d'implantation permanents. La crainte
et la méfiance des colons anglais se conciliaient d'ailleurs fort bien avec le rêve de l'exilé
de retour à son pays natal. Le hâvre de paix de l'île Saint-Jean ne sera lui aussi que
provisoire.

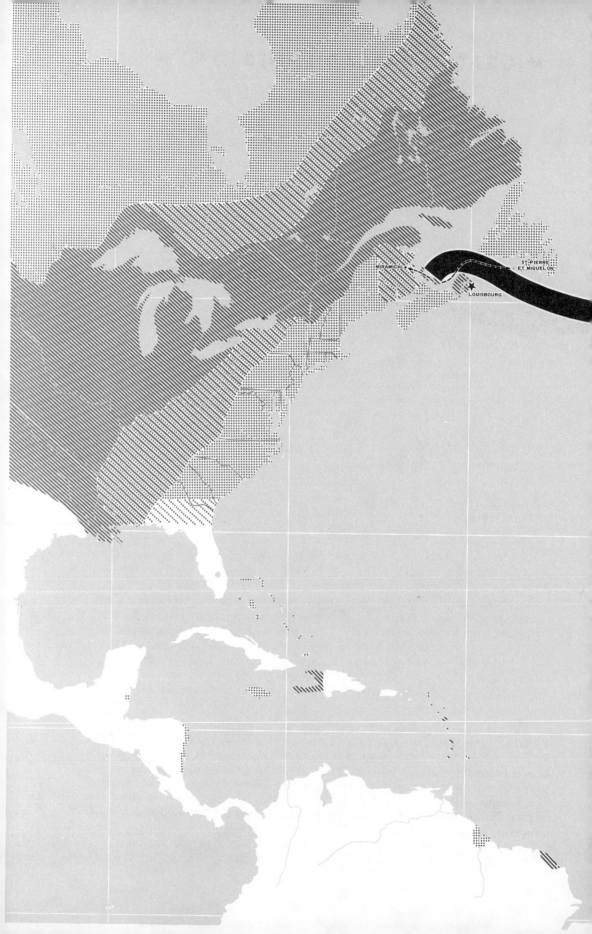

MIGRATIONS ACADIENNES
1758

(3500)

(2800)

FRANCE

LES MIGRATIONS DE 1758-1762

    Les grands mouvements migratoires de 1758 à 1762 sont illustrés dans les trois figures couvrant cette période. Ce sont plus particulièrement en Acadie et au Canada français que ces mouvements se sont dessinés. Toujours est-il que la situation conflictuelle entre la France et l'Angleterre pour la maîtrise de l'Amérique du Nord avait atteint un point culminant. Beaucoup d'espoirs s'évanouirent pour les 5 000 Acadiens de l'île Saint-Jean et de l'île Royale lorsque, en juillet 1758, la forteresse de Louisbourg tomba aux mains des Anglais. En conséquence, l'Angleterre déporta vers la France 3 500 Acadiens, dont 700 périrent en mer lors de la traversée.

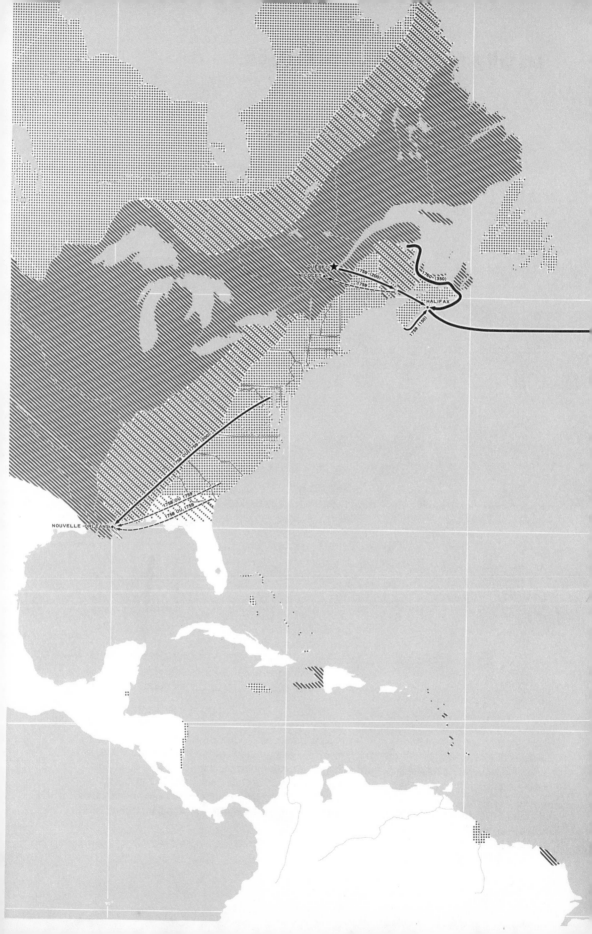

QUÉBEC
NICOLET

1759 (200)
1759

1760 (350)

HALIFAX

1759 (150)

1758 OU 1759
1758 OU 1759 (200)
1758 OU 1759
1758 OU 1759

NOUVELLE-ORLÉANS

MIGRATIONS ACADIENNES
1759-1760

FRANCE

1760 (300)

La reddition de la force militaire française à Québec, en septembre 1759, attisa chez certains Acadiens de cette ville, l'espoir d'un retour en terre natale. À cet effet, il devenait obligatoire de prêter serment d'allégeance au souverain britannique avant de soumettre une demande de rapatriement. Plus de 200 le firent et furent rapatriés selon leur bon souhait. Mais paradoxalement un accueil peu chaleureux leur était réservé : le gouverneur Lawrence leur ouvrit toutes grandes les portes des geôles. La plupart de ces Acadiens, ainsi que ceux capturés au cours d'escarmouches à cap au Sable et à la baie des Chaleurs, furent expédiés en France en 1760.

À cette même période, de nombreux Acadiens-réfugiés, résidents dans la vallée de la rivière Saint-Jean, décidèrent de venir s'établir dans la région de Trois-Rivières, au Québec. En 1767, des foyers d'établissements acadiens en Nouvelle-Angleterre partagèrent cette idée de l'occupation des terres de la région trifluvienne. Par contre, une autre destination, plus au sud, gagna à la même époque en popularité : la Louisiane. Elle exerça un pouvoir d'attraction très fort au niveau des Acadiens résidents dans les colonies du sud des États-Unis.

L'attitude agressive du gouverneur Lawrence à l'endroit des Acadiens n'était pas sans fondement. Il gardait effectivement l'espoir de repeupler l'Acadie, mais avec des effectifs de la Nouvelle-Angleterre. Il était fermement décidé à contenir les Acadiens à l'extérieur de leur territoire jusqu'au jour où son projet prendrait forme. Incidemment, la déportation acadienne de janvier 1760 se fit au moment où se concrétisait son rêve. Un contingent de 650 familles en provenance de Boston et du Rhode Island débarquaient, en juin 1760, sur les côtes acadiennes[9]. Trois ans plus tard, 12 500 résidents anglophones s'étaient confortablement installés en Acadie.

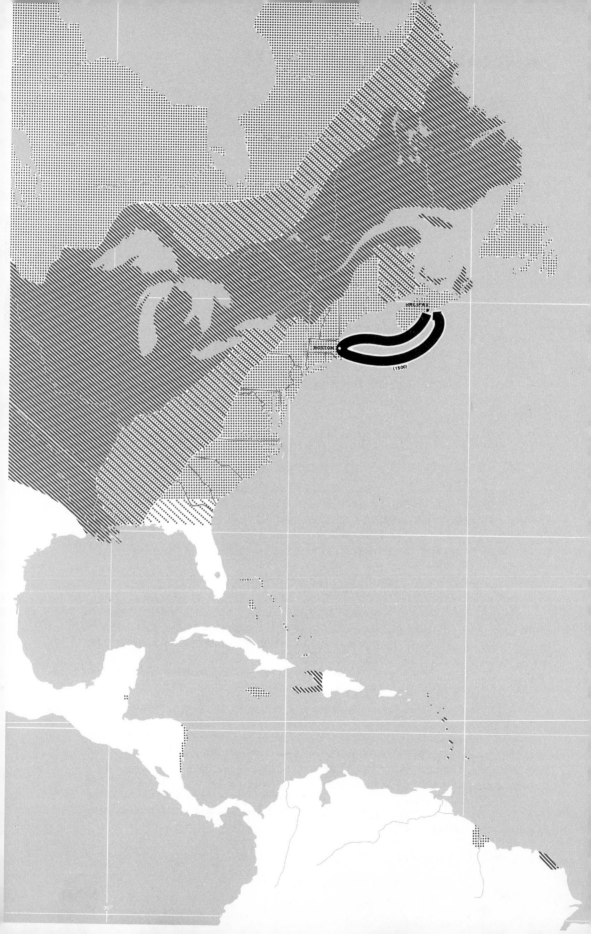

HALIFAX

BOSTON

(1500)

MIGRATIONS ACADIENNES
1762

L'occupation de son territoire par des étrangers ne mit pas une entrave au désir de l'Acadien d'y retourner. Le nombre croissant de ceux qui revenaient ne manqua pas d'éveiller l'inquiétude des officiels britanniques. Le successeur de Lawrence, le lieutenant-gouverneur Belcher, demanda donc à Londres la permission d'expulser ces Acadiens récalcitrants :

"there are many of the Acadians in this Province who, although they have surrendered themselves, are yet ever ready and watchful for an opportunity... to disturb and distress the new settlements lately made and those now forming; and I am perfectly well convinced from the whole course of their behaviour and disposition, that they cannot with any safety to this Province become again the inhabitants of it".[10]

La décision alla définitivement dans le sens de la ligne dure. À Halifax, en août 1762, 1 500 furent embarqués sur cinq navires à destination de Boston. Mais le gouvernement du Massachusetts, fort d'une nouvelle législation, s'opposait désormais à toute forme de « dumping » de population. On revint au point initial.

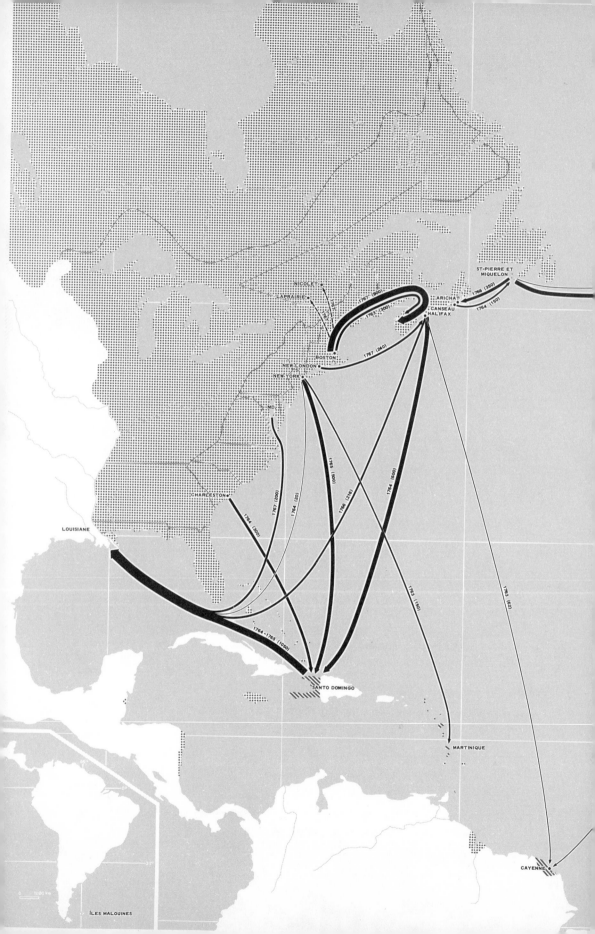

ST-PIERRE ET
MIQUELON

NICOLET
LAPRAIRIE
1767 (900)
1763 (300)
ARICHAT
CANSEAU
HALIFAX
1766 (350)
1764 (150)

BOSTON
1767 (240)
NEW-LONDON
NEW-YORK
MD.

1765 (900)
1764 (20)
1766 (216)
1764 (600)

CHARLESTON
1767 (200)
1764 (900)

LOUISIANE

1763 (150)
1763 (62)

1764 - 1765 (1050)

SANTO DOMINGO

MARTINIQUE

CAYENNE

0   1000 km

ÎLES MALOUINES

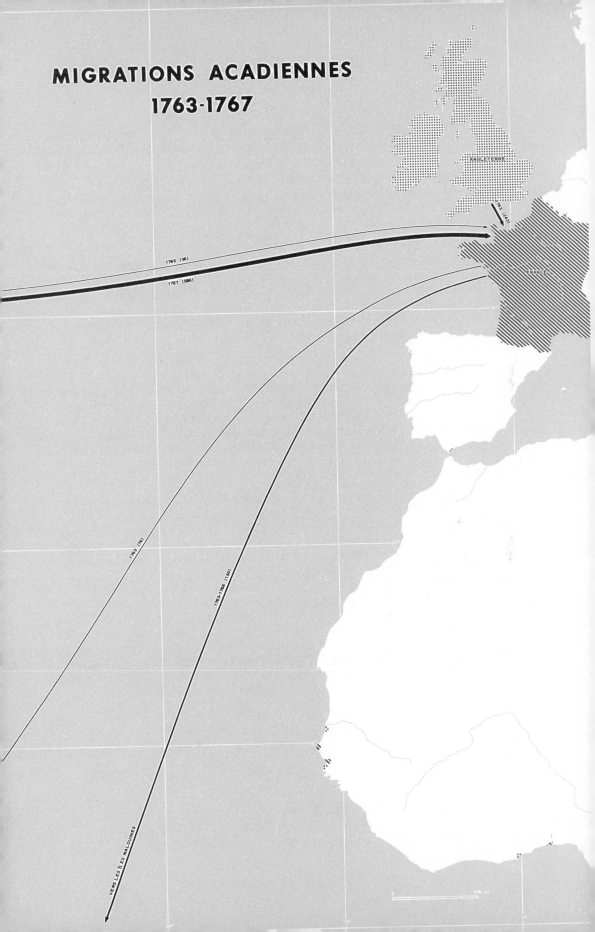

MIGRATIONS ACADIENNES
1763-1767

ANGLETERRE

FRANCE

1763 (243)

1765 (36)

1767 (586)

1763 (76)

1763-1766 (150)

VERS LES ÎLES MALOUINES

LES MIGRATIONS DE 1763-1767

Le tableau 1 nous montre la répartition des Acadiens en 1763. L'information quantitative est puisée à différentes sources. L'auteur, lorsque nécessaire, s'est permis une évaluation approximative.

La plupart de ces Acadiens, à l'exception de ceux établis au Québec et en Louisiane, furent contraints de se déplacer à nouveau. On peut identifier ces mouvements à la figure précédente. Quantitativement, les migrations de cette période occupent la deuxième place par rapport à l'expulsion de 1755. Mais l'envergure spatiale du déplacement lui est supérieure.

Les mouvements migratoires acadiens durant cette période se subdivisent en trois grandes catégories. En premier lieu, on remarque un exode continu des effectifs depuis les terres de la Nouvelle-Écosse. Mais paradoxalement, au moment même où le robinet d'exilés coulait généreusement, les rentrées d'Acadiens, en provenance des colonies américaines, étaient également remarquées sur ce même territoire. Enfin, les Caraïbes devinrent progressivement un pôle d'attraction pour les exilés acadiens.

La majorité des 3 600 exilés vivant encore dans les colonies américaines, mirent le cap vers de nouveaux horizons durant cette période. Les responsables locaux tentèrent plus d'une fois de les disperser dans de nombreuses localités, mais en vain, puisque la majorité de ces Acadiens continuèrent à affluer dans les villes portuaires comme Boston, New York, New London et Charleston. De Boston, un grand nombre s'embarquèrent vers l'Acadie ou la vallée du Saint-Laurent. D'autre part, ceux concentrés dans les colonies du centre et du sud se déplaçaient vers la région des Caraïbes, certains s'arrêtèrent en Louisiane, tandis que d'autres parvinrent à cette même colonie après un séjour à l'île Saint-Domingue.

Le traité de Paris, de 1763, mit un terme aux hostilités entre l'Angleterre et la France, en Amérique du Nord. La fin de la guerre ne signifiait pas pour autant la fin des problèmes pour les Acadiens de la Nouvelle-Écosse et des autres colonies. Le lieutenant-gouverneur Wilmot voyait toujours les Acadiens comme une sorte de menace à l'État. Il déposa une requête auprès de ses supérieurs dans l'intention expresse de les exiler aux Antilles. Sa demande fut rejetée. Et les *Lords of Trade* insistèrent plutôt sur l'idée de leur attribuer des terres à leur convenance. Bien sûr les seules terres susceptibles de convenir étaient celles de leur contrée d'origine, la baie de Fundy, où d'ores et déjà des milliers de familles originaires de la Nouvelle-Angleterre s'étaient fixées. Déçus de la piètre qualité des sols dont ils héritaient, et brimés par les contingentements quantitatifs locaux auxquels on les soumettait, bon nombre se dirigèrent vers de nouvelles destinations, comme les Antilles, la Louisiane et Saint-Pierre et Miquelon demeurée sous protectorat français. Cependant, 900 exilés de la Nouvelle-Angleterre regagnèrent les territoires acadiens, et s'établirent sur le littoral de la baie Sainte-Marie, au sud de l'ancien Port-Royal.

Tableau 1

Localisation des Acadiens en 1763

Lieu	Nombre
Massachusetts	1 043
Connecticut	666
New York	249
Maryland	810
Pennsylvanie	383
Caroline du Sud	280
Georgie	185
Nouvelle-Écosse	1 249
Rivière Saint-Jean	86
Louisiane	300
Angleterre	866
France	3 500
Québec	2 000
Île du Prince-Édouard	300
Baie des Chaleurs	700
Total	12 618

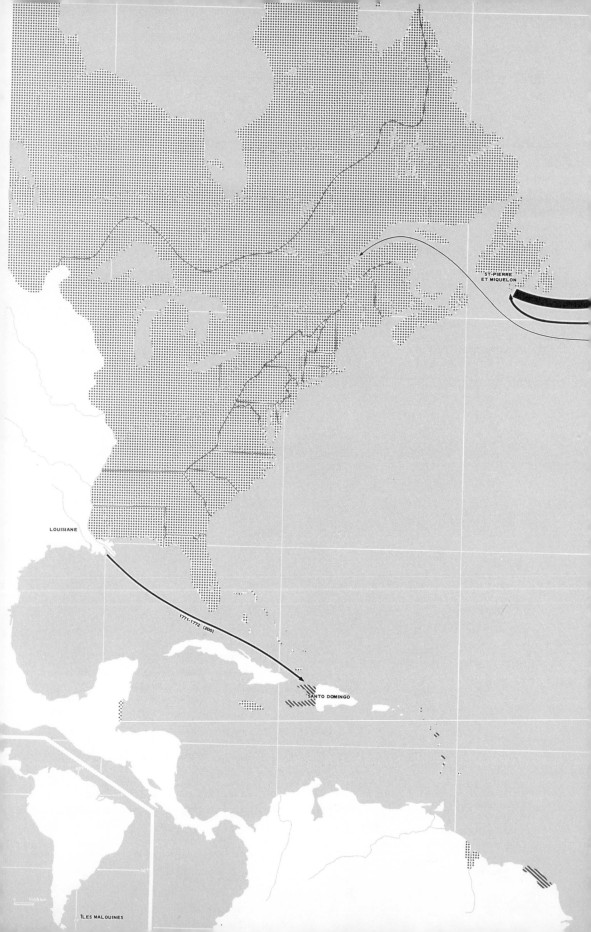

ST-PIERRE
ET MIQUELON

LOUISIANE

1771-1772 (200)

SANTO DOMINGO

ÎLES MALOUINES

MIGRATIONS ACADIENNES
1768-1778

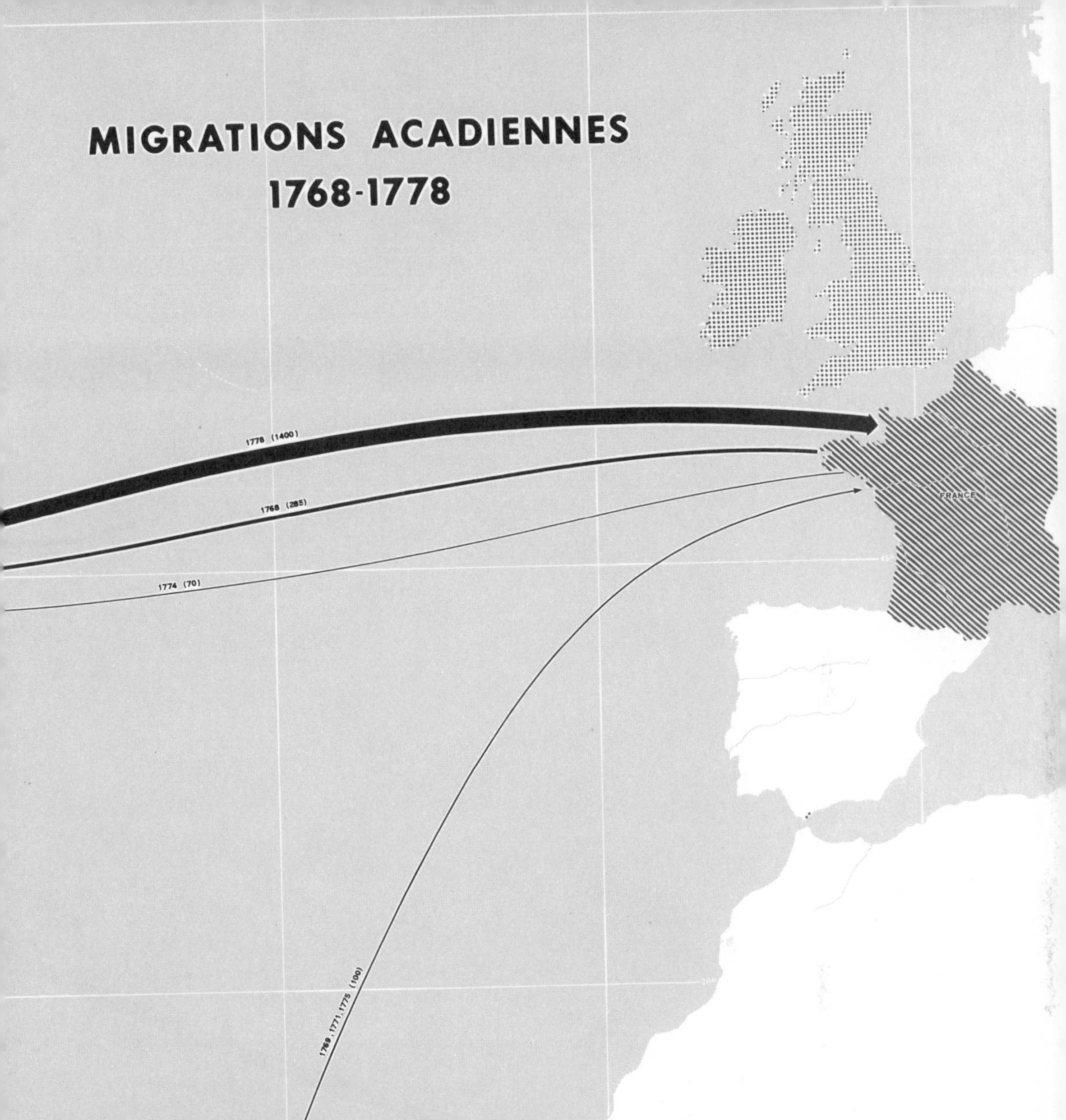

1778 (1400)

1768 (285)

1774 (70)

FRANCE

1769 · 1771 · 1775 (190)

DEPUIS LES ÎLES SAINT-PIERRE

LES MIGRATIONS DE 1768-1785

En 1768, il n'existait plus que deux zones principales d'instabilité du peuplement acadien. Vers 1767, les terres de Saint-Pierre et Miquelon étaient déjà si fortement occupées
par des réfugiés, que plusieurs furent invités à partir pour la France. Peu de temps après
leur arrivée dans les ports français, plusieurs exprimèrent le désir de revenir à leurs îles du
golfe Saint-Laurent. Près de 285 revinrent effectivement en 1768. Vers 1775, l'ampleur de
la population (1 500 habitants) était à nouveau devenue telle que les ressources de ces
îles ne suffisaient plus, et que le gouvernement devait subvenir aux besoins de bon nombre d'entre eux. Cependant, un nouveau tournant politique allait permettre de régler temporairement ce problème.

La sympathie de la France à l'endroit de la cause indépendantiste américaine s'ex-
prima d'une façon tangible par un ravitaillement militaire dès 1778. En guise de représail-
les, l'Angleterre dépêcha une expédition vers ces îles situées à un endroit stratégique, et
déporta vers la France 1 400 Acadiens.

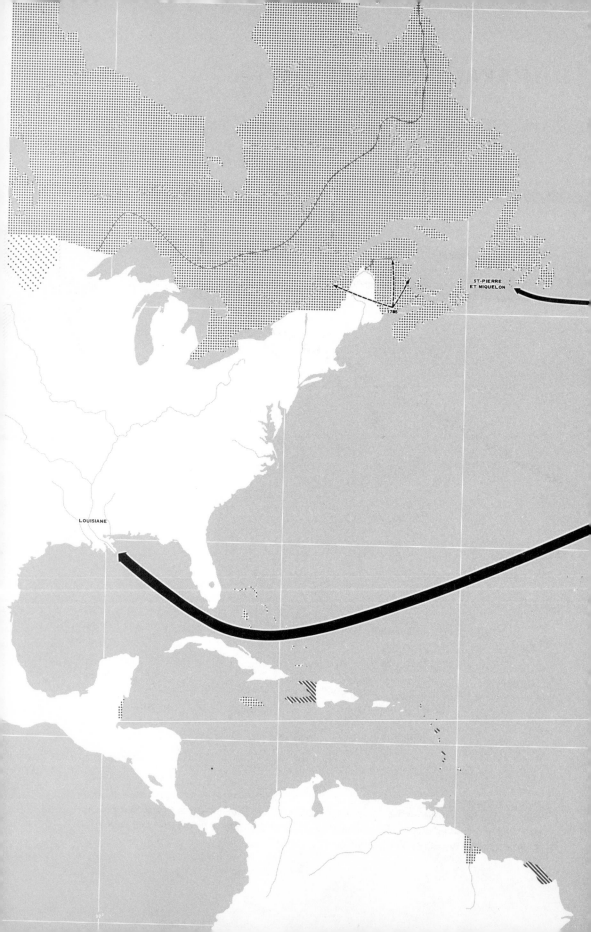

ST-PIERRE
ET MIQUELON

1785

LOUISIANE

MIGRATIONS ACADIENNES
1779-1785

1783-1784 (600)

1785 (1624)

FRANCE

Le traité de Versailles, signé en 1783, redonna Saint-Pierre et Miquelon à la France, et 600 Acadiens y rentrèrent presque aussitôt[11].

De façon surprenante, les exilés n'élirent pas domicile permanent en France. Les Acadiens arrivés de l'île Saint-Jean en 1758, constituèrent le noyau d'un groupe d'exilés qui demeura en France près de trente ans. En 1763, les Acadiens d'Angleterre (il n'en restait plus que 866 sur les 1 100 expulsés de la Virginie), de même qu'un certain nombre d'autres en provenance de Saint-Pierre et Miquelon, furent amenés en France. Les tentatives nombreuses d'établissement de ces populations en France, en Corse, aux îles Malouines et en Guyane française se soldèrent toutes par un échec. Durant la majeure partie de cette période, c'est le gouvernement français qui survint aux besoins de ces exilés. Le dénuement de ces Acadiens, le désir du gouvernement français de se délester d'un fardeau économique considérable, la volonté du gouvernement espagnol d'affirmer, par une colonisation active, ses prétentions sur la Louisiane, conduisirent à la dernière des grandes migrations acadiennes. En 1785, plus de 1 600 Acadiens furent acheminés vers la Louisiane par les Espagnols[12].

CARLETON
MARIA
CASCAPÉDIA
CAPLAN
BONAVENTURE
RESTIGOUCHE   PASPÉBIAC
MATAPÉDIA   MISCOU
BATHURST   SHIPPIGAN
MADAWASKA   CARAQUET   HAVRE-AUBERT
TRACADIE   TIGNISH
ST-LOUIS   MONT-CARMEL
BÉCANCOUR   ST-MICHEL   RICHIBOUCTOU-   MISGOUCHE   CHETICAMP
QUÉBEC   BEAUMONT   BOUCTOUCHE   MALPEC   GRAND-ÉTANG
NICOLET   MÉGANTIC   COCAGNE   MARGARÉE HARBOUR
ST-JACQUES   SHÉDIAC
L'ASSOMPTION   MEMRAMCOUK   L'ARDOISE
LAPRAIRIE   ST-GRÉGOIRE   BLOOMFIELD   ARICHAT
ST-PHILIPPE   L'ACADIE   FRENCH VILLAGE   TRACADIE
CHAZY   ST-JEAN   HAVRE-BOUCHER

POINTE-DE-L'ÉGLISE
SAULNIERVILLE
METEGHAN
STE-ANNE-DU-RUISSEAU
WEDGEPORT
ÎLE SURETTE
PUBNICO OUEST

MASSACHUSETTS

CONNECTICUT

PENNSYLVANIA

BALTIMORE •

SOUTH CAROLINA

GEORGIA

(CÔTE DES OPELOUSAS)   (CÔTE DES ACADIENS)
OPELOUSSAS   BATON ROUGE
PONT BREAUX   PLAQUEMINES
LAFAYETTE   ST. GABRIEL
BROUSSARD   DONALDSONVILLE
ST. MARTINVILLE   CABAHANOCE
NEW IBERIA   LAFOURCHE
ABBEVILLE   THIBODEAUX
(CÔTE DES ATTAKAPAS)

SANTO DOMINGO

MARTINIQUE

CAYENNE

ÎLES MALOUINES

COLONIES ACADIENNES
1800

CHERBOURG

ST-MALO

NANTES

BELLE-ILE-EN-MER

CORSE

LE MODÈLE DÉFINITIF D'ÉTABLISSEMENT

À la fin du 18ᵉ siècle, la localisation géographique des Acadiens était à peu près définitive. Mis à part quelques déplacements de faible envergure, les 50 années de migrations continues prenaient fin. Grâce au recensement religieux de 1803, les effectifs de la population acadienne des Maritimes peuvent être évalués avec exactitude; on ne peut faire que des estimations très approximatives sur les autres foyers de peuplement[13]. Le tableau 2 nous offre, pour l'année 1800, un bilan approximatif régionalisé de la population acadienne.

Tableau 2

Population acadienne en 1800

	Nombre	%
Maritimes	8 400	35,9
Québec	8 000	34,2
Louisiane	4 000	17,1
États-Unis	1 000	4,3
France	1 000	4,3
Indéterminée	1 000	4,3
	23 400	100,1

À la lecture du tableau, il apparaît que plus de 80% des Acadiens sont regroupés dans deux grandes zones : l'est du Canada et la Louisiane. On en retrouve 3 000 autres dispersés à travers les États-Unis, les villes portuaires françaises et les Caraïbes.

La figure précédente illustre les principaux foyers de peuplement de l'est du Canada en 1800. Dans le voisinage des trois grands centres de la vallée du Saint-Laurent, Québec, Trois-Rivières et Montréal, les Acadiens se mêlent étroitement à la population canadienne-française. Les établissements le long de la baie des Chaleurs, dans l'est du Nouveau-Brunswick et en Nouvelle-Écosse sont plus nettement acadiens[14]. Il demeure néanmoins surprenant de constater leur absence dans leur ancienne patrie de peuplement, le long de la baie Française.

L'une des aires les plus distinctives du peuplement acadien est certes celle de la Louisiane. Les principaux sites d'occupation dans cette dernière région sont les Attakapas (région de Saint-Martinville), les Opelousas, au sud de Baton Rouge près du Mississippi, et le long du bayou Lafourche. L'isolation physique de ces communautés leur a permis de conserver leur identité culturelle[15].

CONCLUSION

En 1800, pour la première fois depuis la signature du traité d'Utrecht en 1713, les Acadiens se concentraient dans des aires où il leur était permis de se vouer librement à leur mode de vie traditionnelle fondé sur l'agriculture, à l'abri des inconstances des politiques internationales dont ils avaient été si souvent les innocentes victimes. La position inconfortable qu'ils occupèrent tout au long de la première moitié du 18ᵉ siècle — en tant que minorité francophone en territoire anglophone, tandis que l'Angleterre et la France se disputaient la suprématie dans le nouveau monde — doit être retenue comme le principal facteur dans l'interprétation de leurs migrations. L'accueil inhospitalier qu'ils reçurent dans les colonies américaines et leur profond désir de revenir un jour en Acadie rendaient impossible, dès les débuts, leur fixation définitive sur les côtes atlantiques. La France, forte des liens culturels existants entre Français et Acadiens, aurait pu devenir un foyer d'accueil permanent pour les exilés. Mais le traitement que ces derniers y reçurent n'était guère supérieur à celui infligé dans les colonies américaines.

Par ailleurs, les nouveaux établissements acadiens en terre d'Amérique leur offraient une stabilité qui leur faisait défaut dans les colonies américaines et en France. Dans la région maritime du Canada, ils occupèrent des terres n'ayant jamais été mises en valeur précédemment. Dans la vallée du Saint-Laurent, les terres qu'on leur octroyait ou que l'on mettait à leur disposition, permirent une intégration rapide au groupe francophone québécois. Certains pourraient prétendre que tous ces Acadiens étaient plus ou moins des squatters en territoire anglais. Mais il faut se rappeler qu'à ce moment les luttes anglo-françaises pour l'hégémonie nord-américaine étaient terminées, et que les colons français ne présentaient plus guère une menace réelle ou imaginaire. Les Acadiens de la Louisiane furent bien accueillis par les Créoles, et ils trouvèrent là la paix et la sécurité qui leur avaient fait si souvent défaut.

ÉPILOGUE

Cette étude s'arrête à l'année 1800. Ce choix se fonde sur le fait que ce n'est qu'à la fin du 18e siècle que la carte du peuplement acadien fait preuve d'une certaine stabilité. La période d'un demi siècle de migrations prenait fin. Cependant, la stabilité d'occupation des Acadiens n'était d'aucune manière permanente. La carte actuelle du peuplement acadien révélerait sans doute une dispersion accrue à l'échelle du continent. Les motifs étant différents, les nouvelles migrations qui survinrent après les années 1800 ne ressemblaient pas aux précédentes. Il n'était plus question de les déplacer à l'encontre de leurs désirs. À l'instar des grands mouvements de population européens qui façonnèrent l'Amérique du Nord aux 19e et 20e siècles, la recherche d'un mieux-être économique dictait essentiellement les nouvelles migrations acadiennes.

La population acadienne de l'est du Canada constituait la source de ces nouvelles migrations. De 1850 à 1900, les Acadiens des îles de la Madeleine occupèrent les terres de la rive nord du Saint-Laurent, à l'est de Sept-Îles, et également celles de l'île d'Anticosti, du Labrador et de Terre-Neuve. Mais la plus importante de ces migrations est celle qui, à partir des années 1860, conduisit massivement les Acadiens des terres du Saint-Laurent vers les centres industriels de la Nouvelle-Angleterre. Il demeure par conséquent inexact d'attribuer aux seuls Canadiens français l'exclusivité de cet exode. La raison vraisemblable de ceci est que les Acadiens s'apparentent de si près à la culture des autres habitants de la vallée du Saint-Laurent, qu'on n'a pas cru bon — en admettant même que les chercheurs soient au courant des distinctions entre les deux groupes — de les distinguer les uns des autres. Il demeure cependant réaliste de dire que les Acadiens ont contribué proportionnellement à leur nombre à cette migration. Parmi les 800 000 Franco-américains établis en Nouvelle-Angleterre en 1923, on a estimé à 50 000 le nombre d'Acadiens[16]. Ailleurs, et en nombre plus restreint, on les retrouve aujourd'hui un peu partout en Amérique anglophone.

NOTES

[1] On trouve un bon aperçu de l'Acadie dans CLARK, Andrew (1968) *Acadia: The Geography of Early Nova Scotia to 1760*, Madison, University of Wisconsin Press.

[2] RICHARD, E. (1895) *Acadia: Missing Links of a Lost Chapter in American History*. Montréal, Lowell, p. 32.

[3] Pour une étude détaillée des relations entre la population de la Nouvelle-Angleterre et les Acadiens, voir RAWLICK, George A. (1973) *Nova Scotia's Massachusetts: A Study of Massachusetts-Nova Scotia Relations, 1630-1784*. Montréal, London, McGill-Queen's University Press.

[4] RAMEAU DE SAINT-PÈRE, E. (1877) *Une Colonie Féodale en Amérique : L'Acadie 1604-1710*. Paris, Didier, p. 354.

[5] Le thème de la déportation est traité dans GRIFFITHS, Naomi E.S. (1969) *The Acadian Deportation: Deliberate Perfidy or Cruel Necessity*. Toronto, Copp Clark Publishing Co.

[6] LEBLANC, Robert A. (1961) *The Acadian Migrations*. Masters Thesis (unpublished), University of Minnesota.

[7] HARVEY, D.C. (1926) *The French Regime in Prince Edward Island*. New Haven, Yale University Press, p. 133-134.

[8] Voir l'étude de GRIFFITHS, Naomi E.S. (1974) The Acadians of the British Seaports, *Acadiensis*, 4: 67-84.

[9] On traite largement des différents événements de l'histoire de la Nouvelle-Écosse au cours de cette période dans BREBNER, John B. (1937) *The Neutral Yankees of Nova Scotia*, New York, Columbia University Press.

[10] AKINS, Thomas B. (1869) *Selections from the public documents of Nova Scotia*. Halifax, Annaud, p. 321.

[11] LAUVRIÈRE, E. (1924) *La tragédie d'un peuple : histoire du peuple acadien, de ses origines à nos jours*. Paris, Goulet, 2 volumes, volume 2, p. 210-215.

[12] WINZERLING, O. (1955) *Acadian Odyssey*. Baton Rouge, Louisiana State University Press, p. 224.

[13] *Ibid.*, RAMEAU, p. 360-361.

[14] L'expression actuelle du peuplement acadien dans les Maritimes fait l'objet de deux récents articles par WILLIAMS, Colin H. (1977) Ethnic Perceptions of Acadia, *Cahiers de Géographie de Québec*, 21: 243-268, et L'Acadie, où se trouve-t-elle ? *Revue de l'Université de Moncton*, 1: 7-36, 1978.

[15] Cette identité très complexe est actuellement la cible de plusieurs organismes gouvernementaux américains et étrangers qui cherchent à la renouveler et à la redéfinir. Elle fit l'objet d'un projet de recherche important : DORAIS, L., GOLD, G., LOUDER, D. et WADDELL, E., *Ethnicity and Adaptation—A Micro-level Study of the Cajun Revival in Southern Louisiana*, Ford Foundation, octroi n° 770-0027, 1977-79.

[16] *Ibid.*, LAUVRIÈRE, volume 2, p. 525.

X

Espace et appartenance : l'exemple des Acadiens au Nouveau-Brunswick

Jean-Claude VERNEX

L'attachement au pays, l'identité fondée sur la conscience claire d'une spécificité culturelle enracinée dans un paysage familier, en un mot ce ciment des groupes qu'est le sentiment d'appartenance, repose en grande partie sur les liens étroits tissés entre une société et son espace, entre une société et les divers éléments composant son environnement. Ce véritable produit culturel qu'est le « biotope » ainsi créé par une société, non seulement implique certaines formes particulières d'organisation sociale, certains types de consommation, de comportements, certaines techniques de production, mais encore conditionne dans une large mesure les représentations que se font d'eux-mêmes et de leur environnement les membres des différents groupes composant la société en question. Le sentiment d'appartenance se fonde lui-même sur ces représentations : il est images, valeurs, « vécu », il est surtout permanence. Il exprime l'intériorisation d'un certain type de relations entre l'homme et son espace tout comme entre l'homme et son histoire. Il est appropriation d'un territoire aux limites ressenties et aux composantes fortement valorisées; il est approbation d'une origine et d'une histoire élevée parfois au niveau du mythe; il est enracinement dans la mesure où l'espace se fait histoire, où il se fait mémoire, où il se fait culture. Si ces rapports d'appartenance étaient clairs et peu ambigus au sein de la société villageoise où chaque clan maîtrisait un certain espace au point de s'identifier à cet espace/origine, à cet espace/durée, à cet espace/tradition, il n'en fut plus de même lors de l'ouverture des cellules rurales à l'espace de plus en plus vaste et anonyme de la société urbaine et industrielle. L'adaptation à de nouvelles formes de relations, nécessitant une mutation d'échelle dans l'appartenance tout comme une abstraction plus grande dans les rapports entre la collectivité et son environnement, voire un détachement plus grand (caractère éphémère des relations entretenues avec les lieux, avec les cellules sociales), ne se fit pas sans crises, sans remises en question des principes mêmes sur lesquels reposait jusqu'alors la cohésion des collectivités. L'exemple des Acadiens du Nouveau-Brunswick est à cet égard particulièrement éloquent puisque cette population francophone essentiellement rurale fut confrontée, lors du désenclavement des îlots de peuplement, à une civilisation urbaine anglo-saxonne en tout point différente et dotée d'un pouvoir d'attraction d'autant plus grand que le sentiment d'appartenance acadien ressenti concrètement à l'échelle de la paroisse se diluait rapidement dans une idéologie nationale fondée sur le culte de l'ascendance plutôt que sur le développement d'une véritable conscience territoriale. Il est vrai que pour cette population minoritaire la stratégie de la survivance avait consisté, depuis la recolonisation silencieuse suivant le Grand Dérangement, à donner d'elle-même une image pacifique : celle d'un peuple doux, calme, désirant vivre en « bonne entente » avec la majorité anglophone. L'appartenance ne pouvait se fonder sur une quelconque revendication territoriale. Tout au plus est-elle appropriation d'un paysage aux composantes fortement valorisées mais aux limites floues et incertaines. D'où l'ambiguïté de la territorialité acadienne dont nous tenterons une description après un bref survol des fondements traditionnels de l'appartenance.

L'HISTOIRE, COMME DISCOURS D'APPARTENANCE

La colonie de l'Acadie, centrée sur la rive nord de la Nouvelle-Écosse actuelle, le long de la baie de Fundy, eut une existence éphémère et une fin tragique puisqu'en 1755 le gouverneur de la nouvelle colonie anglaise implantée dans cette région depuis le traité d'Utrecht décidait la dispersion de cette population française perçue comme par trop prolifique, inassimilable et incapable de montrer une sincère fidélité au roi d'Angleterre. Dispersés aux quatre coins du golfe du Saint-Laurent et du continent nord-américain, après une longue période d'errance ou de vie presque clandestine dans des refuges éloignés des fronts de colonisation britannique, des groupements acadiens se reconstituèrent sur les rivages atlantiques des provinces Maritimes, dans les zones les plus isolées de l'actuel

Nouveau-Brunswick, de l'Île-du-Prince-Édouard et de la Nouvelle-Écosse. Très prolifiques, animés d'un puissant attachement à leur sol et d'un profond sentiment de leur spécificité, encadrés par un clergé missionnaire et colonisateur qui les dirigea dans une véritable croisade de la survivance, les Acadiens ne tardèrent pas à former un groupe ethnoculturel d'importance, mais dispersé sur près de 750 kilomètres à la périphérie nord et est du Nouveau-Brunswick, sans compter les isolats de la Nouvelle-Écosse et de l'Île-du-Prince-Édouard. En 1971, et si l'on retient comme critère celui de la langue d'usage, critère qui cerne le mieux la réalité linguistique, 230 710 « francophones »[1] étaient recensés dans les trois provinces maritimes dont, sur ce total, 86,3% pour le seul Nouveau-Brunswick répartis en trois zones de forte concentration : le Madawaska, le Nord-Est, le Sud-Est (figure 1). Population encore peu urbanisée (en 1971 au Nouveau-Brunswick le taux de population urbaine ne dépassait pas 42,7% chez les francophones contre 58% chez les anglophones), minoritaire au niveau provincial (le groupe ethnoculturel francophone représente 31% de la population totale néo-brunswickoise), elle se disperse en un certain nombre de noyaux regroupant de petites communautés rurales à l'intérieur desquelles les francophones sont très fortement majoritaires, mais séparés les uns des autres soit par de vastes étendues forestières, soit par des « corridors » purement anglophones (Miramichi par exemple), soit enfin des zones au peuplement mixte (comté de Restigouche le long de la baie des Chaleurs; région de Bathurst; région de Moncton). Plus que d'un ensemble territorial homogène il s'agit d'une marqueterie de petites cellules de peuplement dispersées et isolées, gravitant autour de quelques centres urbains de moyenne importance, soit francophones (Edmundston), soit à l'ambiance presque encore exclusivement anglophone (Bathurst; Moncton).

Faibles densités, dispersion des unités de peuplement, isolement de celles-ci renforcé par les difficultés de circulation dues au climat et par le manque, jusqu'à ces dernières années, de média francophones susceptibles de réunir au moins au niveau de la diffusion de l'information ces multiples isolats sociologiques et psychologiques, sont des données fondamentales du vécu francophone au Nouveau-Brunswick sur lesquelles nous aurons l'occasion de revenir. Ajoutons cependant que l'isolement des fronts de colonisation francophones avait été considéré par les chefs laïcs et religieux acadiens comme la condition même de la survie culturelle du groupe, comme la meilleure garantie contre les influences néfastes et assimilatrices du monde protestant et anglo-saxon.

L'idéologie de l'appartenance, développée dans la deuxième moitié du XIXe siècle par l'élite acadienne[2] était en fait marquée d'une part par le besoin de renforcer la cohésion du groupe francophone que ne favorisait guère la structure en isolats de la répartition du peuplement, la volonté assimilatrice plus ou moins souterraine émanant de l'élément anglophone, et l'attractivité qu'exerçait déjà sur certains francophones les centres urbains du Canada central, d'autre part par la nécessité de ne pas heurter de front l'establishment anglophone qui ne faisait que tolérer les efforts d'organisation et de structuration de la minorité acadienne. La politique menée à cette époque par l'élite francophone ne peut se comprendre sans référence au contexte sociologique et psychologique dans lequel baignait ce groupe ethnoculturel dont chaque acte tendant à une légère amélioration de la situation culturelle ou économique risquait d'être interprété par la majorité au pouvoir comme une atteinte à ses propres privilèges[3]. Quoiqu'il soit, de ce « complexe minoritaire » assorti d'une volonté d'organisation nationale, naquit un discours sur l'appartenance amputé de toute revendication d'ordre spatial susceptible d'aboutir à une distinction territoriale nette entre francophones et anglophones remettant en question ipso facto le découpage politique hérité de la colonisation anglaise.

L'appartenance acadienne, si l'on s'en réfère à l'idéologie de l'élite véhiculée par les média francophones jusqu'à des années encore fort récentes, est fondée sur l'histoire, sur

Figure 1

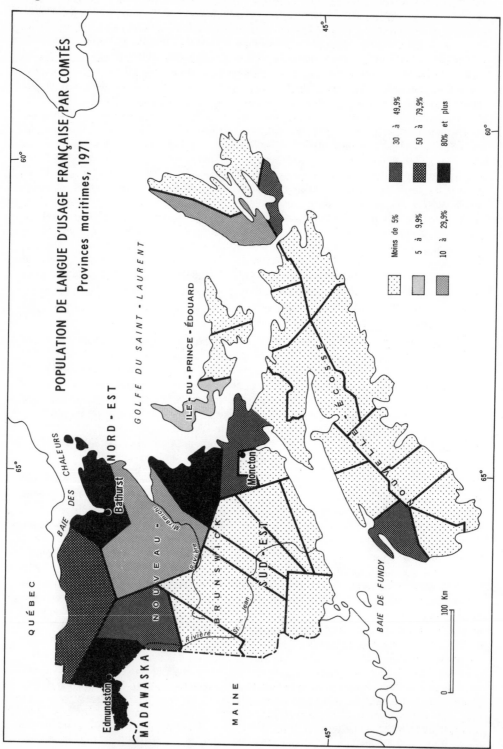

la fidélité à une mission divine qui permet de comprendre et de sublimer les déconvenues du passé. Les Acadiens forment un peuple « élu », peuple élu parce que catholique, bien sûr, mais parce qu'également ayant réussi à se maintenir en Amérique du Nord et à se développer malgré l'acharnement de forces contraires bien supérieures en nombre et en moyens. Seule la divine providence pouvait expliquer la résistance de cette minorité, sa « mission » consistant en fait à être le contrefort de la vérité catholique française face au monde protestant anglo-saxon si pragmatique et si matérialiste. Le Québec en était la place forte, l'Acadie le bastion le plus avancé, donc le plus exposé, ce qui devait exalter d'autant le « patriotisme » acadien. Soldats du Christ, surtout peuple de Marie, les Acadiens en reçurent, lors des premières conventions acadiennes calquées sur le modèle des congrès de la Société Saint-Jean-Baptiste du Québec, les principaux symboles « nationaux » : le drapeau (frappé de l'étoile de Marie; 1884), l'hymne national (Ave Maris Stella; 1884), la fête nationale (15 août, fête de Marie; 1881). Le Grand Dérangement était une épreuve voulue par Dieu et Évangéline l'image même de la persévérance et de la foi en l'avenir du peuple canadien, peuple martyr dont les ancêtres avaient montré une force d'âme et un courage sans pareil. « Nous sommes les contreforts du bloc français sur le continent nord-américain » déclarait en 1943 Monseigneur Robichaud[4], « notre mission providentielle (...) c'est de continuer les gestes de Dieu par les Francs, de propager la sagesse du christianisme et les lumières de l'esprit français, de faire partager aux autres groupes ethniques du pays (...) les trésors de vie spirituelle et de valeurs humaines supérieures que nous avons reçus de nos ancêtres avec mission de les transmettre aux générations futures ». Les réalisations historiques du groupe, la volonté inébranlable des ancêtres, étaient les meilleurs garants de la spécificité acadienne en Amérique du Nord, plus encore peut-être que la religion catholique, la langue française et l'agriculture, fondements certes essentiels de l'appartenance acadienne mais qui étaient également en partie ceux de l'appartenance québécoise. La constante référence à Marie, présente dans toute l'iconographie nationaliste, peut être interprétée comme un désir de se distinguer autant des autres francophones nord-américains que des anglophones.

L'idéologie de la colonisation joua cependant un rôle non négligeable dans la consolidation de l'appartenance acadienne. Le clergé mit sans cesse l'accent à la fin du XIXe siècle sur le lien étroit existant entre la colonisation, l'agriculture, la foi catholique et la langue française : « Le vrai bonheur » s'écriait le révérend M.F. Richard lors de la troisième Convention nationale des Acadiens en août 1890[5], « se trouve au milieu des siens, à l'abri du clocher paroissial, éloigné des centres de corruption, où l'on contracte des maladies incurables pour l'âme et le corps. Vivre et mourir pour sa patrie, conserver sa langue maternelle, ses traditions, sa religion, et finir ses jours entre les bras d'une mère, d'un parent, d'un ami, muni des secours de notre sainte religion, voilà le bonheur véritable et le seul digne d'envie ». Ce bonheur ne pouvait être atteint que par une vie familiale au sein des paroisses rurales en cultivant la terre : « c'est l'agriculture qui a sauvegardé notre religion, notre langue et nos coutumes. Donc, braves et courageux cultivateurs soyez fiers de votre position, elle est noble, elle est digne (...) Attachez vous au sol qui vous a vu naître et qui vous a nourris, (...) conservez scrupuleusement le patrimoine qui vous a été légué par nos aïeux »[6]. La colonisation devenait le seul remède pour sauvegarder la religion catholique et la langue française dans un continent protestant et anglophone, pour lutter contre l'attraction de plus en plus grande des centres urbains sur la jeunesse acadienne comme en témoigne le développement des courants d'émigration dès cette fin du siècle. L'éloignement des grands centres et des fronts de colonisation anglophones, l'isolement et le repliement sur une communauté villageoise culturellement homogène semblaient les conditions nécessaires à la conservation d'un sentiment d'appartenance reposant sur un certain nombre de valeurs spécifiques. « Allons dans la forêt, Acadiens » lança le révérend M.F. Richard lors de la première Convention nationale des Acadiens[7], « les dangers qui nous y attendent sont moins à craindre que ceux que nous trouvons sur des terres appauvries, dans la séduction des cités, ou sous un ciel étranger ... ! ». Éloignement et isolement qui ne signifiaient cependant pas rupture et opposition brutale avec la majorité anglophone.

Cette idéologie de l'appartenance se traduisait sur le plan social par un certain nombre d'images permettant à l'élite de maintenir et de justifier sa position dirigeante. L'autorité en toute chose reposait en effet dans les mains du clergé, le peuple acadien devant être obéissant et suivre « toujours avec confiance demain comme hier et aujourd'hui les directions de ses pieux et zélés prêtres »[8]. L'autorité civile (représentée par une petite bourgeoisie issue de professions libérales) était investie directement dans sa fonction de commandement par l'autorité religieuse, le respect de l'Église étant la source même du respect du pouvoir laïc. La société acadienne était présentée comme une société sans classe, le peuple acadien comme un peuple « bon, paisible, ayant horreur de la violence et de la chicane ». L'existence de conflits internes fut toujours niée par l'élite, tout comme l'idée même d'une radicalisation de la lutte pour la survivance qui aurait pu conduire à un affrontement direct avec les anglophones ! « L'ensemble de la population veut la paix » déclarait il n'y a pas si longtemps le père R. Baudry à propos des rapports ethniques dans les provinces Maritimes[9]. » C'est pourquoi on évite plutôt les discussions et l'on cherche à s'entendre (...). Les rapports dans l'ensemble s'inspirent d'une loyale cordialité et un effort de conciliation préside aux échanges ». La bonne entente avec la majorité (dans le respect des situations acquises) fut ainsi présentée par l'élite comme la meilleure des stratégies pour la survivance et comme l'attitude correspondant le mieux à un trait de mentalité spécifiquement acadien. Marquée d'un profond conservatisme sur le plan social et sur le plan politique, l'idéologie de l'appartenance diffusée par le discours patriotique de l'élite dirigeante évitait toute référence implicite à une quelconque revendication territoriale. L'Acadie devenait un concept historique, un point d'ancrage dans le temps, un concept certes chargé d'émotivité mais dénué de toute traduction spatiale dans la mesure où cette dernière démarche était perçue comme impliquant nécessairement la cartographie de limites précises, en fait comme impliquant une géographie. Mais qu'en était-il exactement des rapports vécus entre l'Acadien et son espace ?

L'ESPACE DE L'APPARTENANCE : MUTATIONS ET PERMANENCES

Si le concept de « nation acadienne » ne pouvait servir de référentiel spatial à l'appartenance, il n'en était pas de même de l'espace proximal constitué par la paroisse, voire par un agrégat de paroisses constituant une « région ». La paroisse était en fait le lieu d'identification essentiel de l'individu. Espace familier, reconnu, inventorié par ses déplacements, ses pratiques, ses sens, son affectivité, espace social fortement vécu, la paroisse pouvait encore jusqu'à une date récente servir de point de référence pour se nommer, pour se situer par rapport à autrui. « L'abri » du clocher paroissial avait vertu sécurisante car il symbolisait non seulement un paysage familier mais surtout peut-être une spécificité culturelle qui se traduisait concrètement par un système de relations sociales ethnocentré, structuré par le clan, fondé sur l'entraide et sur une certaine vitalité de l'idée communautaire.

Malgré une mobilité précoce accentuée par l'état dépressif de l'économie des provinces Maritimes dans leur ensemble (et plus particulièrement des régions francophones excentrées) face à la croissance du Canada central ou de quelques pôles urbains régionaux, malgré un certain nombre de relations entretenues par mer entre différents îlots francophones du golfe du Saint-Laurent (Gaspésie, Iles-de-la-Madeleine, Chéticamp, Shippagan, Saint-Louis-de-Kent, etc.), la société acadienne montra jusqu'à ces dernières

Tableau 1

Origine géographique du conjoint dans certaines paroisses du Nouveau-Brunswick avant et après la deuxième guerre mondiale[1]

PAROISSE	Conjoint choisi dans la même paroisse		Conjoint choisi dans une autre paroisse			
			De la région		À l'extérieur de la région	
	1931-41 % (2)	1958-68 % (2)	1931-41 % (2)	1958-68 % (2)	1931-41 % (2)	1958-68 % (2)
Shippagan	67,5	33,5	26,4	45,8	6,1	20,7
Allardville	74,5	59,3	25,5	31,2	0,0	9,5
Rivière-Verte	57,9	26,7	36,8	51,3	15,0	22,0
Acadieville	54,0	11,6	46,0	56,1	0,0	32,3

[1] D'après le dépouillement des registres de certaines paroisses religieuses du Nouveau-Brunswick.
[2] Par rapport au nombre total de mariages célébrés dans des paroisses durant la période étudiée.

années une tendance profonde à l'endogamie, tendance liée à une situation d'isolement et de relative marginalité économique, mais également à la fermeté de certaines bases de la culture acadienne (religion par exemple). Jusqu'à la deuxième guerre mondiale en effet le choix du conjoint s'opérait pour plus de 50% au sein de la paroisse d'origine, et pour l'autre moitié dans les paroisses voisines. Rares étaient les conjoints « étrangers ». Le dicton acadien : « À beau mentir qui vient de loin » se passe d'ailleurs de commentaires ! La croissance urbaine, le développement de la circulation, l'intensification des contacts interrégionaux et la recrudescence de l'émigration après la deuxième guerre mondiale multiplièrent cependant les occasions de rencontres dans un plus large rayon d'action. La proportion de mariages entre conjoints nés dans la même paroisse diminua presque de moitié tandis qu'augmentait le nombre de mariages inter-paroissiaux avec un conjoint issu d'un village de la proche région aussi bien qu'avec un conjoint issu d'autres régions (tableau 1 et figure 2). Mais les mariages de ce dernier type restèrent relativement peu nombreux (ce qui explique le faible brassage de population entre régions francophones au sein même du Nouveau-Brunswick) et caractérisés par une forte propension à l'endogamie ethnique. Le taux de mariages mixtes[10] dans l'évêché de Moncton par exemple, évêché le plus exposé à une interpénétration des deux principaux groupes ethniques, ne dépassait pas 5% des mariages dans les paroisses urbaines avant la deuxième guerre mondiale. Il était nul dans les paroisses rurales isolées ou dans celles qui formaient des groupes homogènes de très forte densité ethnique française. Il augmenta certes régulièrement dès la fin de la guerre, mais ne dépassait pas 15% au sein des paroisses urbaines de Moncton vers les années 1970, même si une enquête menée dans cette ville en 1974 auprès d'un échantillon de francophones faisait apparaître une tendance assez nette à l'exogamie (40,3% des interviewés étant d'accord pour que leurs enfants épousent des Anglais, 46,5% étant indifférents). « Il y a du bon monde dans les deux langues » nous a-t-on souvent répondu, « la nationalité et la langue n'ont rien à voir avec la personnalité ». Mais lorsque des oppositions se font jour (certes peu nombreuses : seulement 7%), les motifs invoqués ont trait à l'appartenance religieuse du futur conjoint, plus qu'à son appartenance linguistique : « ce n'est pas la même religion, pas la même culture ». Certains fondements de l'appartenance résistent mieux que d'autres à la lame de fond de l'acculturation.

Ce faible brassage des populations entre les différentes régions francophones tout comme entre les divers groupes ethniques explique la stabilité remarquable de la répartition géographique des principaux noms de famille acadiens au Nouveau-Brunswick. Geneviève Massignon avait déjà fait le relevé à partir du recensement nominal de 1938 des

Figure 2

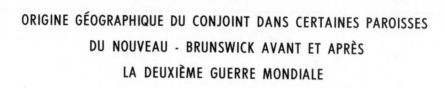

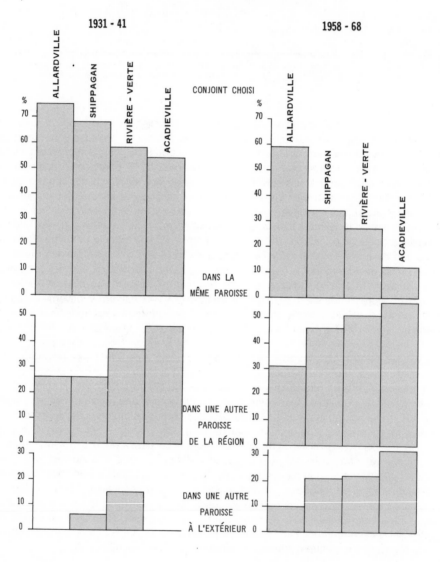

soixante-treize noms de famille qui composaient la « souche » principale de cette population aux débuts de la colonisation française en Amérique du Nord et qui regroupaient en 1938 86% de la population francophone des Maritimes[11]. Encore actuellement la presque totalité des familles francophones du Nouveau-Brunswick sont apparentées à ces soixante-treize noms de familles souches avec une répartition régionale qui ne s'est guère modifiée depuis la « recolonisation silencieuse » faisant suite au Grand Dérangement. Une consultation rapide des annuaires téléphoniques régionaux permet très facilement de s'en rendre compte. Les Leblanc sont concentrés à 88% dans la région de Moncton par exemple et en nombre insignifiant partout ailleurs, de même que les Léger, Richard, Melanson, Bourque. Dans le Nord-Est, au contraire, les Savoie, Roy, Doucet, Chiasson, Godin, Haché, Duguay, Lozier, Lanteigne forment de très fortes concentrations tandis que dans le Madawaska les Michaud, Martin, Cyr, Ouellet dominent très nettement. Même constatation au niveau des paroisses. Le « régionalisme », voire le localisme, de la plupart des noms de famille acadiens demeure très puissant malgré l'éclatement de la famille étendue consécutive aux transformations économiques et sociales liées au développement de la société urbaine et industrielle et à cause de la faible attractivité exercée sur le plan économique par les régions francophones et les centres urbains qui commencent à les structurer.

Dans les villages, voire dans les paroisses urbaines, les relations sociales sont très étroites entre les membres du groupe, au sein du clan familial (et ce malgré les distances parfois grandes séparant les divers noyaux d'un même rameau) ou au sein de groupes unis autour de solidarités de classes, de voisinage ou d'activités économiques, ludiques et culturelles. Même si les anciennes pratiques communautaires n'ont pas résisté à la lente corrosion introduite par une large diffusion des modèles de comportement de la société urbaine et industrielle, il reste dans l'architecture mentale acadienne un certain nombre d'images servant de points de référence à une appartenance beaucoup plus vécue que celle reposant sur l'idéologie traditionnelle, beaucoup plus vécue car en relation avec l'espace concret du village, de la paroisse, tissé d'un réseau intime de rapports sociaux et peuplé des signes connus (donc sécurisants) d'un paysage familier : image d'un cadre de vie en symbiose avec la nature par exemple, images d'une organisation sociale et économique reposant sur de petites unités régies par des principes communautaires et produisant pour l'ensemble de la communauté, etc...

DE L'ESPACE RÊVÉ À L'ESPACE ALIÉNÉ

Le paysage intérieur de tout Acadien est fait d'eau, de forêts et de tangages infinis. C'est un paysage rempli d'espace, rythmé par le martèlement sourd et régulier des vagues ou par le bruissement des forêts. L'Acadien est un homme de la nature. « Il est malaisé de comprendre quelque chose du tempérament acadien » écrit Antonine Maillet[12] « si l'on n'a pas d'abord compris la mer. Pour raconter l'Acadie il faudrait réécrire la genèse et dire :« à l'origine Dieu créa le sable et l'eau; puis il fit les poissons, les coquillages; et le sixième jour il prit du sel, souffla, et en fit le pêcheur et sa femme ». C'est un paysage qui demeure au fond du coeur de tout Acadien exilé dans les villes ou les métropoles du continent et qui, associé à un désir profond de tranquillité, d'authenticité dans les rapports sociaux, voire de simplicité dans le style de vie, permet de comprendre la réaction émotive de jeunes Acadiens face à l'urbanisation et leurs difficultés d'insertion dans ce type de modernité. L'habitat idéal consiste, pour beaucoup de jeunes[13], en une petite maison individuelle située dans une petite ville (« je voudrais m'installer dans une petite ville semblable à celle d'Edmundston ») ou dans un endroit retiré (« ma maison se trouvera dans la campagne près des bois »; « je demeurerai dans un petit chalet éloigné de toute civilisation »), dans un lieu qui permet « une vie assez tranquille » sans « trop de complications et rien d'extraordinaire ». La grande agglomération urbaine représente souvent un monde inconnu et inquiétant. C'est un espace non familier qui nécessite un gros effort d'adaptation et détermine des attitudes souvent négatives : « un gars de Shediac qui se rend à Montréal pour travailler », cite comme exemple un étudiant acadien[14], « éprouve une extrême difficulté à s'adapter à son nouvel environnement. Même cela lui est souvent impossible. La froideur des gens, la vitesse de l'action, l'autoroute, le métro, les bâtiments, le stigma que lui attachent les gens de Montréal parce qu'il est néo-brunswickois, le bruit continuel, lui donnent des sensations de peur, de frustration, d'étourdissement, de désespoir. Cet exemple je le connais bien parce que je l'ai vécu ». En fait l'espace du village est perçu comme le cadre de vie le plus propice au développement de liens affectifs solides cimentant la communauté : « ce milieu m'a enraciné dans la vie de la campagne où tout le monde se connaît et s'entraide. Je ne pourrais pas vivre dans une ville couverte de gratte-ciels et d'indifférence », de dire un étudiant [15]. « Tout le monde se connaît et s'entraide. On peut conclure que la fraternisation existe vraiment entre les gens de mon village ». L'appartenance acadienne c'est en partie un attachement profond aux rapports sociaux tissés dans l'espace du village, d'où la densité affective du concept de « che nous » et les nombreuses résistances à toute tentative de « déménagement » prônée au nom d'une gestion de l'espace étrangère au vécu acadien et présentée par les responsables de l'aménagement comme moderne, efficace, rentable et nécessaire au bien-être général de la société.

Les exemples ne manquent pas du profond attachement des Acadiens au milieu local. L'échec du programme A.R.D.A. de « réinstallation » des populations dans des centres de dimension suffisante pour être viables l'a amplement démontré (notamment dans la région de Belledune), de même que les réactions hostiles à l'expropriation lors de la création du parc national Kouchibouguac. Une certaine crainte de « l'extérieur », de « l'étranger », des horizons inconnus et donc désécurisants se mêle intimement à cette sacralisation du lieu qui résume si bien le titre d'un film de Léonard Forest tourné dans le Nord-Est du Nouveau-Brunswick : « Un soleil pas comme ailleurs »[16]. Beaucoup de francophones ne sont pas prêts à quitter leur milieu pour répondre aux exigences d'une réorganisation plus rentable du peuplement et des activités. Dans le Nord-Est en particulier le droit de se développer « chez soi » avec le maximum d'égalités de chance par rapport aux individus nés dans les régions les plus favorisés et le droit de se développer selon des normes plus conformes au « génie collectif » de la population, en fait le droit à la maîtrise de sa destinée à travers la maîtrise de son espace, sont des revendications qui trouvent de plus en plus d'écho. À ce niveau, parallèlement à la prise de conscience des profondes inégalités sociales et spatiales introduites par la croissance économique et de la dépendance économique des régions francophones consécutive à la mainmise des capitaux étrangers sur la plupart des ressources locales, le sentiment d'appartenance prend une nouvelle vigueur, change d'échelle et de contenu. Il devient conscience de classe et conscience d'une aliénation de l'espace, d'un espace-appartenance regroupant dans un vaste ensemble territorial les multiples cellules francophones. En fait l'appartenance devient pays à reconquérir.

LES AMBIGUÏTÉS DE L'APPARTENANCE ACADIENNE

Une analyse critique des rapports sociaux et des finalités d'un aménagement de l'espace décidé sans une véritable participation de la population acadienne et pensé en termes de croissance et de rentabilité à l'échelle de vastes ensembles économiques, servit de base dès les années 1970-72 au développement d'une idéologie intégrant sans ambiguïté des revendications d'ordre territorial. Ce courant de pensée, beaucoup plus proche des classes défavorisées, met en effet l'accent sur la dépossession dont sont victimes les

Acadiens au sein même de leur territoire avec d'ailleurs la complicité de l'élite traditionnelle dont le discours national ne servit qu'à masquer jusqu'à présent les contradictions
internes d'ordre social et régional. La survivance acadienne repose alors sur la possibilité
pour cette population d'organiser la production et la consommation sur la base de structures économiques plus proches de ses traditions culturelles (coopératives, comptoirs de
consommateurs, jardins communautaires, etc...), sur la possibilité de contrôler l'exploitation des richesses locales et la gestion globale de son espace, en un mot sur la possibilité
d'avoir pleine et entière juridiction sur « son » territoire. Pour certains acteurs sociaux,
dans le Nord-Est de la province surtout (animateurs sociaux, responsables du Parti Acadien, etc...), la grande « diagonale » du Nouveau-Brunswick[17] représente le préalable politique à tout développement digne de ce nom. Le rêve d'un véritable « pays » abondamment chanté par les poètes[18], cet « impératif » territorial, se concrétise ainsi dans un projet
d'ordre politique qui n'est rien moins que la délimitation spatiale d'une nouvelle Acadie,
pays centré sur le Nord-Est et regroupant les différents îlots francophones éparpillés sur le
littoral, pays purement néo-brunswickois d'ailleurs mais pays perçu comme une masse
homogène nettement distincte des territoires anglophones (figure 3). « Notre nouvelle patrie sera comme un croissant de lune entouré d'étoiles de mer », de dire les héros d'un
roman d'anticipation de Claude le Bouthillier[19], « ce sera une grande île en forme de croissant s'allongeant dans la mer », avec une « atmosphère empreinte de sérénité et de
paix », un pays dans lequel « l'artisan était valorisé, les gens accomplissaient davantage
pour eux-mêmes (...) sans agressivité personnelle, sans individualisme et esprit de
concurrence » avec une « vie communale et un mode de travail faisant ressortir leur chaleur humaine, leur ouverture d'esprit et leur sens de coopération ». Territoire de l'appartenance, habité selon les modèles culturels du groupe, tourné vers la mer, faisant fi de
l'espace institutionnalisé hérité d'un découpage politique d'origine anglo-saxonne et servant encore de cadre juridique à l'aménagement.

Cependant une attitude si radicale fondant l'appartenance sur le concept de souveraineté territoriale est loin d'être partagée par l'ensemble de la population francophone du
Nouveau-Brunswick. Faut-il s'en étonner ? Clivages sociaux, conflits de génération et tendances régionalistes s'imbriquent étroitement pour faire de cette société en profonde mutation une mosaïque d'intérêts et de besoins sensiblement divergents. Le Madawaskayen
par exemple ne se sent ni Acadien, ni Québécois, ni Américain. Plus « sûr de lui-même »
que les francophones des autres régions il a entretenu un esprit d'indépendance et une
individualité jalouse qui bien souvent le ferment aux problèmes des autres groupes francophones du Nouveau-Brunswick. Jouissant en moyenne d'une situation économique
moins alarmante que celle du Nord-Est, il ne comprend pas toujours l'attitude revendica-
tive de certains groupes sociaux défavorisés et encore moins l'émergence de timides tendances séparatistes. Vivant au sein d'un groupement francophone très homogène il ne
voit dans le mouvement de revendication linguistique des francophones de Moncton
qu'une occasion de plus pour donner au monde une image « d'arriérés »[20] et de « chia-
leux ». De même les habitants du Nord-Est, qui sont comme les Madawaskayens dans une
situation fortement majoritaire au sein de leur région, ne comprennent-ils pas toujours les
revendications d'ordre culturel nées dans le Sud-Est, revendications perçues comme
émanant essentiellement d'une certaine élite dégagée des soucis matériels de l'existence.
Quant aux différents groupes francophones du Sud-Est, ils ne sont dans leur ensemble
guère disposés à partager les thèses les plus avancées des « fauteurs de trouble » du
Nord-Est ! Une plus longue tradition de contacts avec le milieu anglophone (voire un état
d'esprit peut-être plus « minoritaire ») prédispose à des attitudes de compromis justifiées
par l'idéologie de la « bonne entente ». Sur certains thèmes fondamentaux, comme celui
de l'appartenance, un large consensus est difficile à trouver au Nouveau-Brunswick parmi
les francophones. Il faut dire que, du moins jusqu'à ces dernières années, la mauvaise

Figure 3

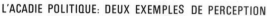

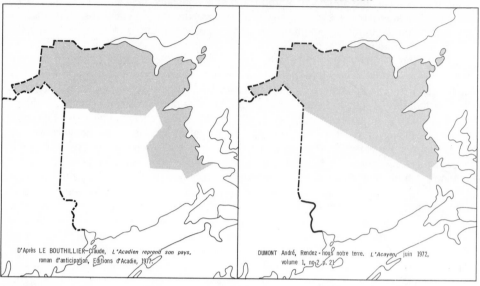

organisation des média d'information n'a semble-t-il fait qu'accentuer les tendances cen-trifuges des différentes régions francophones. Aucun journal francophone ne « couvre » vraiment l'ensemble du territoire francophone de même qu'aucun médium audio-visuel foncièrement acadien n'est susceptible de pénétrer au sein de chaque village francophone de la province. L'espace communicationnel acadien ne semble guère parfaitement tran-sparent tant sont fortes encore les pesanteurs sociologiques et psychologiques locales ou régionales.

En fait, le sentiment d'appartenance acadien est vécu de façon contradictoire selon l'origine sociale et géographique des individus. Pour les uns l'Acadie est une origine, pour les autres c'est un projet de pays, pour la plupart c'est un concept flou sans assise territo-riale profondément ressentie. La territorialité « acadienne » est peut-être vécue avec in-tensité au niveau local ou régional. Elle se dilue en tout cas très vite lorsqu'elle est pensée à une échelle supérieure, pour revêtir le maximum d'ambiguïté au niveau du concept de « nation ». Le « nationalisme » acadien n'a pas débouché sur un sentiment profond d'ap-partenance à un espace nettement délimité en fonction de certains attributs d'ordre ethni-que, culturel ou historique.

LES IMAGES DE L'ACADIE

Dans un article récent, C. Williams a montré la grande diversité des référents territo-riaux associés au concept d'Acadie[21]. Selon l'origine ethnique et la provenance géogra-phique des interviewés l'étendue spatiale de ce « pays intérieur » varie, sa forme se modi-fie, sa signification change. Sur le plan spatial, et tout comme l'appartenance, l'image de l'Acadie manque de certitudes, ce qui n'est point étonnant pour un territoire aux frontières imprécises non figées par l'histoire, pour un concept au contenu sémantique non rigou-reusement fixé et chargé de significations différentes selon les groupes. Les réponses obtenues lors d'une enquête réalisée auprès de jeunes francophones au Nouveau-Brunswick entre novembre et décembre 1977[22] mettent clairement en évidence leurs hé-sitations dans la délimitation spatiale de cette « nation » acadienne. Pour au moins 50% des élèves interviewés dans le Sud-Est et le Nord-Ouest l'Acadie n'a pas d'assise territo-riale spécifique, ou plutôt il n'y a pas de différence entre l'Acadie et les provinces Mariti-mes, voire entre l'Acadie et le Canada atlantique. Même résultat dans le Nord-Est avec cependant un pourcentage d'interviewés légèrement plus faible. De plus, lorsque l'Acadie a une identité spatiale bien définie, celle-ci est très révélatrice des différences régionales de perception. Dans le Sud-Est du Nouveau-Brunswick le sentiment de territo-rialité hésite en effet entre la restriction aux régions purement francophones, la restriction à une fraction plus ou moins grande des provinces Maritimes et l'ensemble de la diaspora acadienne (figure 4). Par contre dans le Nord-Est une plus grande unanimité se fait autour d'une délimitation calquée sur les frontières actuelles du territoire francophone tandis que dans le Madawaska cette unanimité se réalise autour d'une Acadie orientale et maritime, excluant totalement cette dernière région. C'est dans le Nord de la province surtout, région plus isolée et plus longtemps fermée sur elle-même que le concept d'Acadie se pose sans équivoque de façon spatiale avec des nuances significatives cependant. Dans le Nord-Est le territoire acadien recouvre un espace francophone n'excluant aucune cellule francophone à l'Est du Québec (mais ne se confondant jamais avec cette dernière province, hormis peut-être avec la Gaspésie considérée par un petit nombre comme faisant partie de ce territoire francophone). Au Madawaska par contre l'Acadie ce sont les autres. Il n'y a pas identification complète avec le concept de franco-phone. L'Acadie est alors un pays centré sur le golfe du Saint-Laurent, peuplé de franco-phones perçus comme ayant une origine et une sensibilité différentes.

Ajoutons que l'idée même d'une frontière qui reposerait sur le principe ethnique et linguistique, qui matérialiserait donc la distinction entre francophones et anglophones, est refusée par de nombreux interviewés, surtout dans le Sud-Est. Pour ceux-ci l'Acadie ne doit pas être un « ghetto francophone » mais au contraire un espace pluri-culturel à la dimension des Maritimes. « L'Acadie », nous confia un interviewé, « est un pays où les Acadiens de toute langue, race, pas seulement les Acadiens français, mais tous, occupent la même province ». Pour certains le principe d'identification n'est pas la langue, ni même l'origine ethnique : c'est l'appartenance aux Maritimes. On comprend alors fort bien que pour ces derniers l'idée même d'une séparation entre un espace français et un espace anglais au sein des Maritimes rebute davantage que l'idée d'une démarcation nette entre le Québec et cet hypothétique territoire acadien. L'Acadie c'est le passé, c'est « l'ancê-tre ». Le « pays » c'est le Canada. La province c'est le Nouveau-Brunswick. L'apparte-nance fondée sur la différence culturelle n'est pas vécue. Elle n'est ressentie que de façon négative avec même parfois quelques propensions à des attitudes violentes de rejet[23], tant est peut-être déjà irrémédiable l'acculturation, voire l'assimilation. L'espace de l'apparte-nance c'est dans ce cas l'espace institutionnalisé anglophone.

CONCLUSION

Ces quelques pages ont pu montrer la complexité de l'analyse du sentiment d'appar-tenance au sein de la population francophone du Nouveau-Brunswick, en fait au sein d'une population minoritaire qui ne put, de par les hasards de l'histoire, fonder ce senti-ment sur un support territorial précis, sur un territoire approprié et nettement délimité. Le rôle de l'idéologie nationale véhiculée par l'élite dirigeante fut, semble-t-il déterminant tant comme ciment des différents îlots de peuplement dispersés et éloignés les uns des autres que comme discours d'intégration d'une minorité au sein d'une majorité. En fait, l'élite francophone fut le relais d'un pouvoir politique et économique essentiellement anglophone

Figure 4

QUELQUES IMAGES DE L'ACADIE

MADAWASKA (Etudiant d'Edmundston, 19 ans)

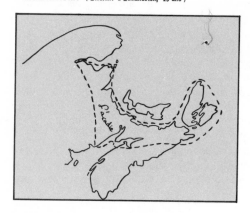

NORD - EST (Etudiant de Lamèque, 20 ans)

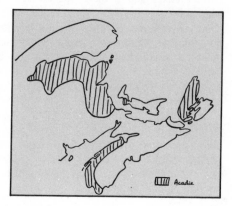

SUD - EST

(Etudiant de Moncton, 20 ans)

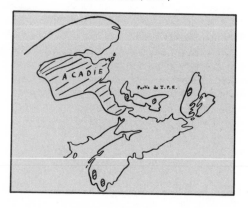

(Etudiante de Moncton, 18 ans)

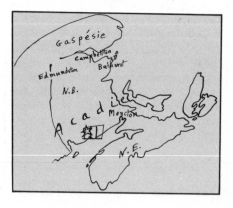

(Étudiant de Moncton, 18 ans)

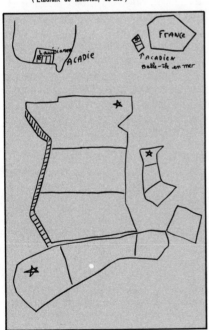

(Étudiant de Shediac, 17 ans)

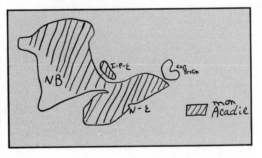

s'inscrivant dans des cadres spatiaux hérités du Dominion et de la Confédération. On comprend ainsi les raisons du fondement du discours d'appartenance sur un référentiel d'ordre historique beaucoup plus que spatial, de même que l'orientation de ce référentiel historique, organisé autour d'un certain nombre de thèmes érigés en « attributs distinctifs » du peuple acadien (docilité, modération, patience, bonne entente, etc...) et axé beaucoup plus vers la recherche d'une valorisation du groupe à travers l'adoption implicite de certaines valeurs du monde anglo-saxon que vers le développement d'une conscience territoriale par essence même génératrice d'un discours sur l'identité utilisant des concepts plus radicaux tels que possession, limites, séparation, pouvoir de décision, souveraineté, etc. Cependant, face aux changements économiques et sociaux introduits par une ouverture des cellules rurales au monde industriel et urbain, face à une concentration des pouvoirs de décision et de contrôle de plus en plus grande et à une hiérarchisation qui les rend de plus en plus lointains et abstraits, sans altérer leur puissance, face à une remise en cause de l'autorité de l'élite et donc du discours d'appartenance traditionnel, la redéfinition d'un « projet » acadien capable de répondre aux doutes sur l'appartenance est une des conditions de la survie de la spécificité du groupe francophone néo-brunswickois. Mais sur quelles bases le fonder ? La tentative du Parti Acadien apporte déjà quelques éléments de réponse, dans la mesure où le problème essentiel se situe au niveau d'une relocalisation du pouvoir, au niveau de l'invention de nouvelles structures politiques permettant à toutes les forces sociales et économiques de s'exprimer, d'organiser leur développement et d'exercer le maximum de contrôle sur leur devenir. Il s'agit alors, non seulement de définir une « nouvelle donne » dans la répartition des compétences et dans le contrôle des décisions, mais surtout peut-être de délimiter précisément le cadre spatial dans lequel s'exercera ce contrôle. Dès ces prémices il faut donc expliciter le nouveau projet acadien en termes de partition du territoire et d'autonomie, le poids politique de la communauté francophone ne pouvant guère s'améliorer dans le cadre de la province du Nouveau-Brunswick, si ce n'est s'amenuiser en cas d'union des provinces Maritimes. Le nombre d'hommes est une donnée de base du problème. La délimitation d'un territoire « acadien », assortie de la mise en place de mécanismes de contrôle par les francophones des décisions les concernant, devient ainsi une des premières conditions de l'épanouissement de ce groupe ethnoculturel tout comme le nouveau fondement du sentiment d'appartenance dans une relation dynamique, profondément vécue et signifiante entre l'homme et « son » espace.

NOTES

[1] Le concept d'acadien n'ayant pas d'existence officielle dans les recensements canadiens, nous fûmes obligés d'utiliser celui de francophone pour tenter de quantifier cette population. Il est bien évident que ces deux concepts ne recouvrent pas exactement la même réalité, puisqu'au Madawaska par exemple une forte proportion de la population est d'origine québécoise et, par conséquent, refuse cette étiquette « d'acadien » qui devrait selon eux être exclusivement réservée aux descendants des premiers colons français de l'ancienne « Acadie ».

[2] Voir l'ouvrage fondamental suivant : HAUTECOEUR, J.P. (1975) L'Acadie du Discours. Québec, Les Presses de l'Université Laval.

[3] Voir à ce sujet les multiples querelles qui éclatèrent à propos des moindres revendications d'ordre culturel de la part des francophones du Nouveau-Brunswick (école confessionnelle francophone, districts scolaires bilingues, examens provinciaux en français, etc...). Voir VERNEX, Jean-Claude (1978) Les francophones du Nouveau-Brunswick, géographie d'un groupe ethnoculturel minoritaire. Thèse de doctorat, Paris, Librairie Honoré Champion.

[4] ROY, M. (1972) Assimilation francophone, expansion économique anglophone. L'Acayen, (juin), p. 18.

[5] Conventions Nationales des Acadiens (1907) Recueil des travaux et des délibérations des six premières conventions, Shédiac, Imprimerie du Moniteur Acadien : p. 251.

[6] Propos tenus par le révérend M.F. RICHARD lors de la deuxième Convention nationale des Acadiens, août 1884.

[7] Conventions Nationales des Acadiens, *op. cit.* : p. 25.

[8] *L'Évangéline* (1918) Le Sacré-Coeur et ses braves acadiens. (1er mai) p. 1.

[9] BAUDRY, R. (1960) Les rapports ethniques dans les Provinces Maritimes, dans *La Dualité canadienne*, Québec, les Presses de l'Université Laval, p. 379.

[10] Mariages entre individus appartenant à des groupes ethnoculturels différents. Ici entre conjoints d'origine ethnique française et conjoints d'autres origines.

[11] MASSIGNON, G. (1962) *Les parlers français d'Acadie*. Paris, Klincksieck, p. 42-68.

[12] MAILLET, A., SCALABRINI, R. (1973) *L'Acadie pour quasiment rien*. Montréal, Leméac, p. 77.

[13] Enquête semi-directive menée en 1973 auprès des élèves de 12e année (16 à 18 ans) des trois régions francophones du Nouveau-Brunswick. Voir RAVAULT, R.-J. VERNEX, J.-C. (1973) Les Acadiens de l'an 2000. *Revue de l'Université de Moncton*, p. 7-38.

[14] Interview réalisée en décembre 1972, Université de Moncton.

[15] Interview réalisée en novembre 1974, Université de Moncton.

[16] Office National du Film, 1972.

[17] Ligne Nord-Ouest-Sud-Est (du Madawaska à la région de Moncton) partageant grossièrement le Nouveau-Brunswick en deux espaces ethniques : l'espace francophone (Nord-Est), l'espace anglophone (Sud-Ouest).

[18] LEBLANC, Raymond, « Je revendique pour tous le droit à la terre, à l'eau, au métal, au zinc, au bois, au poisson, au pain. Je revendique de vivre ici, le che-nous, le rêve d'avenir ».
DESPRÉS, Ronald, « Un pays nu sans frisson
                Un pays de prunelles fières
                Et de poings tendus
                Vers la lumière.
                Tu es, mon Acadie
                — Et sans douleur cette fois —
                Pays de partance ».
Chanson de Duguay Calixte, « Un jour viendra,... »
Etc.

[19] LE BOUTHILLIER, C. (1977) *l'Acadien reprend son pays*. Roman d'anticipation. Moncton, Éditions d'Acadie.

[20] Voir à ce sujet l'article de LAGACE Y., (1972) l'Acadie, l'Acadie. *Le MADAWASKA, (12 janvier)*.

[21] WILLIAMS, C.H. (1977) Ethnic perceptions of Acadia. *Cahiers de géographie de Québec*, 21 (53-54) : 243-268.

[22] Cette enquête fut réalisée d'une part auprès d'un groupe de 16 étudiants en géographie de l'Université de Moncton originaires des trois régions francophones néo-brunswickoises et âgés de 18 à 22 ans, d'autre part auprès de 95 élèves de 12e année (16-19 ans) choisis au hasard dans quatre polyvalentes francophones (Madawaska, Nord-Est, Sud-Est, agglomération de Moncton). Après distribution d'un fond de carte représentant les provinces Maritimes, trois séries de questions furent posées : la première portant sur leur représentation mentale de l'Acadie, la deuxième sur la délimitation des frontières d'une hypothétique province acadienne, la troisième sur leur perception de cette nouvelle et imaginaire province acadienne. Du fait de la taille réduite de l'échantillon et du manque de rigueur absolue dans son choix, il n'est évidemment pas question de le considérer comme représentatif et donc de fixer des conclusions prévues et définitives au sujet de l'image des jeunes francophones de l'Acadie. Tout au plus peut-on proposer quelques remarques provisoires et souligner certaines tendances particulièrement évidentes (tendances illustrées par un choix de quelques cartes mentales).

[23] Exemples de refus exprimés aux tests proposés (région de Shediac, Sud-Est du Nouveau Brunswick) :
— « Vous me demandez quelque chose que je n'aime pas faire »
— « L'Acadie est morte, vive le Canada-Uni ! Oui, je peux vous dire que vos travaux sont pas mal écoeurants ».

BIBLIOGRAPHIE

BAUDRY, R. Les Acadiens d'aujourd'hui, *Commission Royale d'Enquête sur le Bilinguisme et le Biculturalisme*, 2 tomes, Ottawa.

CHAUSSADE, J. (1975) L'Acadie, l'Acadie !. *Études Canadiennes*, I.

CHAUSSADE, J. (1976) La pauvreté dans les Provinces Maritimes. *Études canadiennes*, I.

COMITÉ D'ÉTUDE DU NOUVEAU-BRUNSWICK SUR LE DEVELOPPEMENT SOCIAL (1971) *Participation et développement*. Fredericton, 3 tomes.

EVEN, A. (1970) *Le territoire pilote du Nouveau-Brunswick ou les blocages culturels au développe-ment économique : contribution à une analyse socio-économique du développement*. Thèse de doctorat, Rennes, Faculté de droit et des sciences économiques.

EVEN, A. (1971) Domination et développement au Nouveau-Brunswick. *Recherches sociographi-ques*, 12 (3) : 271-318.

GODIN, P. (1972) *Les révoltés d'Acadie*. Montréal, Éditions québécoises.

HAUTECOEUR, J.-P. (1975) *L'Acadie du Discours*. Québec, les Presses de l'Université Laval.

MAILLET, A. et SCALABRINI, R. (1973) *L'Acadie pour quasiment rien*. Montréal, Léméac.

MASSIGNON, G. (1962) *Les parlers français d'Acadie : enquête linguistique*. Paris, librairie C. Klincksieck, 2 tomes.

PARTI ACADIEN (LE) (1972) *Manifeste*. Moncton.

POULIN, P. (1972) L'acadien à la recherche d'une Acadie. *Relations*, 371 : 135-138.

RAVAULT, R.-J., VERNEX J.C. (1973) Les Acadiens de l'an 2000. *Revue de l'Université de Monc-ton*, 6 (2) : 7-38.

RICHARD, C. (1969) L'Acadie, une société à la recherche de son identité. *Revue de l'Université de Moncton*, 2 (2) : 52-59.

RICHARD, C. (1969) L'Acadie, une histoire à faire. *Maintenant*, 87 : 169-175.

RICHARD, C. (1969) La récupération d'un passé ambigu. *Liberté,* 11 (5) : 27-48.

ROY, M. (1978) Un pays à inventer. *L'Acadie*, I (1) : 33-34.

ROY, M. (1978) Assimilation francophone, expansion économique anglophone. *L'Acadie*, 1 (1) : 17-20.

RUMILLY, R. (1955) *Histoire des Acadiens*. Montréal, Presses de l'Imprimerie St-Joseph, 2 tomes.

THERIAULT, L. (1971) Réflexions sur la francophonie aux Maritimes. *Revue de l'Université de Moncton*, 4 (3) : 33-37.

THERIAULT, L. (1972) À la recherche d'un nom. *L'Acadie*, 1 (1) : 31-32.

TREMBLAY, M.-A. (1966) La société acadienne en devenir : l'impact de la technique sur la structure sociale globale. *Anthropologica*, 3 (2) : 329-350.

VERNEX, J.-C. (1975) La survivance acadienne au Nouveau-Brunswick : quelques interrogations sur son devenir. *Le Globe*, 115 : 15-52.

VERNEX, J.-C. (1978) *Les francophones du Nouveau-Brunswick, géographie d'un groupe ethno-culturel minoritaire*. Thèse de doctorat, librairie Honoré Champion, 2 tomes.

VERNEX, J.-C. (1978) Les frontières de l'Acadie : quelques données sur l'espace vécu des franco-phones du Nouveau-Brunswick. Paris, *Actes du 103e Congrès National des Sociétés Savantes*.

WADE, M. (1960) *La dualité canadienne : essais sur les relations entre canadiens français et cana-diens anglais*. Québec, les Presses de l'Université Laval.

WILLIAMS, C.H. (1977) Ethnic perceptions of Acadia. *Cahiers de géographie de Québec*, 21 (53-54) : 243-268.

XI

Les Franco-Terre-Neuviens : survie et renaissance équivoques

Eric WADDELL et Claire DORAN[1]

« *Nous sommes au bout du monde, les taxis ne passent pas par là, pas dans le bois, pas dans les nuages, les taxis ne viendront pas nous chercher sur la baie gelée, ni les chars d'assaut, ni les avions à réaction, les taxis ne passent pas, personne ne passe. La neige tombe en écrans, c'est le bout du monde...*

Herménégilde Chiasson
(tiré du poème « Blanc »,
In *Mourir à Scoudouc*,
Moncton, Éditions d'Acadie.
1974)

LES TROIS FRANCOPHONIES TERRE-NEUVIENNES

Même s'il existe trois noyaux distincts de francophones à Terre-Neuve, Labrador City, Saint-Jean et la péninsule de Port-au-Port, c'est seulement dans la troisième de ces concentrations que l'on trouve de véritables Terre-Neuviens d'expression française (figure 1). Ces derniers sont nés et ont développé des racines profondes dans le milieu; Terre-Neuve est pour eux le seul « pays ». Ainsi, les francophones de Labrador City, même s'ils forment quelque 25% de la population de la ville et sont munis de structures scolaires semi-autonomes, sont des gens de passage, des Québécois ou des Acadiens, qui « ont monté pour la piastre », tenter leur chance dans une ville minière, mais qui y vivent toujours dans l'attente de rentrer chez eux. À Saint-Jean, c'est un peu la même chose, des Québécois surtout, mutés par le gouvernement fédéral, les corporations de la Couronne ou la grosse entreprise canadienne, mais aussi des enseignants de français dans les écoles et à l'Université. Ces professionnels, qui ont les moyens de retourner souvent chez eux en visite, sont tous des résidents temporaires de la capitale terre-neuvienne. Mais il y a également un certain nombre de francophones établis d'une façon permanente dans la ville, des hommes de métier venus de Labrador City se lancer en affaires et des Saint-Pierrais attirés par un plus grand éventail d'emplois et un niveau de vie plus élevé. Installés tous deux en pays neuf de langue anglaise, ils s'intéressent peu au fait et aux revendications français. « Pour eux (les Saint-Pierrais) le français c'est pratiquement fini... ils viennent dans un pays complètement étranger ».

LES VÉRITABLES FRANCO-TERRE-NEUVIENS

Ignorés par la francophonie canadienne avant le début des années 70, et surtout oubliés par la Commission Royale d'Enquête sur le Bilinguisme et le Biculturalisme des années 60, les « véritables » Franco-Terre-Neuviens de la côte ouest commencent à peine, sans doute au plaisir de certains intervenants, à se faire entendre et à être connus à l'échelle du pays, fournissant par leur existence même la preuve qu'une francophonie existe « from coast to coast » et dans toutes les provinces. Ainsi, ils ont pu attirer le secrétaire d'État (Pelletier) en tournée d'information en 1973, et le premier ministre (Trudeau) pour l'inauguration de leur première école bilingue en 1975. Entre-temps, ils ont fourni le dernier maillon à la chaîne interprovinciale de la Fédération des Francophones Hors-Québec (FFHQ) et de l'Association canadienne d'éducation de langue française (ACELF). Depuis ils ont pu profiter de la télévision française (Radio-Canada), reliée par satellite de Montréal et, tout dernièrement, susciter l'intérêt des cinéastes québécois désireux de fournir des images d'un autre îlot de francophones perdus dans la grande Amérique anglaise.

Mais qui sont ces Franco-Terre-Neuviens, et comment sont-ils parvenus à survivre et même à se faire entendre, si faiblement soit-il, tout en restant si peu nombreux et si marginaux dans la province la plus anglaise du pays ?[2].

QUELQUES DONNÉES FONDAMENTALES

D'après le recensement de 1971, 4,4% de la population, soit 1 260 personnes habitant la division n° 4 (entre la rivière Serpentine au nord et le cap Ray au sud) sont de langue française[3]. Les deux-tiers (820 personnes) se trouvent sur la péninsule de Port-au-Port où ils constituent environ 13% de la population totale, la plupart d'entre eux habitant les 3 villages « français » de Cap-Saint-Georges, Grand'Terre (Mainland) et Anse-aux-Canards (Black Duck Brook) qui se trouvent aux extrémités de la péninsule (figures 2 et 3). En dehors de la péninsule, des groupuscules francophones sont éparpillés

Figure 1

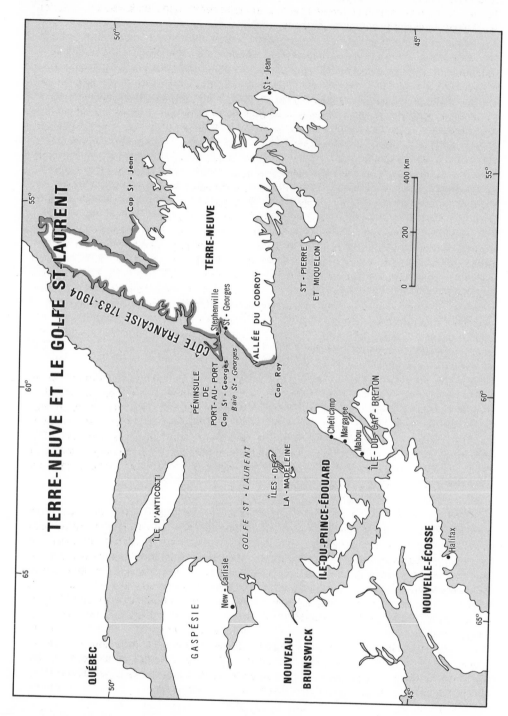

le long de la baie Saint-Georges, et même jusqu'à la vallée du Codroy. Cependant, l'essentiel de l'action d'animation culturelle et linguistique est centré dans les 3 villages, et surtout au Cap où ils sont carrément majoritaires.

À première vue ces communautés ressemblent à bien d'autres villages acadiens se trouvant aux abords du golfe Saint-Laurent. Les noms de famille acadiens sont communs — Benoît, Cormier, Chiasson, Leblanc, Aucoin, devenus souvent, par la force des choses, Bennett, Chaisson, White et O'Quinn, mais il y en a autant d'origine française — Formanger, Simon, Retieffe, Rouzes — et bretonne — Cornect, Kerfont, Lagatdu — ou qui sont très connus à Saint-Pierre — Morazé, Briand, Ozon. Et il y en a même qui sont originaires des îles Anglo-normandes — Leprieur, Lecointre, Messervey. Cependant, la région n'a jamais vraiment fait partie de l'Acadie, ni ancienne, ni moderne, ses habitants n'ayant guère été encadrés par une hiérarchie acadienne, religieuse ou autre. En dépit de la diversité de leurs origines, certaines ressemblances existent entre Acadiens et Franco-Terre-Neuviens, surtout au niveau de la langue et du genre de vie. Ainsi, même si le breton était parlé et encore compris par quelques-uns jusqu'aux années 50, et si certains individus continuent à insister sur la différence entre le « bon » français et le parler de tous les jours, ce dernier ressemble beaucoup au langage de Chéticamp (et de certains patois français, notamment le fécampois). Ainsi, on palatalise les consonnes /k/ et /g/ pour faire « tchinze » de « quinze » et « djerre » de « guerre ». On prononce toujours les consonnes fortes (« tout » devient « toute »), on simplifie les verbe irréguliers (« faites » devient « faisez »), on a une conjugaison particulière des verbes en première et deuxième personnes (« j'avons », « j'avions », « j'aurions », etc.) et on possède un vocabulaire distinct (« brocher » pour « tricoter », « hardes » pour « vêtements », « gaboter » pour « voyager », « asteure », etc.).

Le genre de vie traditionnel est celui de maintes petites communautés maritimes — une économie familiale qui est à la fois pluraliste et cyclique (suivant les saisons et la disponibilité des ressources), basée sur la pêche commerciale côtière, mais avec un secteur vivrier important (agriculture d'appoint, cueillette et chasse), et le travail en forêt pendant la saison morte. Pour reprendre les paroles d'Antonine Maillet, ce sont des « Pêcheurs, bûcherons, forgerons, hommes à tout faire ou hommes à ne rien faire du tout ». Et de nos jours, ils exploitent, effectivement, les ressources de l'assurance-chômage et du bien-être social autant que celles de la mer.

Même si cette population est peu nombreuse et minoritaire (en dehors des trois communautés de Cap-Saint-Georges, Grand'Terre et Anse-aux-Canards), sans institutions qui lui soient propres ou qui relèvent de l'Acadie, sans tradition d'élite locale, et même si elle est composée de gens d'origines diverses qui se sont installés d'une façon anarchique sur la côte, elle a quand même réussi à conserver une certaine personnalité française pendant plus de trois générations. Du reste, cette personnalité est assez forte pour assurer une certaine relève, si fragile soit-elle, depuis le début des années 70. Ceci est d'autant plus remarquable qu'au niveau provincial on n'accorde aucune reconnaissance officielle au fait français, tandis qu'au niveau régional la frontière ethnique séparant la minorité francophone de la majorité anglophone est très diffuse puisque tous sont catholiques. Ainsi l'exogamie a toujours été permise par les autorités religieuses (ce qui n'était pas le cas au Québec et en Acadie jusqu'aux années 60, puisque les francophones étaient typiquement catholiques et les anglophones protestants).

Pour mieux comprendre les circonstances de cette survie, il faut tenir compte des conditions particulières du peuplement.

Figure 2

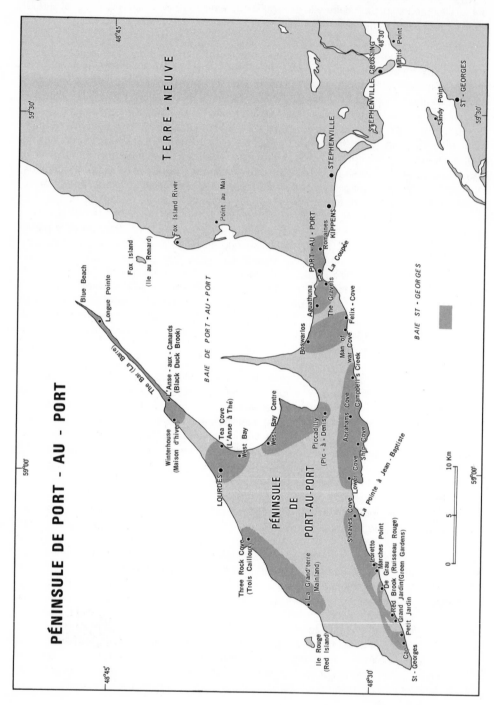

Figure 3

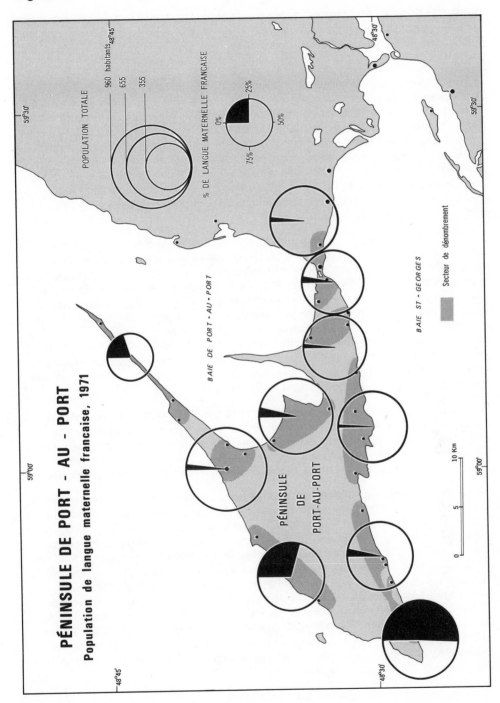

PÉNINSULE DE PORT - AU - PORT
Population de langue maternelle française, 1971

L'HISTOIRE ET LA GÉOGRAPHIE LOCALES DE LA CÔTE OUEST

Au 19ᵉ siècle la côte ouest de Terre-Neuve faisait partie de deux mondes, celui d'une certaine France d'outre-mer, d'où une présence française jusqu'en 1904[4], et celui du golfe Saint-Laurent, d'où une pénétration acadienne lors des grandes migrations maritimes originant du Cap-Breton, de l'Île-du-Prince-Édouard et des Îles-de-la-Madeleine.

Ces deux groupes, français et acadien, se distinguaient sur le plan sociologique, s'intéressaient à des ressources différentes, et se dirigeaient vers des destinations distinctes. La côte étant sous juridiction française, les Français vinrent dès la fin du 18ᵉ siècle pêcher la morue et, plus tard, vers la fin du 19ᵉ siècle, le homard. La pêche à la morue était une entreprise encadrée par l'État et organisée sur une base saisonnière à partir de postes de pêche situés sur des îles ou des péninsules. À la fin du régime, il restait 6 bases sur la Côte Française entre cap St-Jean et cap Ray, dont 3 dans la péninsule de Port-au-Port : Anse-aux-Canards, Île Rouge et Port-au-Port même (à la sortie de la péninsule). La plus importante était de loin l'Île Rouge, en face de la Grand'Terre, qui attirait 100 à 150 pêcheurs et graviers chaque été.

Pour éviter le service militaire régulier, des Français (de Saintonge et de Normandie), des Saint-Pierrais et des Bretons se portaient volontaires pour servir sur les goélettes de pêche. La dureté de ce mode de vie encourageait plusieurs d'entre eux à déserter pour ensuite s'établir dans la péninsule. En plus, il y avait quelques familles venus de Saint-Pierre, installées à longueur d'année aux diverses bases par les autorités, pour protéger les installations. Attirées par la pêche au homard, qui était particulièrement profitable dans la péninsule, d'autres familles saint-pierraises vinrent, vers la fin du 19ᵉ siècle, se joindre à eux. Propriétaires de goélettes, et venues à leur propre compte, ces familles agissaient comme maîtres de pêche et marchands, et construisaient leurs propres « canneries » pour transformer le homard sur place. Ainsi la petite population locale trouvait acheteurs pour les produits de la pêche et emplois dans les conserveries.

Les derniers Français sont arrivés en 1903 à la veille de l'extinction des droits accordés par le traité d'Utrecht. De cette filière française a pris racine une population à prédominance masculine. Établie aux extrémités des terres, dans un milieu exclusivement francophone (ou breton), comprenant des gens de divers milieux et niveaux d'instruction[5], cette population masculine devait pour se reproduire aller chercher des épouses ailleurs.

Le déplacement des Acadiens vers la côte ouest de Terre-Neuve s'inscrivait dans le cadre global de l'expansion acadienne du milieu du 19ᵉ siècle vers le nord du golfe Saint-Laurent. Venus par familles de Chéticamp, Margaree et Mabou (Cap-Breton), en passant parfois par les Îles-de-la-Madeleine, et voyageant dans leurs propres goélettes, ces gens étaient à la recherche de bonnes terres agricoles. Ils se dirigeaient donc vers le fond des baies, notamment la baie Saint-Georges et la vallée du Codroy. Des communautés importantes s'installèrent progressivement à Saint-Georges même et à Stephenville, autrefois appelé l'Anse-aux-Sauvages. Une fois sur place ils commencèrent à pénétrer dans la péninsule de Port-au-Port et à établir des rapports avec les Français : location de services aux maîtres de pêche, échange de provisions d'hiver contre produits de la pêche, hébergement de déserteurs et établissement de liens matrimoniaux. À cette époque la communauté était même assez dynamique pour exiger la présence d'un curé; le père Bélanger, venu des Îles-de-la-Madeleine vers 1850, y tint cette fonction.

Poussés par les mêmes pressions démographiques au Cap-Breton, des Écossais et des Indiens Mic-Mac participaient aussi à cette vague migratoire. On visait souvent la vallée du Codroy, mais la baie Saint-Georges finit par attirer un grand nombre de ces migrants. Ceci est lié au grand dynamisme commercial de Sandy Point pendant la deuxième moitié du 19e siècle.

Vers les années 1860, les sources du peuplement acadien se tarissent[6]. De plus, attirés par la pêche, la chasse au loup marin ou le cabotage, une partie de ses effectifs se dirigent vers la côte nord du golfe et les Îles-de-la-Madeleine.

Le milieu acadien de la baie se distinguait donc, à plusieurs égards, du milieu français de la péninsule. Premièrement, il y avait un équilibre plus grand entre les deux sexes chez les Acadiens. Deuxièmement, ceux-ci vivaient de la terre plutôt que de la mer : le bois et la chasse servant de complément à l'agriculture. Troisièmement, une plus grande diversité ethnique se retrouvait dans ces foyers de peuplement acadien. De ces deux groupes, celui d'origine française a le mieux résisté aux processus d'assimilation. Cette plus grande ténacité culturelle et linguistique s'explique en raison du plus grand isolement des habitants de la péninsule, et l'homogénéité linguistique relative de la population, d'une organisation économique centrée sur la famille et, finalement, de la présence au sein de la première génération de nombreuses personnes instruites. C'est seulement à partir des années 1930 que les quelques familles anglaises installées parmi les francophones de la péninsule commencèrent à résister à l'assimilation; chez les Acadiens des transferts linguistiques vers l'anglais se manifestèrent dès le début grâce à la plus grande diversité linguistique du milieu. De plus l'équilibre de cette dernière région fut bouleversée très tôt et à plusieurs reprises, notamment avec l'arrivée de la voie ferrée à la fin du 19e siècle, plus tard de la route trans-terre-neuvienne, de diverses industries (notamment des scieries) et, pendant la Deuxième Guerre, d'une énorme base militaire à Stephenville, base qui a littéralement effacé de la carte l'Anse-aux-Sauvages. Toutes ces activités ont sollicité une main-d'oeuvre locale et amené dans leur sillage beaucoup d'étrangers.

SURVIE ET DÉSINTÉGRATION DE LA COMMUNAUTÉ FRANCOPHONE, 1904-70

Deux développements complémentaires expliquent la trajectoire ethnique prise par cette population, à savoir la désintégration rapide de son identité macro-ethnique et le maintien d'une certaine identité micro-ethnique. D'abord, sur le plan culturel, on assiste à un isolement progressif du monde francophone, à l'appauvrissement des ressources culturelles internes, et à une pénétration progressive du milieu par la culture anglaise dominante. Ensuite, sur le plan économique, c'est le passage progressif d'une économie d'*out-port* (c'est-à-dire familiale, pluraliste et mi-vivrière, donc relativement autonome) à une économie de type capitaliste et « périphérique » impliquant la prolétarisation progressive de la population et une plus grande spécialisation économique. Ce processus se décompose en deux étapes, chacune équivalant à une génération dans la vie de la population : de 1904 aux années 30, et des années 30 aux années 60.

De 1904 aux années 30.   Même si 1904 marque la rupture de tout lien formel avec la France, les liens avec le monde francophone n'étaient pas coupés pour autant. Grâce à un noyau de gens instruits, on a pu dans certains cas entretenir une correspondance avec la parenté de France ou de Saint-Pierre. Ces personnes faisaient aussi venir des journaux de la France et du Québec (notamment *La Patrie* et *La Presse*) qu'ils se lisaient entre eux à haute voix. Ayant gardé leur nationalité française, plusieurs hommes retournèrent en France pour devenir combattants lors de la Première Guerre Mondiale. Les liens avec Saint-Pierre étaient entretenus grâce au passage fréquent de « vieux smugglers » qui apportaient des boissons et différents produits de luxe. À la même époque, des premiers liens se nouaient avec des Canadiens français dans les camps de bûcherons à Cornerbrook et ailleurs, mais aussi grâce aux pèlerinages à Sainte-Anne-de-Beaupré. À cause de la présence acadienne il y eut même, pendant cette période, une certaine reconnaissance du fait français au sein de l'Église catholique, même si l'influence de cette dernière était relativement restreinte. C'est ainsi que de 1912 à 1928 un curé acadien originaire de l'Île-du-Prince-Édouard fut en poste à Lourdes, de même y trouva-t-on, pendant un certain temps, une maîtresse d'école acadienne, Mlle Poirier, venue de la vallée du Codroy. Ainsi, sans perdre de vue une certaine patrie française d'outre-Atlantique (en passant par Saint-Pierre), ils ont pris connaissance d'une certaine francophonie d'Amérique, un univers dont ils ne connaissaient que des bribes et avec lequel ils ne s'identifiaient pas.

Ces quelques liens avec la francophonie lointaine n'empêchèrent pas l'isolement de cette population qui resta ainsi très « protégée » sur le plan régional. L'absence de routes et une autarcie partielle créent une situation où les liens avec l'extérieur ne sont assurés que par quelques individus. Cela restreint au strict minimum les contacts avec les anglophones et assure une certaine égalité dans les rapports inter-ethniques. Dans un tel contexte le caractère francophone et ethnique des communautés pouvait s'exprimer librement et englober à la fois l'univers économique et social : ressources locales, économie familiale, vie familiale et réseau de parenté. Malgré l'absence de contacts soutenus avec le monde francophone extérieur, la langue française restait utilisée dans tous les domaines, et le groupe ethnique ne se sentait nullement brimé, à peine conscient qu'il était de sa condition minoritaire.

Des années 30 aux années 60. La disparition des derniers « vieux français », ou encore des derniers lettrés, signifia la rupture de toute communication écrite avec le monde francophone. La Crise des années '30, l'organisation d'une garde côtière pour arrêter la « contrebande » servirent aussi à effriter les liens fragiles avec d'autres milieux francophones. Avec la reprise économique et, ensuite, l'avènement de la Deuxième Guerre, les communautés francophones furent progressivement intégrées à un ensemble régional. N'étant plus isolé par rapport au reste de la province, l'on éprouve pour la première fois et le sentiment et la condition d'être une minorité. Le travail salarié, à l'extérieur, prend une ampleur considérable avec la création de la base militaire américaine de Stephenville en 1941. L'établissement d'un réseau routier permet à cette base d'attirer sa main-d'oeuvre des extrémités mêmes de la péninsule. La présence de cette base occasionne aussi la destruction totale de la cohérence spatiale de la population acadienne de la baie. Avec l'abandon massif de la pêche et des activités vivrières, toutes les communautés connaissent un affaiblissement prononcé de l'économie familiale. On constate également le début de changements linguistiques au sein des familles francophones. Ainsi, même si la communauté reste physiquement et sociologiquement intacte, l'importance de l'anglais, en tant que langue de la majorité, langue de travail et langue du pouvoir, est ressentie à un point tel que des transferts linguistiques commencent à se manifester surtout dans les familles optant pour un travail salarié à l'extérieur. Et cette volonté d'abandonner le français trouve un appui fortuit chez un clergé, maintenant exclusivement irlandais, qui demande aux parents de baptiser leurs enfants avec des noms anglais et de leur parler uniquement dans cette langue.

En dépit de cette rupture économique et culturelle, l'isolement géographique des communautés francophones des extrémités de la péninsule persiste. Et même si des individus en sortent en plus grand nombre, plus souvent et pour plus longtemps, la culture traditionnelle reste forte et les institutions de la majorité (École, Église, État) tiennent peu de place dans ces villages.

Si quelques « smugglers » saint-pierrais fréquentent encore la région jusqu'au début de la Deuxième Guerre et que l'on rencontre des Québécois, ici et là, dans les camps de bûcherons à travers les provinces atlantiques, une seule innovation sert à assurer quelques liens affectifs avec l'Amérique française durant cette période. La radio française, CHNC New Carlisle (Gaspésie), se met en ondes le 23 décembre 1933, et se fait entendre pendant au moins 20 ans dans la péninsule. On écoute l'accordéoniste Tommy Duchesne, le chapelet et surtout « Séraphin ». Tout le monde se réunit dans les maisons de ceux qui possèdent des récepteurs. On s'identifie facilement à cette culture québécoise rurale et catholique, et aujourd'hui, en dépit de la disparition de Séraphin des ondes et de la quasi-impossibilité de capter ce poste (à cause de l'ampleur de l'interférence) les vieux racontent avec amour les personnages et les événements de cette époque radiophonique.

L'intégration de Terre-Neuve à la Confédération canadienne en 1949 ne modifia en rien cet état de choses, sinon pour renforcer la dépendance des communautés francophones par rapport aux structures régionales et accentuer ainsi leur marginalité ethnique. Sur le plan économique, l'intervention d'un État fort assure une situation de dépendance totale vis-à-vis de l'extérieur. Toutes les « ressources » (ou sources de revenu familial) exploitées par la population locale, de la pêche jusqu'au bien-être social, en passant par les projets PIL et le service d'éducation aux adultes, sont contrôlées d'une façon ou d'une autre par le gouvernement central. Cette intégration dans le système régional est renforcée par les médias régionaux anglophones qui monopolisent toute l'information. La radio française de New Carlisle, de plus en plus difficile à capter et à contenu moins pertinent, est ainsi reléguée aux oubliettes.

Cette rupture de l'isolement et l'imposition d'une marginalité signifient sur le plan linguistique et ethnique, que les francophones sont confrontés de plus en plus souvent au monde anglophone où les échanges et le travail s'accomplissent dans une langue qu'ils maîtrisent mal et où leur propre langue est non seulement inadéquate mais aussi méprisée. Les relations entre francophones et anglophones se multiplient et concernent la quasi-totalité des adultes. Hors du cadre local, elles prennent nettement l'allure de relations minorité-majorité, c'est-à-dire d'une inégalité caractérisée par l'humiliation et la perte d'initiative de la part de la minorité, et d'un mépris et d'une perpétuation des préjugés de la part de la majorité.

Même au sein des communautés francophones, grâce aux pouvoirs accrus de l'Église catholique, l'identité ethnique est contestée. La création d'un solide réseau scolaire anglais et confessionnel institutionnalise une situation où la compétence dans la langue anglaise est exigée dès l'âge de cinq ans plutôt qu'au moment où l'on entre sur le marché du travail. Tout enfant qui arrive à l'école ne sachant pas l'anglais est renvoyé à la maison. Les années cinquante et soixante deviennent une période d'assimilation précoce et rapide sur un front si large que seulement les familles les plus traditionalistes (plaçant peu de valeur dans une éducation formelle, pratiquant une pêche côtière organisée sur une base familiale et s'intéressant toujours aux activités vivrières) sont épargnées.

À la fin des années 60, les communautés francophones affichent une profonde anomie. Comme dans tout *out-port* il y eut effondrement de l'économie familiale et perte d'une relative autonomie locale en faveur d'une dépendance économique extrême à l'égard des centres éloignés. Mais, en plus, privée d'une élite ethnique locale et se voyant imposée une puissante élite étrangère qui n'admet pas sa spécificité, la population est en pleine désintégration culturelle. Le français est devenu langue privée dont l'utilisation est limitée aux réseaux sociaux et aux activités les plus traditionnelles, et bon nombre de participants dans ces réseaux ne sont que des bilingues passifs. L'anglais pénètre massivement même les foyers de ces communautés grâce à la fois à une jeunesse instruite en anglais, qui nie de plus en plus ses origines françaises, et à la télévision qui est ouverte du matin au soir. À l'intérieur d'une population d'origine française, le clivage s'accentue entre ceux dont l'orientation économique reste familiale et centrée sur le village et ceux qui choisissent le travail rémunéré à l'extérieur. Ces différences sur le plan du mode de vie et de la consommation se traduisent, au niveau ethnique, en attachement à la langue et à la culture françaises chez les premiers, et anglaises chez les deuxièmes.

Finalement cette intégration aux structures régionales sert à créer une conscience et une identité terre-neuviennes à tel point que lorsque les jeunes partent pour les centres urbains à la recherche du travail, ils choisissent tout naturellement Halifax ou Toronto plutôt que Montréal et quand ils voyagent au Québec, ils utilisent la langue anglaise de préférence à la langue française.

DÉVELOPPEMENTS RÉCENTS

Vers 1970 on va jusqu'à nier l'existence même des francophones dans la péninsule de Port-au-Port. D'après les autorités régionales, c'est strictement du folklore. Et puis, soudainement, la situation prend une tournure imprévue; les francophones exigent des écoles et une télévision françaises, la reconnaissance d'autres droits linguistiques et culturels, et se manifestent de plus en plus au sein de la francophonie canadienne. L'initiative vient à la fois de l'intérieur et de l'extérieur de la communauté. La coïncidence est tout à fait fortuite et sert à donner plus d'essor au mouvement sans toutefois amenuiser certaines de ses contradictions.

Avec la création des écoles, l'on souhaitait, suivant la tradition terre-neuvienne, former des instituteurs locaux. En formant ceux-ci on a fini par créer, pour la première fois, une petite élite locale (d'une vingtaine de personnes peut-être) se percevant comme francophone et terre-neuvienne, et se définissant ouvertement comme telle. Cette prise de conscience, garantie par un séjour à Memorial University of Newfoundland (Saint-Jean) où ces instituteurs choisissent inéluctablement le français comme « majeure », leur permet de se réapproprier leur langue, en devenant lettrés et en améliorant leur vocabulaire. Ce séjour était souvent pénible puisque seulement le français standard avait droit de parole, le français terre-neuvien étant surtout perçu comme un patois obscur et sans pertinence. Mais même cette indifférence des maîtres servait à stimuler une prise de conscience chez les Franco-Terre-Neuviens, tout en les poussant à cacher leur identité propre au sein du département de français.

De retour dans leurs villages, ces mêmes instituteurs commencèrent à contester les politiques de l'Église et de la Commission scolaire. Mais traités de marginaux et fauteurs de trouble, et incapables de faire plier les autorités, leur contestation tourna vite en résistance passive, sous forme, par exemple, de confessions en français devant un curé unilingue anglais.

À peu près en même temps (1970) le gouvernement fédéral, par l'entremise du secrétariat d'État, commence à s'intéresser à la population. Ceci se fait dans le but d'assurer la « survie » et « l'épanouissement » des minorités de langue officielle et promouvoir ainsi le bilinguisme et le biculturalisme « from coast to coast ». Heureux de la découverte d'une population francophone à Terre-Neuve, le secrétariat d'État encourage la création, à Cap-Saint-Georges, d'un groupe voué à la promotion culturelle (« les Terre-Neuviens français ») dès la fin de 1970, groupe qui pourra par la suite recevoir des fonds fédéraux pour fins d'animation sociale.

Cette initiative fédérale servit à légitimer les revendications de l'élite locale en créant une association officielle pour représenter la minorité et en fournissant les moyens pour entreprendre une action régionale et provinciale. Tout naturellement ce groupe de pression et d'animation fut vite dominé par les instituteurs.

L'intervention fédérale, par sa nature même, assure aussi une certaine intégration à l'intérieur de la francophonie canadienne : échanges scolaires et autres, participation aux assises de l'ACELF et de la FFHQ, etc. Ainsi, un appui des autres minorités francophones leur est assuré. Les résultats ne tardent pas à se manifester : programme d'immersion française à Cap-Saint-Georges[7], présence de la télévision d'État, reliée par satellite de Montréal à partir de 1975, création de postes d'animateurs financés par les fonds fédéraux et, dernièrement, organisation d'un festival folklorique annuel.

Cependant, si toutes ces initiatives servent à institutionnaliser une élite qui s'affirme en tant que franco-terre-neuvienne, qui voyage beaucoup pour participer à la grande francophonie canadienne, et qui s'est vu octroyer les instruments de sa propre survie, il n'est pas claire qu'elles ont modifié pour autant le sort de la majorité des francophones. La masse continue à s'angliciser et se révèle peu intéressée à renforcer son identité historique, culturelle et linguistique. La logique de son comportement est évidente. Les préoccupations fondamentales des habitants des régions périphériques sont d'ordre économique. D'une part, les politiques linguistiques fédérales ne touchent guère à ce domaine, si ce n'est que pour fournir une autre ressource d'appoint à quelques membres privilégiés d'une population marginale. Ainsi, aux yeux du Franco-Terre-Neuvien moyen « on hâle le français comme on hâle les stamps ! » À Terre-Neuve, comme ailleurs, ce nouveau pouvoir, en termes de langue de travail et de promotion sociale, parle anglais. Afin d'assurer une meilleure intégration dans cet ordre plus ou moins explicite, le travailleur local, qui est peu mobile par rapport à sa propre élite, a intérêt à se conformer culturellement et linguistiquement. Autrefois Français, Breton, Saint-Pierrais ou Acadien, ensuite pêcheur et habitant de Cap-Saint-Georges, Grand'Terre ou Anse-aux-Canards, il est maintenant en train de devenir simple Terre-Neuvien. Et il n'est pas certain qu'on puisse être à la fois Terre-Neuvien et Canadien français. Pour l'élite, cette double identité est possible, grâce à une mobilité sans ambage entretenue par l'État fédéral. Mais combien de temps peut durer une élite sans masse ou assise locale ?

NOTES

[1] La recherche dont cet article est issu a été entreprise dans le cadre d'un projet portant sur les minorités ethniques dans le golfe Saint-Laurent (subventionné par le Conseil des Arts du Canada : S71-1560) et une enquête sur les francophones de Terre-Neuve et du Labrador (commanditée par le Secrétariat d'État)). Plusieurs visites sur le terrain ont été effectuées en 1972, 1974 et 1975. Une première version de cet article a été présentée dans la section Etudes Acadiennes, au 43e Congrès de l'ACFAS, tenu à Moncton en mai 1975. Eric Waddell est le responsable de cette version finale du texte.

[2] Les Franco-Terre-Neuviens ne sont pas totalement inconnus des chercheurs en sciences humaines. Trois études en particulier méritent d'être consultées, Biays (1952), Lamarre (1971) et Matthews (1976 : ch. 5).

[3] Il faut considérer ce chiffre avec réserve. De nombreux francophones évitent de se déclarer comme tels devant une autorité officielle à cause de la « francophobie » que l'on retrouve encore aujourd'hui à Terre-Neuve. Fait intéressant à noter, 2060 personnes au niveau de la même division de recensement affirment être bilingues, 64% de plus que ceux de langue maternelle française. Il est peu possible que beaucoup d'anglophones soient bilingues !

[4] Même si le traité d'Utrecht (1713) accordait Terre-Neuve à l'Angleterre, les droits saisonniers de pêche et de séchage des poissons sur la Côte ouest furent laissés à la France jusqu'en 1904. Surnommée ainsi la Côte Française, son étendue fut redéfinie à plusieurs reprises pour être réduite en 1783 à la région allant du cap Saint-Jean au cap Ray. Durant cette période de contrôle français, tout peuplement fut interdit de part et d'autre, et les colons étaient souvent persécutés par les maîtres de pêche français.

⁵ Selon la tradition locale, tout au moins un déserteur fut formé pour « porter la soutane ».

⁶ Il se peut que les migrations entre Chéticamp et la vallée du Codroy se soient poursuivies jusqu'à la fin du 19ᵉ siècle. De toute manière, les liens entre ces deux endroits furent maintenus au moins jusqu'aux années 1920; les gens du Cap Breton traversant le *Détroit* en goélette chaque automne pour vendre bétail et beurre à leur parenté terre-neuvienne (Père Anselme Chiasson, communication personnelle, mai 1975).

⁷ Ce programme a commencé au niveau de la maternelle et doit évoluer d'année en année avec, à partir de la 3ᵉ année, l'introduction progressive de l'anglais. Le but est de créer un programme bilingue intégral.

BIBLIOGRAPHIE

BIAYS, Pierre (1952) Un village terreneuvien : Cap-Saint-Georges. *Cahiers de Géographie*, 1, Québec, Les Presses de l'Université Laval.

DORAN, Claire (1974) *Adaptation et économie familiale dans une petite communauté rurale francophone de Terre-Neuve*. Thèse de maîtrise. Département de géographie, université McGill, Montréal.

LAMARRE, Nicole (1971) Parenté et héritage du patrimoine dans un village français terre-neuvien. *Recherches sociographiques*, 12(3): 345-359.

MATTHEWS, Ralph (1976) "There's No Better Place Than Here". *Social change in three Newfoundland communities*. Toronto, Peter Martin Associates.

WADDELL, Eric (1975) *Les francophones de Terre-Neuve et du Labrador*. Rapport présenté au programme des groupes minoritaires de langue officielle, Secrétariat d'État, Ottawa.

XII

La Louisiane : un poste outre-frontière de l'Amérique française ou un autre pays et une autre culture ?

Eric WADDELL[1]

« Nous sommes un peuple uni :
Cadien, Noir et Créole. »

Père David Primeaux, Louisiane
Messe des Acadiens,
Lafayette, le 5 mars 1978.

Louisiana...

Louisiana Lady, Louisiana home,
Been gone five years now,
Five years too long.
Louisiana Lady, Louisiana home,
Comin' back to raise a family,
In the place where I belong.

I miss my Daddy's fussin'
The sweet smell of the land,
The gumbo and the jambalaya
Cooked by mother's hands

La Louisiane...

M. Ford, 1977

Ce qui caractérise le sud-ouest de la Louisiane, c'est sa *francité*. Ce terme évoque tout un éventail de traits culturels dont A. Bertrand (1953, p. 30) a déjà montré le déploiement : « ... language, food habits, religion and recreational activity, besides those associated with earning a living ». En plus de cette spécificité culturelle, la région témoigne également d'un ordre racial particulier. Les barrières entre les différents groupes, relativement poreuses dans le passé, n'interdirent pas l'éclosion d'une certaine communauté d'intérêt se traduisant entre autres par un début de métissage et la création de groupes marginaux de sang-mêlé. Prises ensemble, ces deux caractéristiques — francité et ordre racial — donnèrent naissance à une ethnie qui est à la fois différente et difficile à circonscrire. Mais grâce aux rapports intimes existant entre les gens et leur milieu de vie, la région affiche depuis quelque temps une identité qui lui est propre, l'*Acadiana*. Pourtant, même si l'espace traduit par ce concept est relativement facile à délimiter, son contenu en terme de population n'est ni homogène, ni très bien articulé.

On trouve au moins trois dialectes français en Acadiana : le français standard international, le cadjin et le créole. Certains vont même jusqu'à en identifier un quatrième : l'acadien de Pont Breaux et de Saint-Martinville ! De plus, dans les cas du cadjin et du créole, le parler varie grandement d'une région à l'autre, voire d'une communauté à l'autre. Toutes ces variations s'expliquent en grande partie par le fait que la langue française est à toute fin utile, une langue orale, qui, pendant des décennies, n'avait pas le droit de cité sur la place publique ou dans les écoles. On peut toutefois discerner actuellement une tendance générale vers la création d'un cadjin et à un moindre degré d'un créole « standards » à l'échelle de la région.

Un certain rapport existe entre les quelques groupes raciaux francophones et le dialecte français utilisé. Le créole est étroitement associé aux Créoles noirs et aux Créoles de couleur, le français standard avec les Créoles blancs néo-orléanais, et l'acadien avec la petite bourgeoisie urbaine du bayou Têche. Le cadjin est la langue de l'ensemble de la population blanche des petites villes et campagnes, qui, de plus en plus, s'identifie à cette langue. Il en est de même des Amérindiens Houma du sud des paroisses de Terrebonne et de Lafourche. Il faut aussi noter que de nombreux Noirs et Blancs sont bilingues en créole et en cadjin. Et jusqu'à récemment le créole, en tant que dialecte principal, a progressé chez une grande partie de la classe laborieuse blanche de la région du Têche et de l'Atchafalaya[2]. On trouve également des Noirs dans la « Prairie » qui ne parlent que le cadjin. En ce qui a trait aux tendances générales, on remarque que la langue acadienne et le français standard international sont de moins en moins courants. Toute personne au-dessous de la cinquantaine parle anglais, et cette langue est dominante, sinon unique, chez la plupart de ceux dont l'âge se situe en bas de la trentaine. En d'autres mots, le français s'efface aussi progressivement que sûrement en tant que langue dominante, le créole consolide ses positions aux alentours du Têche et de l'Atchafalaya, et le cadjin l'emporte dans la « Prairie » et les bayous et mèches du littoral[3].

L'évaluation du nombre de francophones en Louisiane demeure un sujet très controversé. Selon CODOFIL (Conseil pour le développement du français en Louisiane), on en dénombrait 1 468 440 en 1969. Mais le recensement américain de 1975 n'évalue qu'à 270 000 les francophones de plus de quatre ans. Smith-Thibodeaux avance comme estimé réaliste « ... un chiffre de 300 à 500 000 Louisianais pour lesquels le français constitue une langue encore très vivante » (1977, p. 43). De ce nombre, environ le quart est créolophone (ou bilingue créole-cadjin), et les trois-quarts sont d'expression cadjine[4].

Les diversités linguistiques et démographiques s'accompagnent également d'une certaine variété en ce qui regarde l'environnement global et les modes d'occupation de l'espace, variété que les transformations économiques parfois brutales des dernières quarante années n'ont pas réussi à effacer. On peut distinguer facilement les baies et bayous du sud-est, producteurs de crevettes et d'huîtres; le Moyen-Têche, zone de sucre, de soja et des diverses ressources des marécages; la Prairie qui a connu successivement l'élevage du bétail, le coton et maintenant le riz; ou les Chenières, autre zone de production de boeufs. Et bien sûr, le piégeage est d'une importance considérable dans les marécages et mèches du littoral. Ces divers systèmes de mise en valeur des ressources donnent naissance à leur tour à des variations alimentaires régionales, moins au niveau des ingrédients de base (riz, fruits de mer, etc.) ou des plats principaux (gumbo, jambalaya, boudin, etc.) mais plutôt dans la façon d'apprêter ces plats et d'utiliser certains ingrédients secondaires locaux.

Finalement, l'origine même de la population est diversifiée. Certes, la plus grande partie est originaire de l'Acadie; mais un nombre presqu'aussi important, des planteurs blancs et leurs esclaves noirs, est venu de Saint-Domingue, tandis que d'autres sont venus directement de la France suite à la Révolution et aux guerres napoléoniennes[5]. Outre ces gens d'expression française ou créole, Mexicains, Espagnols, Allemands et colons américains venus du Mid-West se sont greffés au noyau acadien. Et tous ces migrants se sont installés dans un pays déjà occupé par des Amérindiens. Cette grande diversité culturelle originelle laisse encore ses marques au niveau régional : la population des bayous du sud-est est manifestement acadienne et indienne, celle du Moyen-Têche comprend de larges apports européens et antillais, tandis que celle de la « Prairie » est très hétérogène.

LE PROCESSUS DE CRÉOLISATION : ÉMERGENCE ET DÉSINTÉGRATION D'UNE NATION

Dès leur arrivée dans le sud-ouest de la Louisiane, ces populations subissaient un processus de cadjinisation ou de créolisation, processus qui s'est poursuivi tout le long du 19e siècle et jusqu'aux premières décennies du 20e. La mutation fut beaucoup plus culturelle que raciale, même si des éléments de cette dernière n'étaient pas totalement absents. Le processus de cadjinisation porta ses effets sur le petit cultivateur indépendant et l'exploitant des ressources de la nature; tandis que celui de la créolisation s'opéra dans la plantation. Dans le cas du premier, le moule acadien s'imposa avec sa langue, sa foi, sa culture matérielle, son système social et son genre de vie. Ceci ne s'explique pas uniquement en terme de nombre. Il s'agissait plutôt du fait que les Acadiens servaient d'hôtes pour ceux qui les suivaient, et qu'ils possédaient les connaissances requises pour exploiter les multiples micro-environnements de ce pays « entre terre et mer »[6]. Ce fut le mode de production familiale qui domina, sous forme de petits propriétaires terriens (bourgeois)[7], de métayers (habitants) ou de familles vivant des ressources de la nature, tout en exploitant des territoires bien délimités. Les réseaux inter-familiaux furent maintenus et renforcés grâce à l'échange constant de biens et de services entre parents et voisins. Aussi, le type élémentaire de peuplement était-il le voisinage, ou anse de la Prairie, réalité qui était à la fois géographique et sociologique puisque basée sur la notion de proximité et articulée autour d'un réseau de parenté étendue.

L'univers créole, centré sur la plantation, représentait un ordre social transplanté des Antilles. Cependant, dès sa création, des gens de couleur libres et, avec la fin du système d'esclavage, des créoles noirs quittèrent les plantations pour rejoindre en nombre croissant le milieu des métayers et des petits propriétaires, se rapprochant ainsi aux Cadjins. Nécessairement, ceci eut comme résultat une certaine fusion d'intérêts économiques et un assouplissement des barrières raciales, donc la création des groupes marginaux (de sang-mêlé), des « passés-blancs »[8], et des fragiles et éphémères alliances socio-économiques si typiques de l'Acadiana.

Or, c'est ce vécu qui a assuré la naissance de ce qu'on pourrait appeler une nation dans le sud-ouest de la Louisiane, une nation en marge d'une Amérique anglaise tout-puissante et un peuple à peine conscient de son statut de minorité au sein de l'État américain. La question des origines géographiques, sinon raciales, comptaient pour peu dans cette conscience nationale. Même aujourd'hui, on n'a qu'à demander à un Cadjin d'où il tire ses origines, et il dira tout simplement « Je connais pas » ou bien il nommera un village voisin ! Si l'on insiste un peu plus, il fera peut-être, avec désinvolture, référence au Canada ou à la France, sans plus de détails. L'appartenance à la nation a toujours été définie autrement. Ce qui compte en somme, c'est de se conformer aux normes du comportement collectif :

> S'il a accepté la langue française, l'a apprise, l'aime, et la parle le mieux qu'il peut, ça c'est un vrai Cajun ! S'il a accepté la culture, les traditions, et la musique des Cajuns, il est un Cajun. Finalement, un Cajun est un Cajun, qu'il demeure dans le Sud-ouest de la Louisiane ou à Los Angeles, Houston ou les pays étrangers. Ça c'est le Cajun qui croit qu'il est un Cajun. (Reed, 1976 : 21) (les italiques sont de nous)

Puisque cette définition évoque une culture régionale et fortement créolisée, plutôt que transplantée d'un quelconque ailleurs, des Noirs peuvent à l'occasion s'appeler Cadjins et être ainsi nommés par des Blancs, tandis que beaucoup de Cadjins disaient autrefois que « Nous sommes tous des Créoles ».

Au cours de sa formation, cette nation fut marquée par une mobilité géographique qui l'amena à se déplacer progressivement de l'est vers le sud et l'ouest. D'abord centrée sur les rives du Mississippi, elle pénétra progressivement les bayous Lafourche et Terrebonne, tandis qu'à partir d'un deuxième noyau sur le Têche, elle créa une zone frontalière sur les prairies du sud-ouest, frontière qui se stabilisa à l'intérieur du « grand Texas ». Très dynamique jusqu'aux années 1920, cette nation n'a toutefois jamais donné naissance à une forte conscience collective, capable de dépasser les différences régionales. Il s'agissait, en effet, d'une nation tout à fait singulière et très vulnérable. Par exemple, suite à la Guerre Civile le mot créole, tant utilisé par les francophones, fut approprié par la majorité anglo-américaine désireuse d'imposer un nouvel ordre racial en Louisiane. Ainsi, les Nordistes refusèrent d'admettre une catégorie ethnique sans dimension raciale explicite. Pour eux, le terme créole devait signifier d'origine métisse, et dans un cadre qui n'admettait dorénavant que le rigide dualisme blanc–noir (ou plutôt blanc–non–blanc) les implications de cette redéfinition furent claires (Dominguez, 1977). À partir de ce moment-là, une seule possibilité s'offrait aux Blancs ruraux : devenir Cadjins. Ce qu'ils ont fait en nombre grandissant depuis le début du siècle, et surtout depuis une quarantaine d'années. Même si à l'origine cette appellation évoquait un certain mépris (sentir la campagne, avoir l'air d'un paysan), elle avait le net avantage d'être facilement confondue avec le mot Acadien, association souvent contestée mais tant exploitée. Or, Acadien suppose une certaine pureté raciale. Selon cette nouvelle catégorisation ethnique, francophones métissés ou de race noir pouvaient toujours ressembler aux Cadjins, mais ils ne pouvaient jamais devenir Cadjins. Pour sa part, le mot Créole était graduellement relégué aux oubliettes, souvenir d'une autre époque pour beaucoup et réalité quotidienne seulement pour les gens de couleur dorénavant ignorés de tous. Par ce geste insidieux, le nouveau pouvoir anglo-américain réalisa ses objectifs; les bases fragiles d'une solidarité ethnique régionale furent irrémédiablement sapées. Et l'élément blanc de la population était amené à assumer une identité collective acceptable à la majorité, mais toujours tachée d'un certain mépris.

Un autre instrument de démobilisation de la population est le dénigrement de son parler français. « Ils parlent mal » disaient et disent encore d'ailleurs, de nombreux Américains et francophones de passage. Et le fait de mal parler sa langue maternelle, aussi bien que la langue seconde, ébranla encore davantage la légitimité de l'identité cadjine et créole, servant à la longue à enlever le droit de parole à la population toute entière.

Le coup de grâce vint quelques décennies plus tard avec la pénétration massive de l'appareil d'État et du capital dans la région. Les transformations provoquées par ces derniers furent facilitées par l'absence de moyens dont disposaient les francophones pour défendre leurs intérêts collectifs. Si les Cadjins et les Créoles étaient organisés en très puissantes alliances égalitaires aux niveaux des anses (voisinages), ils ne jouissaient guère de cadres institutionnels à plus grande échelle. Ce qui avait assuré autrefois leur force, et en particulier, le développement de la nation créole, devenait maintenant une faiblesse fondamentale. Les institutions politiques et religieuses, le système scolaire, étaient ceux de la majorité, et les Cadjins qui commençaient à pénétrer ces milieux acceptèrent sans querelle les règles de la majorité. Le seul personnage d'envergure à ne pas se plier devant cette autorité fut peut-être Dudley Leblanc, politicien de grand charisme qui, pendant toute une génération, exploita les sentiments ethniques cadjins à des fins personnelles (Angers, 1977).

Si la pénétration du capitalisme industriel pendant les années trente fut limitée aux secteurs pétrolier et pétro-chimique, il visa par la suite la mécanisation de l'agriculture et des pêcheries. Ces transformations dans leur ensemble nécessitèrent la désintégration de l'ordre économique sur lequel l'identité ethnique cadjine s'était fondée. Plus particulièrement, elles provoquèrent le retrait progressif de la population de l'agriculture, l'abandon du mode de production familial et l'orientation de la main-d'oeuvre ainsi libérée vers d'autres secteurs de l'économie. Cette ré-orientation entraîna des flux migratoires considérables agissant toutefois d'une manière différente sur les deux principaux groupes raciaux.

La frontière industrielle pour ce nouveau prolétariat francophone se trouva principalement à l'est du Texas (de Beaumont à Houston et Galveston)[9], même si un deuxième jalon longea le Gulf Coast vers l'est, jusqu'à l'Alabama (Bayou la Batre). Dans le sud-ouest de la Louisiane, ce furent d'une part les activités pétrolières en haute mer, et d'autre part les centres urbains de la Nouvelle-Orléans (le West Bank), Lafayette et Lac Charles, avec en particulier leurs complexes pétro-chimiques, qui attirèrent les migrants. Cependant, les nouveaux emplois en Louisiane ne furent généralement accessibles qu'aux Blancs (Cadjins) et aux gens de couleur et amérindiens qui réussissèrent à « passer ». Les Créoles noirs et les gens de couleur de complexion plus foncée furent obligés de s'expatrier au Texas, en Californie, et à Chicago.

Ce sont ces transformations structurelles massives qui expliquent la désintégration rapide et totale de cette singulière nation francophone, aussi bien que le désarroi actuel de ses survivants. La nation fut tout simplement écrasée par une Amérique anglaise toute puissante. Cependant, nombreux sont les Cadjins qui n'admettent pas cette faillite. Ils insistent, non sans raison, sur le fait que la famille étendue reste souvent intacte en tant que réseau social et résidentiel, que l'exploitation des ressources de la nature est toujours privilégiée, ainsi que le jardinage et les coups de main entre parents, voisins et amis. De plus, des groupes de travail sont souvent constitués sur une base familiale ou sociale, ne sont ouverts qu'aux Cadjins, avec comme conséquence, le maintien du français comme langue de travail et d'échanges sociaux. L'assurance des Cadjins du Bayou Lafourche, qui ont connu l'invasion des « Texiens » lors de la découverte du pétrole dans les années trente, et qui connaissent actuellement la construction d'un super-port, est telle qu'ils affirment sans la moindre hésitation que « Ce n'est pas nous qui doivent ajuster aux Américains mais eux qui doivent ajuster à nous ». Cette conviction de la robustesse de leur culture s'explique facilement. Premièrement, le climat favorable et l'abondance de ressources de la nature permettent aux gens travaillant même à temps plein de maintenir un degré d'auto-suffisance en nourriture tout à fait remarquable. Deuxièmement, au fur et à mesure que le capitalisme industriel pénétra dans la région, les Cadjins ont pu s'approprier de secteurs entiers de l'industrie pétrolière, notamment la construction et l'opération des *supply boats* et remorqueurs nécessaires à l'installation et à l'opération des plates-formes de pétrole en haute mer. Les équipes qui travaillent sur ces plates-formes sont elles aussi souvent composées de Cadjins. D'autres secteurs, comme les pêcheries, se sont modernisés sans que le groupe ethnique en perde le contrôle. Ainsi, la langue et la constitution des équipes sur les bateaux de pêche ne furent pas sérieusement ébranlées; la langue cadjine ayant même assumé une importance inouïe, comme code privé, lors des échanges radiophoniques entre pêcheurs ! Finalement, la création de nouveaux emplois dans la région a permis aux gens de Lafourche de rester chez eux, de maintenir des réseaux sociaux très fermés et une forte conscience territoriale. Évidemment cette transition tant réussie à Lafourche fut, dans un certain sens, le fruit du hasard.

Due à l'absence totale d'institutions propres à l'ensemble du groupe, une forme accentuée de conservatisme culturel s'est manifestée, visant de toute évidence à renforcer au sein de la population les critères d'identité ethnique. Ceci est très frappant à l'heure actuelle dans les domaines de la langue et de la musique. La langue française, dans ses variantes locales, est de plus en plus limitée à un univers social bien circonscrit. Elle sert ainsi à consolider l'intimité et la solidité du groupe d'appartenance confronté constamment avec la présence d'étrangers. Pour ces raisons le cadjin, et plus encore, le créole, ne sont habituellement pas utilisés sur la place publique, pas toujours non plus entre Cadjins originaires de régions différentes, et très rarement avec des non-Cadjins.

La musique cadjine, menacée également par le country-music, le western et le hard rock, manifeste un profond conservatisme dans son style, ses instruments et ses paroles. Tout comme le cadjinophone répugne à adopter de nouvelles structures ou à « améliorer » son vocabulaire, le musicien cadjin est peu enclin à accepter la nouvelle musique cadjine « progressive », celle par exemple d'un Zachary Richard[10].

Dans les deux cas, ces expressions fondamentales de la culture sont maintenues dans leurs formes les plus pures afin de créer un sentiment plutôt illusoire de confiance chez leurs « pratiquants », mais aussi par crainte que si on les assujettit trop à des influences extérieures elles risquent d'être immédiatement étouffées.

Les musiciens, recrutant de plus en plus une clientèle vieillissante, les commerçants des petites villes, devant faire face à la grande entreprise américaine, les éducateurs, voyant défiler devant eux une nouvelle génération d'étudiants que l'on peut qualifier tout au mieux de « bilingues passifs », sont les seuls éléments de la population à être vraiment conscients et à se sentir menacés par ce processus de déculturation.

LE MOUVEMENT

Voilà le contexte de la « renaissance française » actuelle. Les caractéristiques de cette renaissance ont été résumées ailleurs (Smith-Thibodeaux, 1977; Gold, 1977; Castille, 1983), tandis que ses activités sont généralement recensées par les media louisianais et ceux du Québec et de la France. Nous ne voulons pas nous attarder à répéter ici ces faits et informations. Disons, pour l'essentiel, qu'une série de lois furent promulguées en 1968 par la législature de l'état de la Louisiane visant à « encourager la préservation et l'utilisation de la langue française ». La Louisiane fut déclarée officiellement bilingue. L'enseignement du français dans les écoles devait devenir obligatoire; des enseignants devaient être formés en Louisiane, une programmation télévisée de langue française établie, et des mécanismes constitués pour intégrer l'état au sein de la francophonie internationale. Afin d'opérationaliser ces objectifs, une organisation para-gouvernementale, le Council for the Development of French in Louisiana (CODOFIL), fut créée.

D'une envergure considérable, CODOFIL s'est vite distingué parmi la constellation d'organismes visant à promouvoir ou à exploiter la francité du sud-ouest de la Louisiane. Certains de ces organismes existaient déjà au moment de la création de CODOFIL, d'autres ont vu le jour depuis; tous occupent cependant des champs d'action plus restreints et connaissent souvent une existence chancelante. Ils sont souvent la création et l'instrument d'un seul ou d'un petit groupe d'individus. Ces organismes portent les titres de : France-Amérique de la Louisiane acadienne, Association des Francophones en Louisiane, The International Relations Association of Acadiana (TIRAA), International Trade Expo Center (INEXPO), Investissements-Louisiane, Acadiana Committee for Twinning and Franco-Acadiana Relations, et Lafayette Citizens' Bilingual Committee, pour n'en nommer que quelques-uns. Pour ce qui est des publications qui véhiculent leurs intérêts et leur pensée, nous pouvons en 1979 citer *Acadiana Profile, Louisiane, Tribune des Francophones, Mamou Prairie, Anjouri World Trade Gazette, La Gazette des Acadiens* et la *Louisiana Renaissance*[11]. Le seul fait de leur nombre et de leur diversité suggère que la renaissance française en Louisiane se caractérise par une multiplicité de prophètes et une pénurie de croyants. Les raisons de cette anomalie sont transparentes.

Pris dans leur ensemble, ces groupes constituent ce qui est communément appelé le « Mouvement » dans le sud-ouest de la Louisiane. Ce terme est significatif en ce qu'il trahit le caractère assez décousu d'un éventail de groupes partageant plus ou moins explicitement un ensemble de priorités et d'objectifs. Ce consensus est assuré grâce à un certain chevauchement des groupes — les prophètes étant souvent membres de plusieurs groupes à la fois — et aux contacts qui existent entre eux. C'est finalement le chapeautage assuré par CODOFIL qui donne au Mouvement son caractère officiel et des assises solides.

Toutes ces organisations, et les activités qu'elles parrainent, exploitent des dimensions très particulières de la francité louisianaise : l'héritage, la langue, et l'appartenance à une francophonie mondiale. L'héritage est acadien et donc, logiquement, européen. Inspirée par l'*Évangéline* de Longfellow hissée au niveau d'un mythe devenu omniprésent en Acadiana (poème écrit par surcroît par quelqu'un n'ayant jamais visité la Louisiane), cette version de l'histoire insiste nécessairement sur les origines raciales des francophones et sur les circonstances de leur arrivée dans le sud-ouest de la Louisiane. Ce qui en ressort est le caractère « transplanté » de la population cadjine, le mot *cadjin* même étant identifié à une version déformée d'*acadien*, peuple chassé de l'Acadie en 1755 par les Britanniques lors de ce qu'on appelle communément le Grand Dérangement. Croyant le territoire toujours français, nombreux furent-ils à trouver refuge dans les lointains marais de la Louisiane[12].

Même si les faits pris un par un sont généralement corrects, l'intérêt réside pour nous dans le sens qu'on leur donne en Louisiane. Prenons ces commentaires tirés de la collection photographique intitulée *Nous sommes Acadiens/We are Acadians :*

We are Acadians—probably better know as "Cajuns." Being Acadian makes us unique... unique because our roots have been planted on two continents and in three countries. First, as Vikings, we settled in western France, then we were transplanted across the Atlantic in Acadie, Canada (Nova Scotia). When British occupation forces in 1755 tried to extract an oath of allegiance to the crown of England, about ten thousand of our forefathers who refused were herded aboard ships and sentenced into exile. After ten years of hardship and servitude, for the most part along the U.S. Atlantic coast, the more adventurous among us migrated to New Orleans, already a flourishing French city. A few of us stayed there, in the 'Paris of the West', but most of us moved on to settle north and west of the big city... along the rivers and bayous that nourish the region like so many life-giving capillaries. (Tassin, 1976 : 17-33)

Or, tout en tenant compte des individus venus se joindre au groupe de référence, cette définition sert effectivement à exclure du groupe cadjin une proportion très élevée de la population d'expression française, et notamment tous ceux de couleur (Noirs, Métis et Amérindiens) et ceux dont les origines se trouvent ailleurs qu'en Acadie[13]. Même dans le cas de la population blanche francophone, cette question des origines est un critère d'identité ethnique tout à fait secondaire. À quelques exceptions près, les écrits académiques renforcent et légitimisent le mythe en s'attardant presqu'exclusivement à la dimension *acadienne* de l'histoire, de la culture et du peuplement de la Louisiane française, et en confondant et en interchangeant librement au sein d'un seul et même texte les termes Acadien et Cadjin. Ceci caractérise par exemple deux des principaux ouvrages sur les Cadjins (Conrad, 1978; Delsesto et Gibson, 1975) et l'orientation générale de la *Revue de Louisiane*.

La même discordance entre l'image et la réalité existe au niveau de la langue. Le Mouvement vise à promouvoir uniquement le français standard, parce qu'« Il n'y a qu'un français de parlé dans le monde », et créer ainsi un sens de solidarité et de participation au sein de la « communauté francophone internationale ». Cette volonté explique d'ailleurs le caractère très particulier d'un mouvement qui, dès le début, a insisté énormément sur le développement de liens avec la France, la Belgique, le Québec et, à un moindre degré, avec d'autres nations francophones. Il faut interpréter dans le même sens la présence de ce que Smith-Thibodeaux (1976 : 86) appelle les *brigades internationales,* sorte de corps expéditionnaire d'enseignants étrangers qui assument la responsabilité de l'application du programme d'enseignement du français comme langue seconde (et étrangère !) dans le système scolaire primaire. L'écart est si grand entre ce français et les dialectes locaux que de nombreux Cadjins jugent le premier une autre langue, tout à fait incompréhensible, et s'opposent à son enseignement et aux enseignants qui y sont associés. Toutefois, cette opposition ne s'explique pas uniquement en terme linguistique, mais aussi en raison des motifs de son enseignement. Or, c'est par le français standard que CODOFIL vise à promouvoir la dimension internationale de la renaissance. Mais ce français n'a aucune importance dans le nouvel ordre économique et politique de la Louisiane et ne sert pas de véhicule pour transmettre les informations sur la condition cadjine. Cette langue ne sert ni à trouver un emploi ni à obtenir un meilleur salaire. La situation frôle même l'absurde lorsque, dans le cadre d'une émission radiophonique matinale de CODOFIL, entendue dans la région du Têche, l'on souhaite à l'auditoire que « le café a été fumant et les croissants délicieux lors du petit déjeuner » ! Autrement dit, en insistant sur la forme au détriment du contenu profond, la langue s'écarte du vécu cadjin. Et, ironie du sort, le français sert à démobiliser les gens en Louisiane, tandis que les contacts internationaux servent à renforcer la notion d'une identité acadienne qui leur cadre mal.

Finalement, la dimension territoriale de la promotion du français manque de précision (figure 1). La législation de 1968 sur le bilinguisme et l'enseignement du français fait référence à l'ensemble de l'état de la Louisiane. Et même si en 1971 on a identifié par voie de législation une « région culturelle », comprenant quelque 22 paroisses, et appelée « le coeur de l'Acadiana », les limites ainsi précisées ne furent considérées aucunement contraignantes[14]. À l'heure actuelle, cette région comprend, selon les circonstances, entre 18 et 25 paroisses; celles se trouvant près de la frontière texane (Calcasieu, Cameron et Jefferson Davis), au nord (Avoyelles) et à l'est de l'Atchafalaya (Terrebonne, Lafourche, Assumption, St. James, etc.) ayant un statut plutôt ambigu. D'autres instances proposent des définitions plus restrictives de la Louisiane française, se limitant par exemple aux alentours du Têche (Lafayette Chamber of Commerce, 1973), à la Prairie (Reed, *op. cit.*) ou, d'une façon générale, à une pointe de territoire allant du golfe du Mexique, près de Marsh Island, jusqu'au nord de Ville Platte (Partir, 1978). En fin de compte l'Acadiana n'est ni plus ni moins que « l'ensemble des paroisses du sud-ouest de Louisiane à forte majorité d'Acadiens francophones » (Smith-Thibodeaux, *op. cit.,* p. 130). Or, cette absence d'une définition territoriale précise laisse incertaine la population visée par le Mouvement. Et effectivement, dans certains cas, de nombreux francophones sont ignorés, tandis que dans d'autres beaucoup d'énergie est investie auprès des non-francophones.

Pris dans leur ensemble, les critères ethniques avancés par les porte-parole du Mouvement ont un impact négatif sur la population en général parce qu'ils ne servent pas à légitimiser les véritables bases d'une identité ethnique louisianaise. De nombreux francophones sont tout simplement ignorés, d'autres (notamment les « non blancs ») sont exclus du Mouvement, tandis que ceux qui sont touchés réagissent mal devant l'importance donnée à la dimension trans-nationale. En fin de compte, le souci que l'on entretient vis-à-vis d'un français standard et d'un héritage acadien privilégie les Cadjins blancs, et reflète une tendance se manifestant à l'échelle des États-Unis où la mobilisation ethnique se fait de plus en plus sur une base raciale. Ainsi, le modèle proposé par la société dominante en est un où les Créoles noirs et les Amérindiens Houma sont respectivement attirés par les mouvements du Pouvoir Noir et du Pouvoir Rouge[15]. Les groupes raciaux marginaux, notamment les Créoles de couleur, « the forgotten people » (Mills, 1977), sont toutefois ignorés lors de ce réalignement.

Il ne faut quand même pas s'imaginer que le Mouvement constitue la seule voix des francophones louisianais. De nombreux indicateurs existent d'une renaissance populaire, qui passe par la promotion de la musique, de la radio et de la langue cadjines, et animées surtout par des enseignants et des musiciens du milieu (Daigle, 1972; Faulk, 1977; Gold, 1976). Cette renaissance insiste sur une identité autochtone, clairement évoquée par la langue et la culture régionales, et est issue de la Prairie où, notamment, la proportion de

Figure 1

LOUISIANE FRANÇAISE – PROBLÈMES DE DÉFINITION

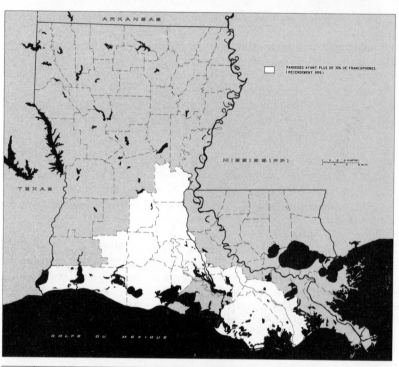

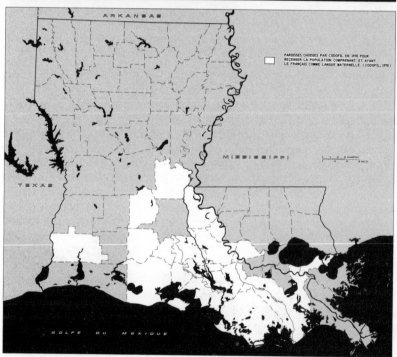

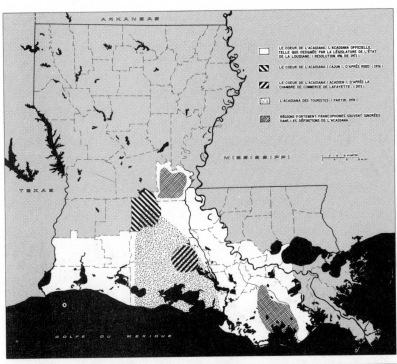

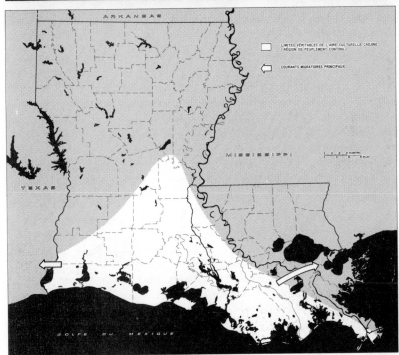

gens d'origine acadienne est relativement faible[16]. Tout en étant une réaction spontanée au processus de déculturation dont les Cadjins eux-mêmes sont les premiers témoins, ce renouveau populaire s'est heurté tout de suite à l'opposition de CODOFIL qui le considérait plutôt comme un symbole et une manifestation de cette même déculturation ! Toutefois, suite à l'intérêt manifesté à la musique et à la radio cadjines, un dialogue a été initié depuis quelque temps entre les deux forces en présence, donnant ainsi une certaine crédibilité à l'existence et aux actions de chacune. Ce dialogue pourrait à moyen terme conduire à une redéfinition du Mouvement, ou à une simple récupération des forces populaires. Le fait que CODOFIL est maintenant responsable du « Tribute to Cajun Music », lors des *Festivals Acadiens* qui se tiennent chaque automne, laisse présager que c'est cette organisation qui est en train de prendre le dessus.

Si le Mouvement a échoué dans sa tentative de jeter des bases populaires, et ceci après 15 ans d'existence dans le cas de CODOFIL, et si on a continué quand même à obscurcir les véritables fondements d'une identité ethnique française en Louisiane, sa survie n'est pas compromise pour autant. Pourquoi ? La vitalité spontanée du fait français en Louisiane à l'heure actuelle, assurée par la persistance d'un secteur vivrier important et par l'emprise des Cadjins sur certains secteurs du nouvel ordre économique, y est sûrement pour quelque chose, même s'il ne s'agit que d'une sorte de garant de l'existence du mouvement. On peut trouver des raisons plus profondes à sa viabilité dans la composition et les intérêts mêmes de ses responsables. À quelques exceptions près, ils sont issus de l'élite régionale : membres des professions libérales, hommes d'affaires et politiciens. Autrement dit, leur statut vient de leur participation au sein des institutions de la culture dominante américaine dont ils épousent entièrement les valeurs et les buts. Selon les normes de cette culture, la réussite est calculée en termes d'accumulation matérielle et de pouvoir personnel, et elle implique que la personne soit de race blanche. Si l'on considère le Mouvement dans cette optique, on comprend facilement sa vocation : la francité est perçue comme une façon originale de réaliser des objectifs économiques et politiques conformes aux normes et aux valeurs de la culture dominante. Et dans ce projet, le Québec sert de source d'inspiration, sinon de modèle :

> Parce qu'il est bilingue, le Québec est en communication directe avec une trentaine de pays de langue anglaise et avec une trentaine de pays de langue française. Lorsque la Louisiane sera bilingue, elle sera la fenêtre des États-Unis sur le monde francophone. (*Acadiana Profile,* I (6), 1970, cité dans Smith-Thibodeaux, *op. cit. :* 74)

Plus précisément, la francité, aux yeux de l'élite régionale, peut servir à promouvoir le tourisme international, à développer l'industrie et le commerce, et à attirer des investissements. En formant des personnes bilingues pour faire carrière dans des multi-nationales américaines et être en mesure de mieux représenter les intérêts d'une grande puissance qui souffre dans ses relations internationales d'un unilinguisme grandissant (Hébert, 1974), même l'enseignement du français s'avère profitable.

Si l'on en juge par son habileté à attirer en Louisiane le président français Valéry Giscard d'Estaing en 1976, le premier ministre du Québec, René Lévesque, en 1979, le Congrès international des Journalistes et de la Presse de Langue française en 1974, le Congrès international des Professeurs de français en 1975, le Congrès de l'Assemblée des Franco-Américains à deux reprises (1978, 1982), et le Southern Council for Francophone Studies en 1983, on constate que cette stratégie de l'élite s'est avérée une réussite. Le sénateur Edgar Mouton en a d'ailleurs fourni la preuve en affirmant :

> The comings and goings of the world's francophones have brought millions to the state which we would not have otherwise had. (Discours lors de la 1re Conférence des Franco-Américains, Lafayette, le 6 mars 1978)

Or, tout en agissant d'une manière tout à fait conforme aux intérêts de la société dominante, c'est surtout l'élite régionale qui tire profit de cette situation. D'ailleurs, l'élite régionale, en tant que membre à part entière de cette société, n'a absolument aucun intérêt à promouvoir une véritable mobilisation ethnique au sein de la population, puisqu'une telle opération impliquerait la création d'institutions et de structures économiques forcément opposées à celles de l'ordre dominant. L'élite cherche plutôt à accroître sa participation au sein de cet ordre[17]. On comprend donc l'intérêt que le Mouvement a à insister sur la pureté raciale de ses membres, à articuler une définition bourgeoise de la culture (Culture = Héritage), et à promouvoir un français international, qui est au mieux d'une importance purement symbolique, et au pire un instrument de dépossession pour la population en général.

La promotion de liens transnationaux aux dépens de la consolidation d'une identité ethnique proprement régionale sert en même temps à créer de profondes divergences entre les images tenues par les autres nations francophones et la réalité louisianaise.

LE QUÉBEC ET SA VISION DE LA LOUISIANE

Au Québec, la Louisiane française fait figure d'un îlot très reculé de l'Amérique française; ses habitants sont vus comme des cousins lointains dont les racines remontent au Québec, leur foyer culturel. Cette vision s'explique facilement : la plupart des Français d'Amérique sont d'origine québécoise et le type de société qu'ils voulaient édifier à l'échelle continentale s'inspirait du modèle québécois. La Nouvelle-Angleterre fut pour eux un Québec-d'en-bas, et le système législatif et scolaire de la nouvelle province de Manitoba s'inspira de celui du Québec. Aussi, la civilisation catholique québécoise se donna comme devoir de prendre racine et d'édifier son ordre partout en Amérique. Évidemment cette mission hors Québec, au moins en termes idéologique et démographique, se solda par un échec, et c'est dans cette perspective que la Louisiane prend une importance singulière. Elle est devenue avertissement pour le Québec, témoin de ce qui pourrait lui arriver si le peuple refuse de prendre en main son propre destin politique : un langage en plein dépérissement, une culture devenue une sorte de folklore d'autant plus poignant parce que « revenu de loin », et un peuple totalement dépourvu d'expression politique. Voilà que la chanson de Vigneault prend toute sa signification :

> Quand nous partirons pour la Louisiane
> Anne ma soeur Anne, quand nous partirons
> Nous saurons par coeur toutes nos chansons
> Anne ma soeur Anne
>
> Puis quand nous vivrons
> Dans la Louisiane
> Anne ma soeur Anne
> Nous nous parlerons
> De ces grands pays perdus par ici
> Anne ma soeur Anne
> Adieu mes amis Adieu mes pays...

(Vigneault, 1974 : 59,63)

Le Québec est donc attiré vers la Louisiane pour ses propres raisons : par un certain sens de devoir face à une Amérique française, pour une recherche d'un passé folklorique qui n'est que souvenir dans un Québec devenu fortement industrialisé et urbanisé, et pour nourrir sa propre volonté autonomiste.

Il y a de profondes et douleureuses racines à cette perception de la Louisiane. Déjà, en 1838, dans son rapport au gouvernement britannique sur les troubles dans ses colonies nord-américaines, Lord Durham évoquait le parallèle entre les deux pays. Pour la majorité francophone du Bas-Canada, il proposa l'assimilation tout court afin de créer une province anglaise. Et pour y arriver avec le minimum de peine, il fit allusion à la Louisiane :

> The influence of perfectly equal and popular institutions in effacing distinctions of race without disorder or oppression... is memorably exemplified in the history of the state of Louisiana... And the eminent success of the policy adopted with regard to that state, points out to us the means by which a similar result can be effected in Lower Canada...

> The French of Louisiana, when they were formed into a state, in which they were a majority were incorporated into a great nation, of which they constituted an extremely small part. The eye of every ambitious man turned naturally to the great centre of federal affairs, and the high prizes of federal ambition... It became the object of every aspiring man to merge his French, and adopt completely an American nationality. What was the interest of individuals, was also the interest of the State. (Lord Durham, cité dans Craig, 1963: 154 & 156-57)

Si on parle de barème ou de niveau d'assimilation on pourrait bien accepter cette analyse québécoise de la situation louisianaise. Elle traduit toutefois très clairement certaines préoccupations et priorités québécoises, c'est-à-dire des considérations qui n'ont que très peu de pertinence pour les Louisianais. L'analyse ignore aussi le fait qu'une mobilisation ethnique puisse se faire autour de critères autres que la langue, et elle n'admet pas la vitalité de la culture et de l'économie cadjines rurales. À cause précisément de ces préoccupations proprement québécoises, et à cause des transformations politiques qui se font au Québec, certains Louisianais regardent d'un oeil plus favorable les francophones d'Europe, surtout les Belges qui sont sans mission idéologique dans leur pays. Cette volonté d'établir des liens affectifs outre-Atlantique est typifiée par la mission *Louisiane bien-aimée,* entreprise de publicité orchestrée par la radio française, et qui n'a jamais eu sa contre-partie au Québec. De plus, l'évolution du Québec vers un unilinguisme de moins en moins équivoque provoque certains remous en Louisiane, et même parfois un véritable recul vers une vision linguistique qui ressemble beaucoup plus à celle des nationalistes des Cornouailles, et qui est beaucoup plus fidèle à la réalité contemporaine louisianaise :

> The idea of a bilingual society... is unattainable. Nonetheless, the knowledge of the existence of a separate language, as distinct from a full knowledge of that language itself, is probably sufficient... to foster a sense of otherness. (Thomas, 1973)

LES MÉTIS : LEÇONS D'UNE EXPÉRIENCE SEMBLABLE

Pour qu'un véritable processus de revitalisation ethnique puisse être lancé en Louisiane, les Québécois et les Cadjins doivent trouver un autre modèle d'identité française en Amérique. L'expérience métisse de l'Ouest canadien est pertinente à cet égard. Ce peuple aussi s'est constitué en une nation qui a connu un bref apogée au 19e siècle. Une nation sans institutions politiques, ni expression territoriale précise, et dont les fondements économiques étaient la traite des fourrures et la chasse aux bisons. En plus d'exploiter des ressources de la nature, ils servaient de charretiers, de guerriers et de guides le long de la frontière des Prairies. Leurs langues au foyer et au travail étaient le français et le cri, sinon d'autres langues indiennes. On les nommait Bois-Brûlés pour témoigner de ce processus de créolisation, où Français et Indien se sont fusionnés pour donner naissance à un peuple très différent de celui des « mangeurs de lard » d'un Québec lointain. Cette nation métisse n'a jamais jouit de la reconnaissance de la majorité canadienne, et elle était dépourvue d'instruments pour négocier avec un état et un ordre économique fondé sur l'élevage et qui envahissaient progressivement leur pays. Tout comme les Cadjins, les Métis n'avaient même pas leurs propres institutions religieuses, une Église catholique « nationale » qui a assuré en fin de compte la survie du Québec et, à un moindre degré, la diaspora canadienne-française. Encore une fois l'écroulement de cette nation fut intimement liée à l'effondrement de son mode de vie, facilité sans doute par le fait que son dernier porte-parole, Louis Riel, chercha conseil auprès d'un Québec qui ne réussissait pas à comprendre la véritable nature de ces autres Français d'Amérique.

Selon l'anarchiste canadien George Woodcock :

...today, in the late twentieth century age of nuclear truce when indefensible islands populated by a few thousand people can and do receive international recognition as members of the United Nations, the claims of the Métis would have gained much wider acceptance, and in the vastness of the West a Métis nation with a territory of its own would not have seemed impossible. (Woodcock, 1975: 19)

Peu importe la véracité de cette affirmation (nous la croyons plutôt illusoire !), l'expérience métisse est pertinente aux Cadjins dans le sens qu'elle révèle l'importance de légitimiser l'ensemble de la population, en reconnaissant pleinement son identité ethnique et en assurant la création d'institutions ethniques propres. Elle nous montre qu'il faut en même temps renflouer les fondements économiques de cette identité, quelque chose que les commerçants de la Prairie tentent déjà de défendre. Nécessairement, tout cela implique la promotion de la « créolicité » louisianaise dans toutes ses dimensions, y compris les principaux dialectes français. Ce n'est qu'à partir de ce moment-là que le resserrement des liens entre les gens sera possible et qu'on pourra envisager une renaissance ethnique authentique. Malheureusement, l'actuel Mouvement, en dénigrant les parlers régionaux et en privilégiant une identité raciale blanche, sape les ressources culturelles de la population et ne modifie en rien les tendances vers la fragmentation et l'aliénation de l'ensemble de la population franco-louisianaise.

NOTES

[1] Messieurs Malcolm Comeaux, Gerald Gold et Dean Louder ont commenté une première version de ce texte, et nous leur en sommes très reconnaissant. Toutefois, nous assumons seul la responsabilité et l'orientation générale de l'analyse.

[2] Tentchoff (1977) décrit bien ce processus de l'expansion du créole aux dépens du cadjin. Cependant le *parler neg'* (créole) est de plus en plus stigmatisé chez les Blancs à l'heure actuelle et il est peu probable que cette tendance se maintienne.

[3] Autrement dit, ce recul de tous les dialectes français devant le progrès de l'anglais a débuté dans les années trente.

[4] Il s'agit ici d'un estimé fait à partir des impressions obtenues lors de l'enquête sur le terrain. Très répandu dans la région du Têche, le créole est aussi parlé par des Noirs et des gens de couleur aux alentours d'Opelousas, Lac Charles et dans l'est du Texas.

[5] Des français métropolitains sont venus en petit nombre tout au long du 19e siècle. Rescapés de multiples crises politiques et de guerres en France, ces arrivants tardifs sont devenus pour la plupart des artisans et des commerçants dans des petites villes à travers le sud-ouest de la Louisiane.

[6] Ces Acadiens étaient, au moment de leur arrivée, des petits cultivateurs très expérimentés, qui savaient surtout exploiter cette zone intermédiaire « entre terre et mer » caractérisant autant une grande partie de la baie de Fundy de *l'ancienne Acadie*, que les marécages, étangs et côte de la Louisiane (Clark, 1968). De plus, ils fréquentaient déjà dans leur pays d'origine des Amérindiens au contact desquels ils apprirent l'abondance et l'utilité des ressources de la nature. Ils ont sans doute persisté dans cette même voie en Louisiane, accumulant ainsi un riche savoir et une expérience essentiels à l'établissement dans la région des autres immigrants venus après.

[7] Les « bourgeois » étaient rarement cadjins, et de toute manière ils ne se nommaient jamais ainsi. Ils utilisaient ce mot, plutôt péjoratif, pour identifier les francophones défavorisés habitant la campagne, qui eux se nommaient « créoles » et qui ne s'appuyaient pas sur une quelconqu'identité

coloniale transplantée d'ailleurs. Les bourgeois étaient souvent de langue maternelle anglaise et ils maintenaient une identité culturelle propre, tout en devenant bilingues. D'autres étaient des créoles, au sens néo-orléanais du terme; des gens qui insistaient beaucoup sur leurs origines européennes (françaises, allemandes ou espagnoles) et qui affichaient un comportement carrément colonial. Dans un cas comme l'autre ils ne se limitaient aucunement à la petite entreprise agricole.

[8] L'adoption d'une identité blanche par des créoles de couleur de teint pâle a de longs antécédents en Louisiane. On appelle ces transfuges des « passés-blancs ».

[9] Dès la fin du 19e siècle, la frontière agricole cadjine et créole pénétra le Texas pour englober éventuellement les comtés d'Orange, Hardin, Jefferson, Chambers et Liberty situés entre la rivière Sabine et Houston. Aussi, les Cadjins figuraient dans la première génération de travailleurs des raffineries de pétrole qui se construisirent au Texas à partir des années 1920.

[10] On ne peut pas dire pour autant que la musique cadjine manque de dynamisme. Le remaniement de vieilles mélodies et chansons, la création de nouvelles, et les « emprunts » de la musique populaire américaine sont les témoins de sa vitalité et son renouvellement constant. En même temps, les Cadjins se considèrent en pleine possession de leur musique où tout changement se fait par un processus d'osmose qui ne modifie en rien son fond authentique. Si on n'est pas fidèle à ce fond, on est traité d'hérétique. Ainsi, Zachary Richard qui fait fureur au Québec et en France en tant que chanteur cadjin n'est pas reconnu dans son propre pays parce que, aux yeux des gens, sa musique est un mélange de rock et de blues avec une coloration cadjine artificielle !

[11] Aujourd'hui il ne reste que *Louisiane* et *Acadiana Profile*.

[12] Cependant, au début du peuplement les Cadjins ne se sont pas installés dans les marécages, mais plutôt dans les terres émergées (les levées, brûlés et prairies) qui longent le Mississippi et le Têche (Comeaux, 1978).

[13] Tassin (op. cit. : 9) admet que « ... while some of subjects of this book may not be true Acadians, they lived or live in Acadianland. Thus they have been adopted with open arms into the Acadian way of life through geographical circumstances. »

[14] La Concurrent Resolution No. 496, 1971 de la Législature de l'État de la Louisiane se lit comme suit :

« ... the Legislature of Louisiana designate the cultural region known as the Heart of Acadiana within the state of Louisiana consisting of, but not exclusively, the following parishes: Acadia, Avoyelles, Ascension, Assumption, Calcasieu, Cameron, Evangeline, Iberia, Iberville, Jefferson Davis, Lafayette, Lafourche, Point Coupée, St. Charles, St. James, St. John, St. Landry, St. Martin, St. Mary, Terrebonne, Vermilion, West Baton Rouge, and other parishes of similar cultural environment. »

[15] La tribu des Houma est membre de la Coalition of Eastern Native Americans (CENA).

[16] Le genre d'initiative qui caractérise la région de Mamou est d'un intérêt tout particulier parce que composée d'éléments des deux groupes d'intérêt qui constituent la renaissance (voir par exemple le défunt hebdomadaire *The Mamou Prairie*).

[17] Selon un informateur-clé et activiste de longue date au sein du Mouvement : « Nous sommes citoyens américains, et la langue des États-Unis c'est l'anglais, y faut pas oublier ça ». L'ironie ultime de cette situation est qu'une élite régionale, pour la plupart unilingue anglaise, vise à promouvoir une langue et une culture (ou plutôt leur version de cette langue et de cette culture) que le peuple n'a jamais réellement abandonnées. D'où leur profonde indifférence face au Mouvement !

BIBLIOGRAPHIE

ANGERS, T. (1977) The three faces of Dudley J. Leblanc. *Acadiana Profile*, 6 (I): 42-55.

BERTRAND, A.L. (1955) *The Many Louisianas: Rural social areas and cultural islands.* Bull. No. 496, Baton Rouge, Agricultural Experiment Station, Louisiana State University.

CASTILLE, J. (1983) *Moi, Jeanne Castille, de Louisiane*. Paris, Luneau Ascot Éditeurs.

CLARK, A. (1968) *Acadia: The Geography of Early Nova Scotia to 1760.* Madison, University of Wisconsin Press.

CODOFIL (1979) Survey shows: French runs deep in Louisiana parishes. *Acadiana Profile*, I (6): II.

COMEAUX, M. (1978) Louisiana's Acadians: The Environmental Impact. In G. Conrad (ed.) *The Cajuns: Essays on their History and Culture.*

CONRAD, G., ed. (1978) *The Cajuns: Essays on their History and Culture*, USL History Series No. 11, Lafayette, Center for Louisiana Studies, University of Southwestern Louisiana.

CRAIG. G. (1963) *Lord Durham's Report.* Carleton Library Series, Toronto, McClelland and Stewart.

DAIGLE, P.V. (1972) *Tears, Love and Laughter. The Story of the Acadians.* Church Point, Acadian Publishing Co.

DELSESTO, S.L. et GIBSON, G.L. (1975) *The Culture of Acadiana: Tradition and Change in Southern Louisiana.* Lafayette, University of Southwestern Louisiana Press.

DOMINGUEZ, V.R. (1977) Social Classification in Creole Louisiana. *American Ethnologist,* 4 (4): 589-602.

FAULK, J.D. (1977) *Cajun French.* Abbeville, Cajun Press.

FORD, M. (1977) Louisiana... *Revue de Louisiane,* 6(2): 156.

GOLD, G.L. (1976) *Chu un Cajun, pieds plats, ventre jaune, caille molle... Some notes on the popular revival of Cajun culture.* Toronto, Department of Anthropology, York University, multicopié, 32 p.

_____ (1977) *The French Movement in Louisiana.* Toronto, Department of Anthropology, York University, multicopié, 32 p.

HÉBERT, F.E. (1974) The New Louisiana Story. *Congressional Record; Proceedings and Debates of the 93rd Congress, Second Session.* 5 mars, 8 p.

LAFAYETTE CHAMBER OF COMMERCE (1973) *Lafayette: A City Map, Some Information, And a few Suggestions on Where to go and How to get There.* Lafayette, Lafayette Chamber of Commerce.

MILLS, G.B. (1977) *The Forgotten People: Cane River's Creoles of Color.* Baton Rouge, Louisiana State University Press.

PARTIR : LE GUIDE PRATIQUE DU VOYAGEUR (1978) Lâche pas la patate, pp. 30-76, En Louisiane : Laissez le bon temps rouler, pp. I-IV, n° 40, février.

REED, R. (1976) *Lâche pas la patate : Portrait des Acadiens de la Louisiane.* Montréal, Parti Pris.

SMITH-THIBODEAUX, J. (1977) *Les francophones de la Louisiane.* Paris, Éditions Entente.

TASSIN, M. (1976) *Nous sommes Acadiens/We are Acadians.* Gretna, Pelican Publishing.

TENTCHOFF, D. (1977) *Speech in a Louisiana Cajun Community.* Thèse de doctorat. Department of Anthropology, Case Western Reserve University, Cleveland (University Microfilms, Ann Arbor).

THOMAS, C. (1973) *The importance of being Cornish in Cornwall: An inaugural lecture.* Redruth, Institute of Cornish Studies.

VIGNEAULT, G. (1974) *Je vous entends rêver.* Montréal, Nouvelles Éditions de l'ARC.

WOODCOCK, G. (1975) *Gabriel Dumont: The Métis Chief and his Lost World.* Edmonton, Hurtig Publishers.

XIII

La géographie linguistique de l'Acadiana, 1970

Roland J.-L. BRETON et Dean R. LOUDER

Le recensement des États-Unis de 1970 démontre que les Franco-louisianais constituent une des minorités linguistiques régionales les plus compactes du pays, comparable en ancienneté et intensité d'implantation aux hispanophones du Nouveau-Mexique et du Colorado, et sensiblement plus nombreuse. Seuls les Mexicains de Californie ou du Texas ou les Porto-Ricains de New-York constituaient des communautés plus nombreuses, mais issues d'une immigration plus récente[1]. Il y a déjà un demi-siècle, le géographe Peveril Meigs (1931) tenta de définir d'une façon précise les limites de cette communauté francophone de la Louisiane, de tracer une ligne qui séparerait de façon nette les deux cultures traditionnelles de l'état : le Nord anglo-protestant et le Sud franco-catholique. En 1938 le sociologue T. Lynn Smith soutient que, à l'exception de quelques installations francophones étendues en chapelet le long de la rivière Rouge jusqu'à Natchitoches, la Louisiane française est de forme triangulaire. Trois ans plus tard Kniffen (Newton, 1972, p. 71) se range à l'idée de Smith. Ce n'est cependant qu'en 1971, après que le gouvernement de l'état eût légiféré en faveur d'une Louisiane bilingue que cette région culturelle, baptisée le coeur de l'Acadiana, fut reconnue de façon officielle par la législature qui, par sa résolution numéro 496, accorde à vingt-deux paroisses (figure 1A) un statut particulier dont l'utilité demeurera quand même très douteuse, car sur le plan politico-linguistique rien ne distingue l'Acadiana du reste de l'état (voir texte de Waddell dans le présent ouvrage). La seule particularité que l'on puisse observer à l'égard des vingt-deux paroisses est qu'elles sont maintenant indiquées en rose sur la carte routière officielle de l'état !

Qu'est-ce que l'Acadiana ? Jusqu'à quel point est-elle française ? Nous tâcherons de répondre à cette question par le biais des statistiques officielles, reconnaissant toutefois les faiblesses de celles-ci. On dégagera les points saillants d'une série de cartes et de graphiques, compilés à même les données de recensement de 1970. Ceux-ci devront fournir une idée de l'ampleur et du caractère particulier du fait français en Acadiana.

NOMBRE DE FRANCOPHONES EN ACADIANA

Fondé en 1968, le Conseil pour le développement du français en Louisiane (CODO-FIL) tente aussitôt de procéder à une évaluation du nombre de francophones en Louisiane. Les résultats de son sondage révèlent que, en tout et partout, ils sont au nombre de 1 468 440, représentant ainsi 41 pourcent de la population totale de l'état. Moins d'un an plus tard, on effectue le recensement officiel de la population des États-Unis. Celui-ci indique qu'en Louisiane il n'y a que 572 000 personnes pour qui le français est la langue maternelle, c'est-à-dire une langue autre que l'anglais, et parlée au foyer du répondant dans la période de l'enfance[3]. Où est la vérité ? Personne ne le sait. Un observateur averti comme Smith-Thibodeaux (1977) juge qu'un chiffre se situant entre 300 000 et 500 000 serait acceptable. Nous sommes portés à croire que le chiffre du recensement américain est trop faible, pour la simple raison qu'un répondant américain, et surtout louisianais, ne déclare pas toujours volontiers sa langue maternelle si elle est autre que l'anglais, car cette « autre » peut constituer un signe réputé d'arriération ou de marginalité. Il est évident, cependant, que le chiffre avancé par CODOFIL est de beaucoup trop élevé, sans doute « surévalué » dans le but de justifier et de donner un certain essor à une organisation naissante dont le but est de promouvoir et de sauvegarder la langue française. Quoi qu'il en soit, nous sommes obligés d'utiliser les données, précises ou imprécises, du recensement officiel, parce qu'elles sont les seules à fournir une couverture complète et uniforme de tout le territoire louisianais.

On retrouve près des trois quarts de la population de langue maternelle française en Louisiane à l'intérieur des limites de l'Acadiana. Un autre cinquième demeure dans la région de la Nouvelle-Orléans où, à l'exception de quelques endroits sur la rive droite

(West Bank) comme Westwego et Bridge City, leur présence et leur influence sont à peine perceptibles; il ne constitue que 10 pourcent de la population totale de la région. Même en Acadiana, ce territoire « français » par excellence, les francophones ne sont plus majoritaires. En effet, il n'y a que sept paroisses (St-Martin, Évangéline, Vermillion, Lafourche, Acadia, Avoyelles et Lafayette) où la population de langue maternelle française jouit du statut de majorité (figure 1A et 2). Il est donc évident, dans un pareil cas, que la langue parlée au foyer dans la prime enfance pourrait ne plus servir par la suite. On y observe une relation étroite entre l'âge et l'utilisation du français. Parmi la population de 65 ans et plus en Acadiana, nombreux sont ceux qui sont toujours unilingues français. Dans la tranche d'âge de 45 à 65 ans, on constate un bilinguisme généralisé où la capacité de parler français est sinon plus forte, au moins équivalente à celle de parler anglais. Pour une tranche plus jeune (25 à 45 ans), c'est le même phénomène (bilinguisme généralisé), sauf que l'aptitude à parler français est moindre. Chez les jeunes, règle générale, c'est le bilinguisme passif : la personne comprend le français, mais ne le parle jamais ou que très rarement, quand ce n'est pas l'unilinguisme anglais total. Ainsi, en Acadiana la langue d'usage des francophones en public, au travail et en famille peut être tantôt le français, tantôt l'anglais, simultanément ou alternativement utilisés, selon les contraintes du milieu, selon qu'il s'agit de zones rurales plus conservatrices, ou de zones urbaines où les activités entraînent une présence américaine plus forte[4].

RÉPARTITION DES FRANCOPHONES AU SEIN DE L'ACADIANA

L'analyse de la répartition de la population de langue maternelle en Acadiana s'effectuera à deux niveaux : d'abord, au niveau des vingt-deux paroisses constituantes (figure 2) et, ensuite, au niveau du *ward*, unité spatiale plus petite, au nombre moyen de huit par paroisse. L'utilisation du *ward* permettra un découpage plus fin du territoire, rendant ainsi plus apparente la réalité linguistique franco-louisianaise (figure 1B). L'outil employé pour exprimer graphiquement la situation dans les paroisses et les *wards* est l'ethnogramme (Breton, 1979). Celui-ci permet de comparer visuellement les proportions de langue maternelle dans des populations de tailles différentes. L'ethnogramme fonctionne selon le principe suivant : un axe vertical gradué en pourcentage de dix servant à exprimer le pourcentage de la population de langue maternelle française, anglaise, ou autre, et un axe horizontal variant proportionnellement à la population de l'unité territoriale étudiée.

Les paroisses et la diversité ethnique des francophones

Dans toute l'Acadiana il n'y a, en 1970, que deux paroisses comptant plus de 100 000 habitants : Lafayette (109 716) et Calcasieu (145 415). L'une est francophone à 52 pourcent, l'autre à 23. On y trouve les deux villes les plus importantes de la région, Lafayette et Lac Charles, qui connaissent, grâce à l'expansion de l'industrie pétrolière, un essor phénoménal depuis quatre décennies. Elles sont passées respectivement de 19 210 habitants et 21 207 habitants en 1940 à 68 908 et 77 998 en 1970. De nombreux migrants de l'extérieur de la région furent attirés vers ces centres, diminuant ainsi la part relative de la population de langue maternelle française qui s'y trouve. Or, elles ont aussi fait des gains aux dépens des campagnes avoisinantes. Puisque les campagnes entourant Lafayette étaient à forte prédominance francophone (St-Martin, St-Landry, Acadia et Évangéline), comparées à Calcasieu et à ses voisines, il semble normal que la paroisse de Lafayette ait pu maintenir sa majorité francophone et que sa plus grande ville soit désignée « Capitale de l'Acadiana ».

Si l'on accepte que la région de Lafayette est la capitale de l'Acadiana, on s'attendrait peut-être à ce que le pourcentage de francophones diminue au fur et à mesure où l'on

Figure 1A

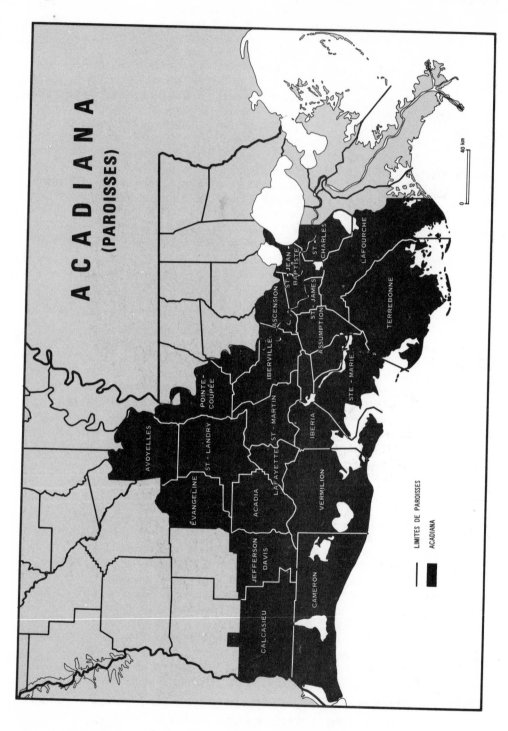

Figure 1B

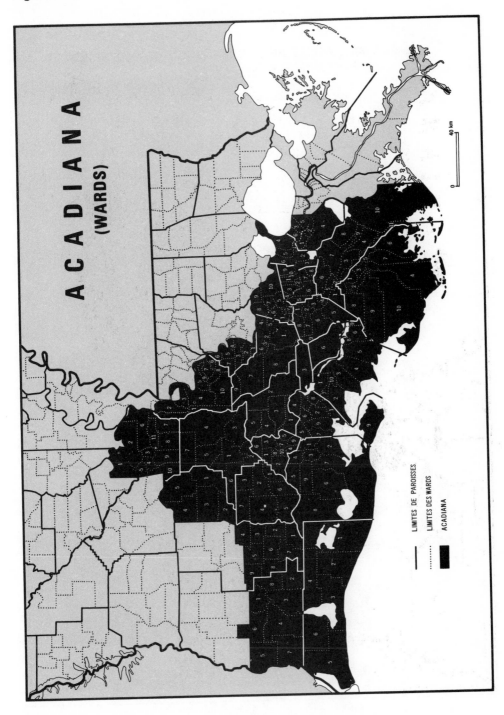

Figure 2

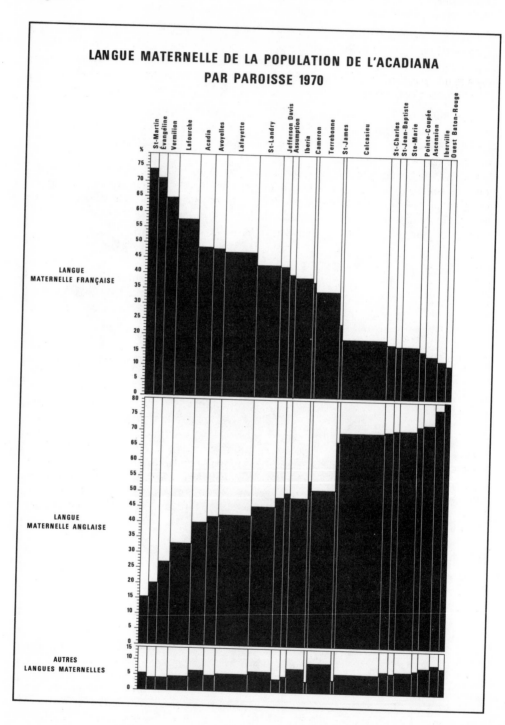

s'en éloigne. Or, tel n'est pas le cas, car deux des paroisses les plus francophones se situent aux extrémités est et nord du triangle : Lafourche et Avoyelles.

Bien que peuplé en grande partie par les mêmes réfugiés canadiens qui occupèrent la région de Lafayette et le Bayou Têche, les Fourchous tiennent à leur propre identité. Ils constituent 63 pourcent de la population de la paroisse et sont fiers d'avoir réussi à tenir tête à la très puissante industrie pétrolière dont l'influence est prédominante (voir texte de Larouche dans cet ouvrage).

Les Avoyelles (francophone à 54 pourcent), par contre, ne furent pas peuplés initialement par des Acadiens, mais par des Français, soldats démissionnaires de l'armée de Napoléon. Les noms de famille y sont très différents de ceux que l'on rencontre ailleurs en Acadiana (Dorais, 1980). Il en est de même dans la paroisse voisine, Évangéline, où 76 pourcent de la population se déclarent de langue maternelle française. En dépit de son nom très acadien, il est fort probable que les gens de descendance acadienne d'Évangéline constituent une minorité parmi les francophones. Ici, on trouve des Reed, Tate, McGee et bien d'autres, parlant couramment français, témoignant ainsi de la force assimilatrice du groupe francophone dans cette partie de l'Acadiana (voir texte de Gold).

Au sujet de la diversité ethnique des francophones de l'Acadiana il faut également mentionner les familles de souches espagnoles (Rodriguez, Roméro, etc.) de la paroisse Ibérie, celles de souches allemandes (Schexnayder, Hymel, etc.) dans les paroisses du fleuve (St-James et St-Charles) (Haas, 1980), et les Indiens du bas de la paroisse Terrebonne (Billiot, Naquin, Parfait, etc.) qui réussirent, à cause de leur marginalité sociale, à conserver mieux que tout autre groupe le français (Bernier, 1979).

Les statistiques officielles masquent la diversité raciale de la population de langue maternelle française. En plus des groupes d'origine européenne et indienne précités, il existe en Acadiana ceux d'origine africaine, et ceux résultant du métissage des deux. Or, les données du recensement des États-Unis ne permettent pas de les distinguer, les considérant tous les deux comme des Noirs. Cependant, pour les francophones de couleur, la distinction entre Noir et Gens de couleur ou Créole peut être, pour des raisons historiques, sociales et politiques, assez importante. Une comparaison de la répartition des francophones noirs à celle des blancs révèle que les Noirs sont non seulement moins nombreux, mais aussi moins disséminés sur le territoire de l'Acadiana (figures 3 et 4). Ils se trouvent surtout le long du Bayou Têche, depuis la Nouvelle-Ibérie jusqu'à Opelousas dans la paroisse St-Landry, ancienne zone de culture de la canne à sucre (Maguire, 1978). Les concentrations sont aussi évidentes dans la paroisse d'Évangéline et dans les centres urbains, Lafayette et Lac Charles.

Les wards et les principaux types de situation linguistique

De manière à utiliser avec le maximum de profit l'outil qu'est l'ethnogramme, l'Acadiana est découpée en six parties, chacune constituant une sorte de région géo-culturelle. Dans chaque figure (5 à 10), les *wards* sont disposés spatialement d'une façon qui rappelle leur situation géographique respective, suivant approximativement les coordonnées nord-sud, est-ouest ou le cours d'un axe fluvial (fleuve, rivière ou bayou). Chaque ward est directement comparable à tout autre ward de la même figure quant à son pourcentage de population de langue maternelle française, anglaise et autre et à son volume de population. Les figures ne sont cependant pas directement comparables entre elles.

Figure 3

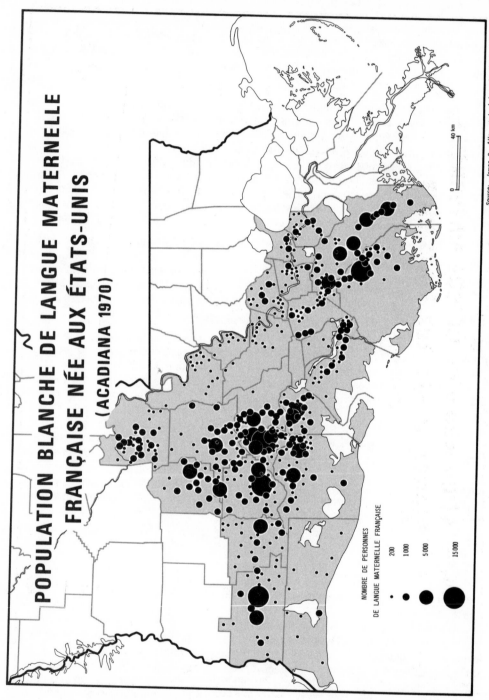

Figure 4

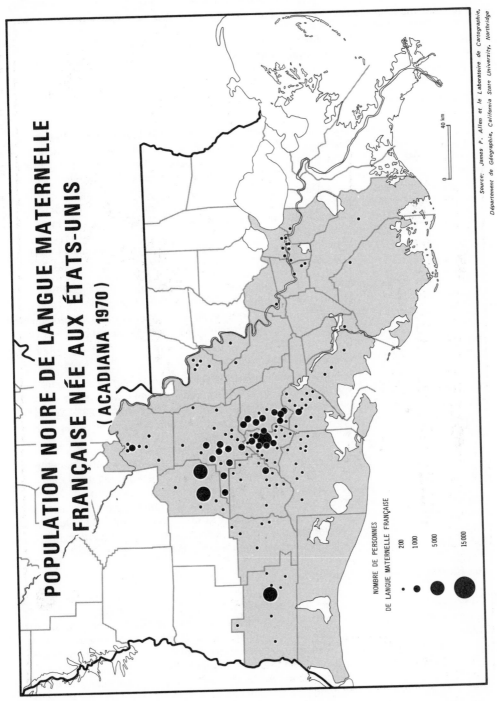

POPULATION NOIRE DE LANGUE MATERNELLE FRANÇAISE NÉE AUX ÉTATS-UNIS
(ACADIANA 1970)

NOMBRE DE PERSONNES
DE LANGUE MATERNELLE FRANÇAISE

200
1 000
5 000
15 000

Source: James P. Allen et le Laboratoire de Cartographie,
Département de Géographie, California State University, Northridge

De l'étude des ethnogrammes, il se dégage au moins quatre types de situation importants en ce qui concerne la langue française en Acadiana : (1) des véritables zones de retranchement des Franco-louisianais, avec des pourcentages de langue maternelle française supérieur à 90 : (2) des aires solidement francophones (70 à 90 pourcent), tant rurales qu'urbaines; (3) des situations d'équilibre (40 à 60 pourcent); (4) des régions à minorité francophone encore notable (20 à 30 pourcent), ou faisant figure de relique (10 pourcent ou moins) (figure 11).

Zones de retranchement

Les trois wards où s'observent les pourcentages de population de langue maternelle française les plus élevés sont situés aux trois pointes du triangle que constitue l'Acadiana. Le premier est au sud-est, le ward 9 de la paroisse d'Assomption, avec 94 pourcent de francophones sur une population de 3 236. La situation géographique de ce ward permet d'expliquer son grand conservatisme linguistique. Il s'agit d'un « bout de monde » typique; le seul de la paroisse d'Assomption situé à l'écart du bayou Lafourche, axe principal de la paroisse. Le ward 9 s'articule sur une enfilade de petits bayous s'enfonçant en impasse dans les marais boisés de l'Atchafalaya, entre la Grande Rivière-Belle Rivière, à l'ouest, et le lac Verret à l'est; il comprend la petite localité de Pierre Part où les gens vivent surtout de la pêche et de la trappe traditionnelles (Rudloe, 1979, p. 377).

Le deuxième est un autre « bout du monde », moins peuplé que le premier (1 367 habitants dont 1 267 francophones) et situé tout à fait au nord de l'Acadiana. Il s'agit du ward 5 de la paroisse des Avoyelles, un terrain agricole et forestier sillonné par quelques bayous. Le ward 4, voisin, avec la petite municipalité de Hessmer située au carrefour des routes 114 (joignant Mansura à Alexandrie) et 115 (reliant Marksville et Mansura à Bunkie) arrive presque à franchir le cap de 90 pourcent (89,5).

Quant à la troisième zone de retranchement, il s'agit du ward numéro 7 de la paroisse Jefferson Davis qui n'est, elle, francophone qu'à 48 pourcent. C'est un ward assez étendu, mais à population très clairsemée : 675 habitants dont 609 francophones (90,2%). Y règne un paysage très différent de celui des bayous. C'est la plaine découverte et les marais nus.

Ces trois cas extrêmes illustrent bien la résistance du français langue maternelle parmi les populations rurales. La prépondérance du fait français est sauvegardée par l'absence de toute véritable agglomération et par une dépendance sur un genre de vie plutôt traditionnel. Un pourcentage de français aussi élevé que 90 pourcent n'est pas très rare en Acadiana. Il peut se rencontrer dans de nombreux endroits, mais non au niveau des wards. Dans une douzaine seulement d'entre eux, il se situe entre 80 et 89 pourcent. Ce sont les noyaux des régions à solide implantation francophone.

Aires de solide majorité francophone

Les aires les plus solidement francophones sont les deux grands bayous, Lafourche et Têche, et les prairies du sud-ouest, y compris les Avoyelles. Dans le bas du bayou Lafourche, ward 10, l'on rencontre un peuplement dense à forte saveur française. Ici les villages de Larose, Cut Off, Galliano et Golden Meadow, coincés sur une mince bande de terre ferme entre la levée du bayou et le marais, comptent 18 831 habitants dont 82 pourcent sont de langue maternelle française. Aussi atteint-on sur les bayous écartés dans les bois, vers les lacs des Allemands et Salvador (wards 6 et 8) le niveau de 88 et de 80 pourcent respectivement. Ce sont les petites localités de Chackbay, Kraemer et Gheens.

Figure 5

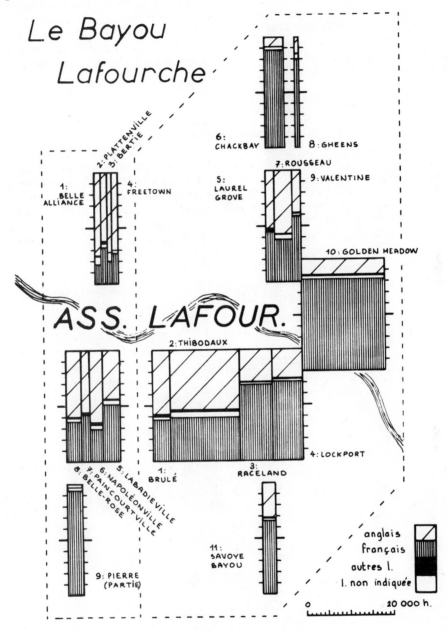

Le Bayou Lafourche

Figure 6

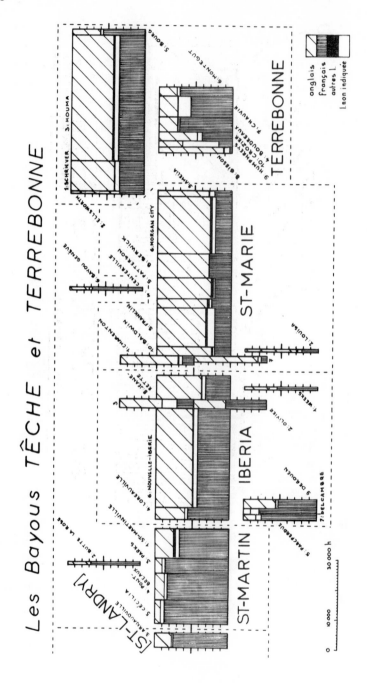

Figure 7

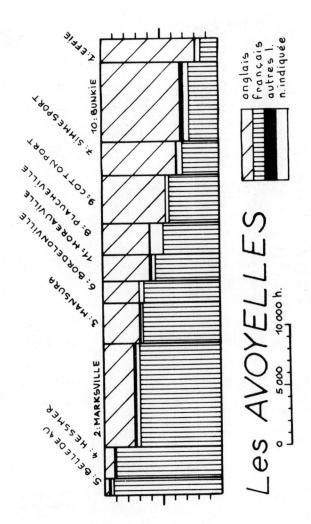

Les AVOYELLES

1: EFFIE
10: BUNKIE
7: SIMMESPORT
9: COTTONPORT
8: PLAUCHEVILLE
11: MOREAUVILLE
6: BORDELONVILLE
3: MANSURA
2: MARKSVILLE
4: HESSMER
5: BELLE DE AU

anglais
français
autres l.
n. indiquée

0   5 000   10 000 h.

Figure 8

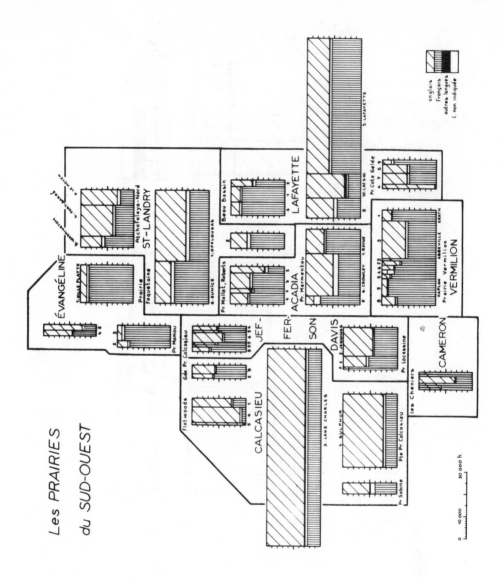

Figure 9

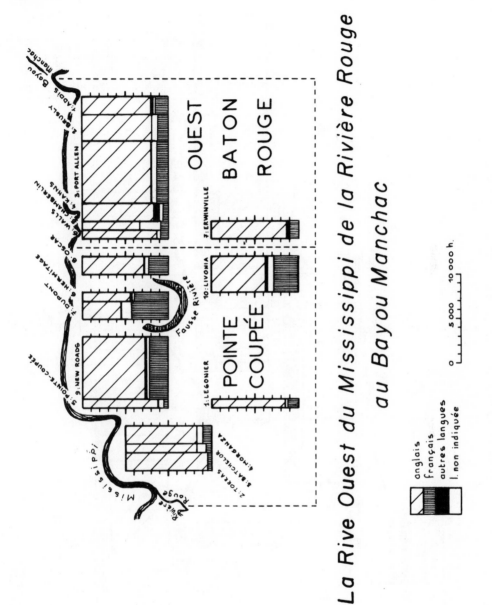

La Rive Ouest du Mississippi de la Rivière Rouge au Bayou Manchac

Figure 10

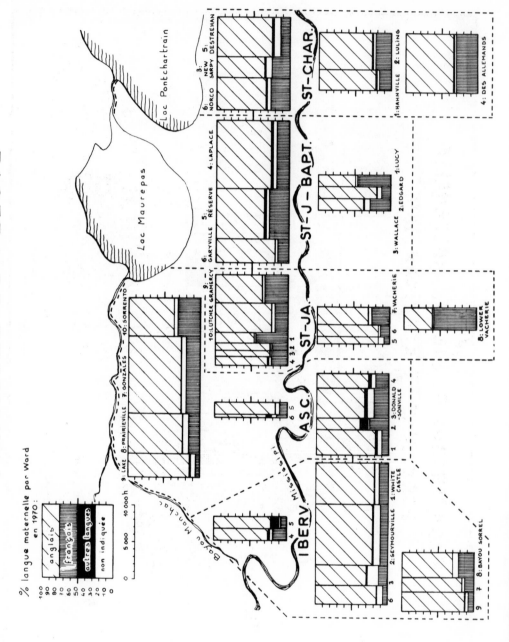

Figure 11

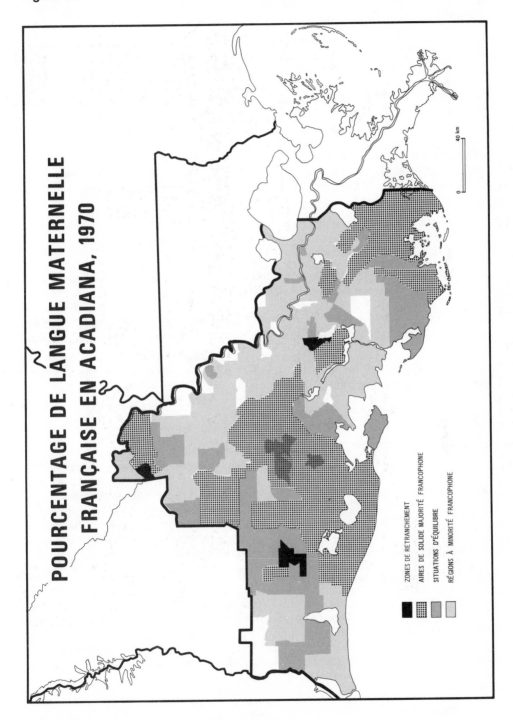

POURCENTAGE DE LANGUE MATERNELLE FRANÇAISE EN ACADIANA, 1970

ZONES DE RETRANCHEMENT

AIRES DE SOLIDE MAJORITÉ FRANCOPHONE

SITUATIONS D'ÉQUILIBRE

RÉGIONS À MINORITÉ FRANCOPHONE

En passant du bayou Lafourche au bayou Têche, on traverse la paroisse Terrebonne dont les trois wards 4, 6 et 7 sont solidement francophones, la région des Indiens franco-phones de la Louisiane.

Le bayou Têche présente dans sa partie amont des caractéristiques analogues : wards 5, 4 et 3 de la paroisse St-Martin avec respectivement 87, 83 et 86 pourcent de francophones pour une population assez nombreuse (7 891, 8 856, 4 772), dont le village connu surtout pour ses écrevisses, Pont-Breaux (4 942 habitants). À 20 km de Pont-Breaux, dans le ward 1, est situé le chef-lieu de la paroisse et un village de grande re-nommée. Il s'agit de St-Martinville (6 703 habitants), le « Petit Paris » du dix-neuvième siècle. La proportion de la population dont la langue maternelle est le français y est beau-coup moins (67 pourcent) qu'en amont du bayou. C'est le commencement d'une zone de transition entre le coeur de l'Acadiana et la paroisse côtière de Ste-Marie dominée il y a déjà un siècle par les riches planteurs de canne à sucre anglophones. Cette domination fut récemment renforcée par l'envahissement des travailleurs américains associés à l'in-dustrie pétrolière.

Dans les prairies, les aires les plus francophones se trouvent aussi bien parmi celles les plus anciennement colonisées à l'est dès le début du 19e siècle, que parmi celles tardivement pénétrées au sud et au nord-ouest vers la fin du siècle.

À l'est le point de départ de la colonisation des prairies est le revers de l'escarpement de Lafayette, le Beau Bassin, dont le ward 6 (8 280 habitants dont 5 540 à Kaplan) est français à 89 pourcent. Les autres wards ruraux sont similaires. Il n'y en a pas en bas de 71 pourcent (ward 8, Gueydan). Seul le ward 3 à tendance urbaine, Abbéville, tombe en bas de 60 pourcent (52 pourcent).

Au nord c'est le coeur de l'Acadiana, selon Revon Reed (1976), animateur et écrivain de Mamou, paroisse d'Évangéline. On franchit facilement à Mamou (ward 3) et à Ville Platte (ward 1) le cap des 80.

Les situations d'équilibre

Les situations d'équilibre, c'est-à-dire entre 60 et 40 pourcent de chaque langue, constituent la règle générale dans le reste des prairies, avec souvent l'avantage à l'anglais s'il y a un centre urbain de quelque importance et, sinon, au français. Au centre des prairies, par exemple dans la paroisse d'Acadia, le ward 4 (5 338 habitants) correspond à la « prairie Hays » avec le village d'Iota (1 271 habitants). Le ward est francophone à 64 pourcent. Or, là où il existe des centres urbains tels que Opelousas (20 121 habitants), Crowley (16 104 habitants) ou Jennings (11 783), le pourcentage de langue maternelle française baisse (36, 40 et 43 pourcent par ward respectif). Se rapprochant de Lafayette, le niveau de français se maintient mieux à Rayne (9 510 h.) où le ward 1 d'Acadia est francophone à 60 pourcent.

Dans le ward 3 de Lafayette, qui constitue la majeure partie de la ville, les francophones dominent avec un pourcentage de 54 pourcent. Ailleurs en ville dans les wards 8 et 10, quartiers occupés par de nombreux anglophones, le chiffre tombe à 43 et 23 pourcent, ce qui laisse pour les trois wards réunis une situation très partagée, 48 pourcent franco-phone contre 46 pourcent anglophone. Situation analogue dans le ward 3 de Vermillion où la ville d'Abbéville est francophone à 52 pourcent.

Ailleurs en Acadiana on assiste à une situation d'équilibre dans la région immédiate de la Nouvelle-Ibérie (paroisse d'Ibérie, ward 6), dans le marais du bas Terrebonne (ward 10) et à Labadieville (ward 5) dans la paroisse d'Assomption sur bayou Lafourche.

Les régions à minorité francophone

Dans plusieurs secteurs de l'Acadiana les francophones ne sont qu'une minorité constituant environ le quart de la population. Ce sont les marges de l'aire francophone.

Marge sud, avec la paroisse Ste-Marie et la partie ouest de celle de Terrebonne où les pourcentages diminuent à 26. *Marge occidentale* vers les Flatwoods et le Texas où les prairies furent peuplées à la fin du 19e siècle. Aux abords de la rivière Calcasieu les agglomérations de Lac Charles et de Sulphur (wards 3 et 4 de Calcasieu) sont très faibles, 23 et 20 pourcent respectivement. *Marge orientale* avec les paroisses du fleuve où les francophones comptent à peine 20 pourcent en moyenne de la population totale. C'est ici que se situe une ceinture pétro-chimique s'étendant presque tout le long des 125 km séparant Baton Rouge et la Nouvelle-Orléans. Tout comme l'industrie pétrolière ailleurs en Acadiana, cette industrie attira beaucoup de monde d'en dehors de la région diminuant encore davantage la part relative des francophones qui se retiraient depuis déjà long-temps du milieu riverain (Comeaux, 1978). Dans les marges, on trouve quand même quelques exceptions. Il s'agit surtout du ward 8 de la paroisse St. James, la basse Vache-rie où les francophones constituent 59 pourcent de la population et, à un moindre degré, du ward 4 de St-Charles (30%), du ward 1 de St-Jean-Baptiste (47%) et du ward 1 de St-James (44%). *Marge nord* avec les paroisses de Pointe Coupée et de Baton Rouge occidental. La part relative des francophones y est très faible à l'exception de la petite région de Fausse-Rivière où le pourcentage atteint les 40 pourcent.

RÉSUMÉ ET CONCLUSION

Dans ses limites assez floues définies par la législature de la Louisiane en 1971, l'aire francophone peut se subdiviser en plusieurs secteurs selon l'intensité inégale du phéno-mène. Les régions à dominance française sont, d'une part, le coeur du domaine avec les deux vieilles régions de bayous (Bayou Lafourche, en partie aval, plus le Bayou Terre-bonne et Bayou Têche, en partie amont) et le plus gros des prairies du sud-ouest et, d'autre part, les îlots-témoins des Avoyelles et de la Fausse-Rivière (figure 12).

Le reste constitue des marges où le groupe francophone a perdu sa position domi-nante ou atteint les limites de son expansion historique en Louisiane[5]. Les premières marquent les marges orientales et méridionales. Pour ce qui est des marges orientales, il s'agit des paroisses du fleuve et du cours amont du Bayou Lafourche (paroisse d'Assomp-tion). Quoiqu'en dehors de l'Acadiana, on pourrait aussi y inclure la région de la Nouvelle-Orléans où les francophones sont nettement minoritaires, à l'exception de petites municipalités de la rive droite (Westbank), en face de la Nouvelle-Orléans, Westwego et Bridge City en l'occurrence. C'est le long du cours inférieur de Bayou Têche et autour de l'embouchure de la rivière Atchafalaya que l'on se trouve en marges méridionales (pa-roisse de Ste-Marie et ouest de Terrebonne). Ici les francophones ne constituent que le quart de la population. Mais cette région conserve, tout comme la Nouvelle-Orléans d'ail-leurs, des patronymes et toponymes français et un catholicisme majoritaire, marques de son peuplement original.

Les secondes sont les marges occidentales des prairies où se sont rencontrés au 19e siècle les deux flots de peuplement : Franco-louisianais et Anglo-Saxon. Dans un premier temps a progressé la francisation des éléments anglophones par les mariages et par la pression de la majorité francophone, ce qui explique, sur ces marges, et parfois jusqu'au coeur même des prairies, l'abondance de patronymes et de toponymes anglais.

Figure 12

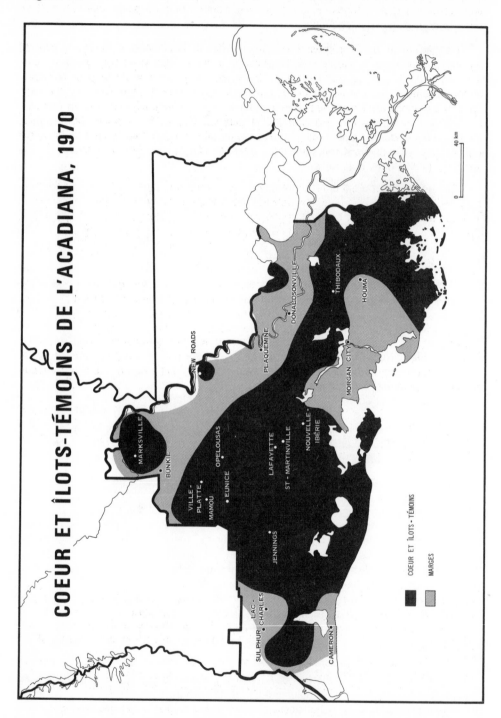

COEUR ET ÎLOTS-TÉMOINS DE L'ACADIANA, 1970

Puis, dans un deuxième temps, et surtout depuis quarante ans, le processus d'anglicisation, général à toute l'Acadiana, a repris avec d'autant plus de poids, que l'on était en bordure de régions anglophones.

L'anglicisation, qui a progressé dans les marges de l'Acadiana, a non moins pénétré par les centres urbains. Au sein de l'Acadiana, la plupart des villes sont de hauts lieux d'anglicisation. En marge occidentale les wards de Lac Charles et de Sulphur en témoignent clairement par contraste avec les prairies voisines encore nettement francophones. La marge méridionale a dans ses villes un pourcentage de francophones ressemblant plus à celui de ses campagnes : Houma (35%), Morgan City (21%), Franklin (22%). Mais, même au coeur du domaine francophone, l'anglicisation va bon train comme à Thibodaux (39%) et Nouvelle-Ibérie (43%), dans les bayous, et à Opelousas (36%), Crowley (41%) et Jennings (43%), dans les prairies.

Certains centres urbains résistent mieux, soit parce que plus isolés en secteur francophone, soit que précisément l'exode rural des francophones y renouvelle constamment le fond français. Tels sont Lafayette (48%), Abbéville (52%), Eunice (63%), Rayne (63%), St-Martinville (67%) et Marksville (69%). Restent solidement francophones les centres mineurs des régions à population rurale : Kaplan (88%), Mamou (86%), Ville Platte (83%), Golden Meadow (83%).

Telle que la mit en lumière le recensement de 1970, l'aire francophone de Louisiane est certes très hétorogène avec de grandes différences de situation entre villes et campagnes et entre les régions rurales. Ceci est reconnu non seulement par les étudiants de statistiques officielles, mais par les gens de ces régions eux-mêmes dont le manque de mobilité ne leur a parfois pas permis de visiter les diverses régions de l'Acadiana. Ceux-ci préfèrent souvent, une fois sortis de leur propre patelin, avoir recours à l'anglais pour se faire comprendre dans une autre région de l'Acadiana de peur que leur français ne soit pas compris par les autres francophones.

Même si les données sur la langue maternelle fournies par le recensement des États-Unis ne sont pas toujours très précises, comme nous l'avons avoué dès le début, elles constituent quand même la meilleure source d'information publiée pour délimiter une des subcultures régionales américaines les plus vivaces.

NOTES

[1] En Nouvelle-Angleterre, d'après le recensement de 1970, la population de langue maternelle française est plus forte (900 000) qu'en Louisiane. Or, ceux-ci sont éparpillés à travers six états et ne représentent que 7.6 pourcent de la population totale de la Nouvelle-Angleterre.

[2] Le présent texte fut rédigé avant la parution des données du recensement de 1980. Il serait utile de refaire l'étude dans les mois qui viennent; cependant il est fort probable que les régions décrites ci-après demeureront.

[3] Cette définition américaine est sensiblement différent de celle du recensement canadien qui définit la langue maternelle comme étant la première langue apprise et encore comprise.

[4] Ceux qui viennent de l'extérieur pour s'installer en Acadiana sont appelés par les résidents, « Américains ».

[5] Au début du vingtième siècle, l'expansion des Franco-louisianais débordait les limites de la Louisiane. En effet, les paroisses Jefferson et Liberty au Texas sont autant francophones sinon plus que nombreux coins en Acadiana (voir texte de Louder et LeBlanc).

BIBLIOGRAPHIE

BERNIER, Daniel (1979) *Les Indiens francophones de Bayou Terrebonne*. Québec, département de Géographie, université Laval, manuscrit non publié.

BRETON, Roland J.-L. (1979) *Géographie du français et de la francité en Louisiane*. Québec, Université Laval, Publication du CIRB, série B.

COMEAUX, Malcolm (1978) *Louisiana's Acadians: The Environmental Impact.* in G. Conrad, *The Cajuns*, Lafayette, Center for Louisiana Studies.

DORAIS, Louis-J. (1980) *Les francophones des Avoyelles : des Cadjins comme les autres ?* Québec, université Laval, département de Géographie, Projet Louisiane, Document de travail n° 9.

HAAS, David (1980) *La langue française dans un village du couloir industriel du Mississippi*, Québec, université Laval, département de Géographie, Projet Louisiane, Document de travail n° 9.

MAGUIRE, Robert (1978) *Les gros té mangé les petits ? Black Creoles and the Shift from agriculture in St. Martin Parish, Louisiana*, Québec, université Laval, département de Géographie, Projet Louisiane, Document de travail n° 3.

MEIGS, Peveril (1931) *An Ethnotelephonic Survey of French Louisiana.* Annals, Association of American Geographers, Vol. 31, pp. 243-250.

NEWTON, Milton B. (1972) *Atlas of Louisiana : A Guide for Students*, Baton Rouge, LSU School of Geoscience.

REED, Revon (1976) *Lâche pas la patate : Portrait des Acadiens de la Louisiane.* Montréal, Parti Pris.

RUDLOE, Jack et Anne (1979) *Trouble in Bayou Country*, National Geographic Magazine, Vol. 156, n° 3, pp. 377-398.

SMITH, T. Lynn (1937) *The Population of Louisiana : Its Composition and Changes.* Louisiana State University Bulletin, n° 293.

SMITH-THIBODEAUX, John (1977) *Les francophones de Louisiane*, Paris, Éditions Entente.

XIV

Les Cadjins du Canal Yankee : problèmes d'identité culturelle dans la paroisse Lafourche

Alain LAROUCHE

Après un contact aussi brutal que soudain avec la société industrielle américaine, les Cadjins du bayou Lafourche ont eu à faire face à plusieurs bouleversements. Leur réaction s'est manifestée à deux niveaux :

1. Au niveau matériel. Ils ont eu à redéfinir les structures de l'organisation sociale pour les adapter à un nouveau mode de vie et à de nouvelles valeurs se manifestant avec rapidité. On assiste conséquemment à la dichotomisation de deux secteurs occupationnels principaux : la petite pêche marchande et l'activité industrielle et commerciale. Ces deux secteurs reflètent respectivement les aspects conservateur et moderne d'une même communauté.

2. Au niveau culturel. Ces bouleversements internes, qui sont les effets d'éléments extérieurs à la communauté, amènent aussi une redéfinition progressive de l'identité culturelle et ethnique. Cette redéfinition aura pour but de rendre possible l'intégration à la société industrielle, tout en rendant fonctionnel le chevauchement entre deux cultures. Nous parlons ici de la rétention culturelle alliée à une assimilation « contrôlée » à la société américaine. Le résultat donne la culture cadjine d'aujourd'hui.

Autrement dit, à partir d'une structure sociale et d'un modèle culturel donnés, on a élaboré au bayou Lafourche un nouvel environnement culturel; de nouvelles valeurs sont véhiculées, une nouvelle organisation sociale a pris place, qui ne sont ni totalement modernes ni résolument séparées du passé. Ce nouvel aménagement sociétal, s'il est très diffus, semble néanmoins orienté vers l'affirmation de l'identité ethnique, et c'est ce processus que nous étudierons ici.

Entre les Cadjins et les Américains le rapprochement est fait, la communication est établie, la différence s'amenuise de plus en plus. Mais si pour la plupart des individus la personnalité cadjine/américaine est indissociable, il n'en reste pas moins que les deux groupes s'affirment l'un en face de l'autre. La relation s'articule et s'harmonise à des niveaux très précis. Telle est la nature et la complexité du problème posé. Mais pourquoi envisager l'analyse par le biais des relations inter-ethniques, alors que d'aucuns n'y verraient que « choc technologique » ou assimilation ? Nous croyons que c'est en analysant la dynamique interne et la vie sociale de cette communauté francophone de la Louisiane que nous trouverons les éléments de réponse. Car le contact fut percutant et la relation qui suivit s'édifia sur les appartenances culturelles et les étiquettes de groupes. Ce qui était une simple résistance passive à l'assimilation, devint une conscience ethnique renouvelée cherchant constamment à équilibrer le rapport de force entre les deux groupes culturels. Ce rapport de force est exprimé implicitement dans l'ambivalence qu'on retrouve au niveau de la personnalité culturelle du Cadjin : l'ethnique/l'américain, le français/ l'anglais, le privé/le public, le conservatisme/l'industrialisation.

Les relations inter-ethniques sont la pierre angulaire de ces dynamismes sociaux et l'essence de ces rapports se dégage bien à travers les trois niveaux du *Commercium*, de la *Commensalitas* et du *Connubium*. Le premier niveau est cette coopération purement fonctionnelle pour des fins matérielles, principalement du domaine économique. La *Commensalitas* comprend les activités conviviales telles les visites, soupers et soirées entre amis, associations et clubs, jeux et loisirs. Le *Connubium* est la capacité d'établir des liens de parenté à travers le mariage.

La séparation de ces trois niveaux de l'organisation sociale pour l'analyse de l'ethnicité dans une société pluraliste, permet de jeter un éclairage pertinent sur la dynamique impliquée dans une relation inter-ethnique. Ainsi les domaines du privé et du public sont circonscrits de façon à définir le fonctionnement interne du groupe de même que sa relation avec une société plus globale. Pour ces raisons la théorie de E.K. Francis nous semble appropriée au type d'étude que nous faisons. Selon cette théorie, un « groupe ethnique secondaire » est :

> ... un sous-groupe de la société dominante dont les membres participent directement à cette société dans certains secteurs, particulièrement au niveau du *Commercium,* mais indirectement par le biais de l'affiliation ethnique dans d'autres secteurs, particulièrement aux niveaux de la *Commensalitas* et du *Connubium*. (E.K. Francis, 1976, p. 396).

Et ceci par opposition au 'groupe ethnique primaire' qui lui est préoccupé par la reconnaissance de son identité propre, qui a un rapport d'indépendance avec la société à laquelle il appartient et qui y participe indirectement dans tous les domaines ci-haut mentionnés. (*Ibid.,* p. 397)

Dans la perspective de cette étude nous envisageons l'utilisation du concept de « groupe ethnique secondaire » qui exprime adéquatement le type d'aménagement privilégié entre les groupes Cadjin et Américain. En effet le groupe cadjin de Lafourche a acquis une quasi-invisibilité en tant que groupe ethnique du fait d'une intégration tacite et instrumentale à la société américaine, tout en élaborant à l'intérieur de ses frontières spécifiques son propre système de normes et de valeurs. C'est ce double volet de l'identité cadjine que nous analysons dans cette étude.

SITUATION GÉOGRAPHIQUE, ÉCOLOGIQUE ET DÉMOGRAPHIQUE

Depuis sa séparation du Mississippi jusqu'au golfe du Mexique, le bayou Lafourche a plus de 160 km de long. Le territoire qui nous concerne, Lafourche Parish (paroisse Lafourche)[1], recouvre les 125 km sud de ce bayou[2], territoire de 2 350 km^2 dont 1 100 sont submergés. Dans la partie sud de ce comté, celle où cette recherche a été conduite, plus de 75% des sols y sont submergés (figures 1 et 2).

Nous nous situons en climat sub-tropical : très chaud et humide. De plus, cette partie du continent nord-américain constitue fatalement une porte d'entrée pour les ouragans provenant des Caraïbes ou d'ailleurs de l'Atlantique. Les raz de marée occasionnés par ces ouragans sont un facteur important dans l'évolution de cette communauté, car sauf quelques îlots d'arbres, il n'y a aucun obstacle naturel pouvant arrêter de telles masses d'eau. Ce climat est associé à la savane; la faune est particulièrement abondante et diversifiée : animaux à fourrure, canards, chevreuils, crevettes, crabes, huîtres, poissons d'eau douce et salée. Le sous-sol recèle du pétrole et du gaz naturel. Il va sans dire qu'une si grande variété dans le choix des exploitations individuelles, commerciales ou industrielles, n'est pas sans influencer la vie sociale d'une communauté.

La paroisse est habitée par environ 70 000 personnes, dont 11,5% est non-blanche, 38% urbaine, 55% rurale non-agricole et seulement 7% rurale agricole. Une seule ville de moyenne importance : Thibodaux, au nord, avec 15 000 habitants. En fait, le taux d'urbanisation est encore plus faible si l'on considère que certains villages de 3 000 ou 4 000 habitants, incorporés légalement, sont inclus dans les statistiques sur l'urbanisation. Vu le secteur très industrialisé, on retrouve dans le territoire du bayou Lafourche, une mini-infrastructure urbaine, mais les caractéristiques démographiques et le mode de vie nous révèlent une population rurale. Les 11,5% de non-Blancs comprennent des Noirs et des Indiens : les Noirs n'ayant pas été admis à s'établir « en bas du bayou »[3], et les Indiens ayant été contraints de s'établir dans une sorte de réserve au sud du village[4].

Figure 1

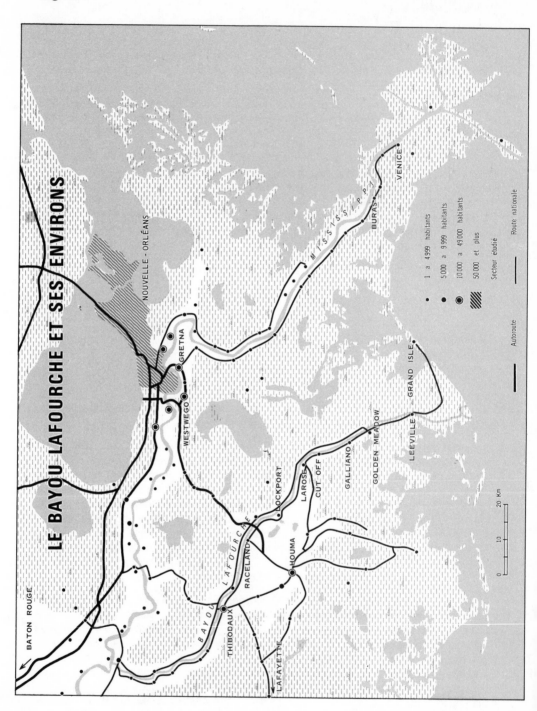

LE BAYOU LAFOURCHE ET SES ENVIRONS

Figure 2

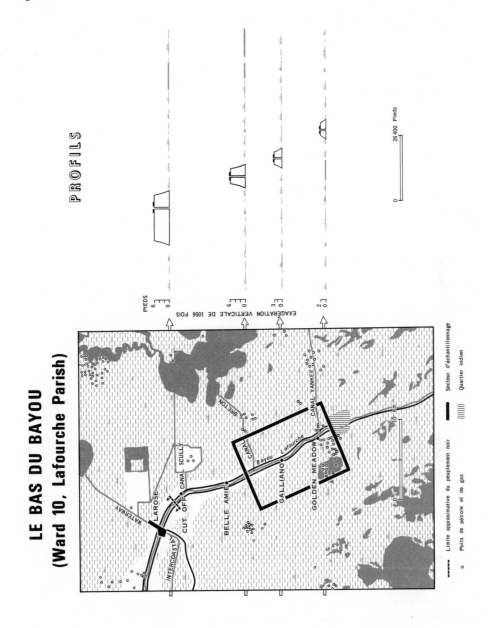

LE BAS DU BAYOU
(Ward 10, Lafourche Parish)

HISTOIRE ET CHANGEMENTS SOCIAUX

La communauté étudiée ici, Canal Yankee ou Golden Meadow[5], a été formée à la suite de différents cataclysmes naturels. En effet, des ouragans suivis de raz de marée fantastiques dans les années 1892, 1893, 1905, 1912, ont forcé la population à migrer vers des terres de plus en plus au nord et à quelques pieds seulement au-dessus du niveau de la mer. Golden Meadow, à 45 km de la côte du golfe du Mexique, n'a qu'un mètre d'altitude à sa limite septentrionale !

Avant que le choc culturel ne se produise, on y retrouvait une culture cadjine semblable à celle des autres parties de la Louisiane, mais le mode de vie était relié à l'activité saisonnière de pêche ou de piégeage, et la vie sociale était organisée selon les différentes institutions cadjines et les traits culturels déjà connus : voisinage familial, église catholique, langue cadjine, boucheries de campagne, fais-dodo, cuisine sociale, musique, etc...

Avant les années trente, époque où s'est produit le contact avec la société industrielle américaine, la plupart des hommes de la communauté étaient pêcheurs de crevettes l'été, et piégeurs (trappeurs) l'hiver, les entre-saisons étant occupées par la pêche aux crabes et aux huîtres. La communauté parlait le français, était catholique, tirait subsistance de produits cueillis dans les milieux naturels environnants qui en offraient à profusion, et on cultivait de grands jardins potagers pour les besoins en végétaux. Les femmes restaient principalement dans le voisinage, faisant l'éducation religieuse et sociale des enfants, et diffusant les services aux vieux et aux malades. Ainsi, dans le voisinage, on tentait d'acquérir le plus d'indépendance économique possible et de faire fonctionner socialement un certain esprit de corps.

Cependant, au début des années trente, de grands changements venus de la société extérieure menacèrent tous les secteurs de l'organisation sociale, ainsi que l'adaptation déjà réalisée au milieu environnant. La distance que la communauté avait établie entre elle et les dangers naturels était de nouveau amenuisée par le contact avec la société américaine sous l'égide de trois facteurs principaux :

1. L'apparition de nouveaux réseaux de communication. Nous incluons dans ce secteur la construction d'une route, l'avènement de l'électricité et l'apparition de l'instruction publique. L'arrivée du médecin remplaçant le « traiteur », le maître d'école remplaçant la grand-mère ou la tante, la radio et le téléphone remplaçant les communications interpersonnelles, voilà autant de facteurs qui introduisent de nouveaux modes culturels, nouvelle musique ou nouveaux genres de consommation. L'isolement culturel est rompu.

2. Le choc technologique. L'électricité permet la congélation sur place des récoltes maritimes et l'ouverture de manufactures. En mer, l'acceptation de la *trawl* (chalut à crevettes) au détriment de la seine favorise l'éclatement des grosses équipes de travail salariées. On peut dès lors garder les revenus à l'intérieur de la famille; mais il faut aussi investir beaucoup d'argent pour acheter bateaux et équipements, au moment même où s'amorce la crise économique des années trente. Ces facteurs favorisent l'éclatement du voisinage familial au profit de la famille nucléaire. De plus, on assiste à une évolution très rapide du mode occupationnel et à la percée de l'économie capitaliste dans la communauté, surtout par le biais de l'entrepreneurship individuel qui tend à se généraliser.

3. Exploitation de pétrole. Cette activité économique amène un grand influx d'argent et d'étrangers et une alternative occupationnelle pour une partie de la population. Ce facteur a aussi un double effet psychologique : premièrement, celui de voir des étran-

gers exploiter les ressources du territoire pour ensuite les exporter (cette exploitation est perçue comme la consécration du lien obligatoire et définitif entre le groupe cadjin et la société américaine), et deuxièmement, l'arrivée de travailleurs étrangers, protégés par leurs compagnies, ayant seuls droit aux emplois spécialisés et salariés, provoque la hausse du niveau de vie, la péremption de plusieurs institutions cadjines et la dévalorisation de l'identité collective. Ce facteur renforce la stigmatisation culturelle déjà projetée par le contact des mass média et de la culture américaine dominante[6]. Au même moment, un climat politique assimilateur et anti-minorités vient renforcer la pression; on défend de parler français dans les écoles. Les droits ancestraux sur les territoires de piégeage sont bafoués puisque les grosses compagnies foncières, voyant la richesse du sous-sol, veulent augmenter la rente et même en refuser l'accès. Plusieurs concessions de terre sont arrachées par les spéculateurs, sous la signature de purs illettrés.

Cette période de contact fut très désorganisatrice pour les Cadjins de cette petite communauté, mais après quelques années ceux-ci s'infiltrèrent de force, mais non sans subir quelques dommages, à tous les niveaux de la structure économique.

Depuis quelques années, vu le manque de terres sèches, il y a surpopulation relative. Sauf en mer, le français est devenu une langue privée. Les Cadjins sont majoritairement catholiques, mais ils se répartissent peu à peu dans une dizaine d'autres religions. L'indépendance socio-économique du voisinage a fait place à l'économie monétaire et à la valorisation de la famille nucléaire. Plus de la moitié des travailleurs sont attachés aux secteurs industriels reliés à « l'huile » (pétrole); les revenus sont supérieurs à la moyenne de l'état et le mode de vie très américanisé. On n'entend que très peu de musique cadjine. Pourtant, les gens sont Cadjins; et si on pénètre plus à fond dans certains secteurs moins publics de l'organisation sociale, on y retrouve des facteurs primordiaux de survie culturelle. Pour comprendre comment et pourquoi s'est produite cette dichotomisation de leur culture, il faut remonter au choix qui a suivi le contact brutal avec la société américaine et aux moyens que ces Cadjins, en tant que groupe culturel en danger d'acculturation, ont dû déployer pour survivre.

LA QUESTION D'IDENTITÉ

Pendant longtemps, l'identité cadjine a été un stigmate dont on ne pouvait se relever qu'en devenant bilingue et en adhérant au mode de vie américain en déménageant « en ville », si possible[7]. L'appartenance au groupe cadjin a donc longtemps défini les rapports sociaux : la relation cadjin conservateur/cadjin bilingue/américain a souvent été exprimée dans un rapport d'inférieur à supérieur; mais une fois que les Cadjins ont pu se prouver à eux-mêmes, et aux Américains ensuite, qu'ils étaient capables de faire aussi bien qu'eux, la double identité a repris un autre sens. En effet, l'élite, puis le reste de la population, ont vite compris l'avantage de pouvoir jouer sur deux plans. Mais même si cette identité a été en partie déstigmatisée, c'est au prix d'un changement dans l'identité primordiale telle qu'elle était il y a 40 ans. Le statut qu'on exhibe aujourd'hui n'est basé qu'en partie sur les facteurs culturels pré-industriels. En effet, la prise d'identité pour un Cadjin implique qu'il connaisse bien les domaines du privé et du public, qu'il joue bien les rôles correspondants au *commercium* ou à la *commensalitas;* car ces choix fournissent la base pour l'attribution d'un statut. Conséquemment, les relations interethniques sont organisées en fonction de ce statut (H. Eidheim, *in* Barth, 1969, p. 39).

Même aujourd'hui, l'affirmation de l'identité cadjine se fait principalement dans les sphères du privé, par exemple dans le langage[8]. Mais on peut percevoir de plus en plus les effets de la déstigmatisation culturelle. Ainsi, après avoir développé des mécanismes pour obtenir le membership à part entière à la société américaine, ils doivent maintenant développer d'autres techniques pour affirmer leur identité différenciée et apprendre à articuler un processus inverse de celui qu'ils avaient appris, et ceci, tout en respectant le « jeu des transactions » entre eux et les Américains. Ils doivent respecter leur allégeance à leur communauté et à leur groupe ethnique d'une part, mais aussi démontrer leur participation à la société américaine. Ainsi, lors d'un festival cadjin, on parle français entre amis mais toujours anglais au microphone, indépendamment du nombre d'anglophones présents. La cuisine cadjine est largement affichée, mais les « stands » et la commercialisation sont américains; les entrepreneurs préfèrent engager un Cadjin, mais ne doivent démontrer aucune discrimination envers les Américains. Il est parfaitement clair qu'ils sont Cadjins mais qu'ils jouent la « game » américaine, la non-différenciation à certains paliers de la société. La majorité des familles parlent encore français à la maison, au moins entre parents, et dans les réseaux d'amis. La *commensalitas* est encore cadjine, mais les institutions publiques (écoles, église, association, etc...) suivent les courants américains.

Pour bien comprendre la dynamique des frontières ethniques sur le bayou, il nous faut absolument les mettre en rapport avec les changements survenus dans l'infrastructure depuis le contact avec la société industrielle. À la suite de ce contact, ils ont été stigmatisés du fait de leur non-capacité à s'intégrer au nouveau système économique (pas de métier, sans instruction, pas un mot d'anglais)[9]. Mais assez rapidement, sur le bayou du moins, ils ont réussi à se tracer une voie nouvelle, ont créé des entreprises, se sont fait engager par les compagnies (de force au début), et ont, comme groupe, amélioré leur technologie de pêche. Ils ont commencé à allier directement ces succès à certaines caractéristiques ethniques (courage, habileté, ingéniosité, bilinguisme). À partir de ce moment, deux types de différenciation ont commencé à se développer :

1.   Inter-ethnique. Envers les Américains, différenciant le rôle sociétal et le rôle communal (cadjin).

2.   Intra-ethnique. La première marque de différenciation interne touche plutôt des secteurs occupationnels : la petite pêche marchande par rapport à la pêche industrielle. Cette différence a son importance puisque les petits pêcheurs sont plus quotidiennement liés aux valeurs, au mode de vie pré-industriels; le français est toujours leur langue d'usage. Ils ont moins cherché à s'intégrer et à s'adapter à la société américaine.

Un autre clivage, plus apparent, est celui du groupe indien. Plusieurs raisons nous font considérer ce clivage comme étant interne. Ces gens ont le même passé historique récent que les autres francophones du bayou, ont réussi la même adaptation au milieu et exercent la même exploitation des ressources, parlent le même langage. Leur enculturation s'est faite en contact avec les Cadjins du bayou en marge des saisons de piégeage et de pêche aux crevettes. Ils n'ont, par exemple, aucune difficulté d'adaptation quand ils vont demeurer dans le village incorporé, la plupart du temps après un séjour « en dehors » du bayou, le plus souvent à la Nouvelle-Orléans. L'ostracisme véritable venant des Cadjins n'a débuté réellement qu'avec l'industrialisation rapide quand on a ajouté, à la restriction géographique, l'empêchement à la participation économique. Les Cadjins semblent considérer les Indiens comme un sous-groupe économique et culturel de leur propre groupe; la preuve, lorsqu'on leur demande s'ils connaissent des Indiens, ils nous répondent souvent : « Mais y a pus (pas) d'Indiens icitte, ça dit que c'est des Indiens, mais c'est des Sabines, une qualité de mélange avec des Noirs et des Indiens, mais y sont pus Indiens ». (E.S., 1977). Et à la question : Est-ce que ce sont des Cadjins ? « Well, eusses (ils) parlent cadjin » ou « Mais oui, c'est tout des Cadjins et ça parle comme nous autres » (W.C.,, 1977). Les Sabines (terme péjoratif pour Indien, utilisé par les Cadjins blancs), eux, se considèrent comme parfaitement Indiens : « On est Indiens, mais on parle le cadjin, même qu'on est plus purs qu'eux autres... » (Allusion au fait qu'ils doivent retracer leurs origines en archive et évaluer leur pourcentage de sang indien afin de prouver leur appartenance raciale, ce qui leur donne droit aux privilèges des minorités) (G.V., 1977). Cette affirmation nous vient d'une Indienne qui est en quelque sorte 'devenue Cadjine', après un séjour de quelques années dans un champs pétrolifère de l'Angleterre; dès son retour elle s'est réinstallée dans le village de Golden Meadow et non pas dans la communauté indienne, afin d'affirmer sa 'cadjinicité'. Mais depuis les lois anti-discriminatoires du début des années '60, elle cherche à réaffirmer son identité indienne. Fait à noter, les disparités phénotypiques et culturelles sont assez minces entre Cadjins et Indiens pour permettre aisément la transfusion des individus d'un groupe à l'autre.

La principale différence entre les Cadjins et les Sabines vient surtout de différents degrés d'intégration et de participation à la société globale et à l'infrastructure économique. Les Indiens ne détiennent aucun pouvoir sur les investissements et les développements environnants. Les Cadjins sont impliqués à presque tous les niveaux. Une perspective diachronique de l'évolution des identités culturelles au bayou Lafourche nous montre qu'il y a eu d'abord affaiblissement des identités des minorités suivi d'un renforcement de l'identité cadjine et d'un processus de différenciation de l'identité sabine. La période de contact avec les Américains laisse entrevoir que le processus d'assimilation était caractérisé par l'amalgamation des groupes cadjins et sabines au groupe américain[10]. Mais tout de suite après la Seconde Guerre Mondiale, les Cadjins ont commencé à s'intégrer à certains niveaux importants de la production économique et à revaloriser leur identité culturelle. Le processus de prolifération était donc commencé puisque, plus tard, dans les années 60, les Sabines aussi ont pu se revaloriser grâce aux nouvelles politiques fédérales anti-ségrégationnistes. Mais cet affranchissement, étant de type juridico-légal, n'a toujours pas atteint le niveau économique.

Ainsi, à partir du processus d'assimilation des années trente, on a assisté à une redéfinition de l'identité culturelle cadjine en même temps qu'à l'installation d'un tout nouveau type de société au bayou Lafourche. Ce processus, pas plus que le développement économique, n'est terminé; il serait difficile de fixer *in vitro* cette identité ethnique. Mais nous pouvons voir avec plus de perspicacité comment les Cadjins « sélectionnent certains traits culturels et en font les critères primordiaux de l'affiliation à leur groupe ethnique » (Barth, 1969, p. 119). Ainsi, comme la langue française n'est plus partout langue d'usage, on peut insister sur la territorialité, la cuisine, l'appartenance historique (pauvreté, charité proverbiale, habileté, joie de vivre) comme étant des facteurs d'affinité.

STRATÉGIES ETHNIQUES

Par la réussite de l'intégration au mode de production industriel, et l'acceptation du mode de vie en découlant, *la déstigmatisation de l'identité culturelle s'amorçait et les Cadjins, comme groupe, se devaient aussi de définir leurs frontières ethniques et les niveaux de la relation qu'ils auraient avec la société dominante.*

Il est évident qu'un groupe ethnique se choisit des critères d'affiliation en fonction de sa situation. Chez les Cadjins du bayou, ces traits se sont développés à mesure que se précisait leur rôle dans la société industrielle et américaine. Ce lien très étroit entre les changements culturels et l'industrialisation sera rendu plus évident si nous soulignons que toute l'élaboration des stratégies ethniques, la clarification de l'identité culturelle et la fluctuation des frontières ethniques en dépendent. Ainsi l'utilisation des trois niveaux sociologiques du *commercium,* de la *commensalitas* et du *connubium,* se précise puisque ce sont là les secteurs clefs du dynamisme et de la relation inter-ethnique. Les

Cadjins devront, selon le modèle de Francis, participer à la société dominante de façon directe dans le domaine du *commercium,* et indirecte aux niveaux de la *commensalitas* et du *connubium.*

Puisque c'est le domaine de participation le plus direct, prenons le secteur pétrolier à titre d'exemple du *connubium.* C'est là que les stratégies ethniques devraient apparaître le plus clairement. Le public et le privé devraient y être clairement définis. Les Cadjins ont dû faire le choix de ce qu'ils considéraient être Cadjins et non-stigmatisants. Ces traits choisis devaient impliquer *de facto* leur affiliation aux critères primordiaux de leur groupe ethnique, tout en leur permettant libre jeu sur le plan des contacts publics avec la société américaine[11]. Il sera sûrement intéressant d'analyser le rôle qu'a joué le secteur de la pêche en tant qu'élément conservateur dans cet effort de redéfinition de l'identité. En effet, les petits pêcheurs, en retenant énergiquement certains traits pré-industriels, créent une pression constante sur toute évolution de leur communauté.

En effet le groupe des *petits pêcheurs*, ceux qui ont des bateaux de bois de moins de 45 pieds, vont à la pêche pour des périodes de 2 à 5 jours dans les eaux intérieures, et travaillent avec leur épouse ou un fils; ils n'engagent pas, ils s'associent avec un proche parent. Pour vendre leurs crevettes, ils ne vont pas au plus offrant, mais à « leur » commerçant. Ces petits pêcheurs forment un sous-groupe à la remorque de leur communauté. Nous ne voulons pas ici insinuer qu'ils sont dépendants de leur communauté, mais plutôt, qu'au point de vue des innovations culturelles, ils ne font que constater les changements; ils ne les provoquent en aucun cas. Ceci est en partie dû à leur manque de contact avec cette société envahissante et à leur mode de vie lié aux saisons de pêche. Ils sont en mer près de la moitié de l'année, n'ont que peu ou pas d'éducation scolaire, près de la moitié sont encore unilingues français, leur vie à terre est taxée de conservatisme. Un promoteur industriel nous disait que « les petits pêcheurs veulent pas rien comprendre de l'affaire du développement, tout ça qui les intéresse c'est leur affaire à eusses » (I.M., 1978). « Les pêcheurs de chevrettes, c'est proche tout ça qui reste de Cadjins ici : on parle tout français, on est près de not' famille, on fait une bonnevie et on est indépendant comme des crapauds dessus la glace » (R.G., 1977). Dans le domaine de la relation directe de la société dominante avec le groupe cadjin, la citation qui suit, relatant l'histoire de l'arrivée et de l'installation des compagnies pétrolières à Lafourche, est exemplaire. Ceci est raconté par un industriel maritime cadjin, possédant maintenant une compagnie de transatlantiques et son propre chantier maritime.

> ... ça voulait travailler avec des étrangers; les compagnies d'huile, pour travailler sus eusses puits d'huile ça prenait l'étranger qu'avait de l'expérience parce que le Cadjin avait pas d'expérience; ça amenait un tas, joliment des difficultés que l'étranger travaillait et nous on pouvait pas aller travailler; et asteure c'est différent, les puits d'huile qu'est près d'ici, t'as plus que la moitié qu'est cadjin... Asteure, si t'as un bateau qu'une compagnie d'huile a besoin, ça va engager ton bateau, et le Cadjin y connaît courir un bateau, il sait qui faire avec le bateau, et c'est ça qu'eusses veut : Quelqu'un qui connaît courir un bateau et qui connaît l'ouvrage. Et (dans ça) le Cadjin a l'avantage : ça pris longtemps à montrer ça à les compagnies d'huile, mais asteure que ça connaît qui's que le Cadjin pouvait faire, y a pas de question asteure pour savoir qui va courir ton bateau comme pendant un temps : si c'est un Cadjin de Lafourche ou queq' place, y a pas de tracas, man ! (E.C., 1978).

Un deuxième industriel, lui aussi propriétaire d'une compagnie de bateaux, mais de « services aux puits » (supply boats), raconte :

> Quand les Texiens ont commencé à venir, ils voulaient faire les « Bulls », tout ce monde qu'a venu, les roughneck et tout; en dernier, les compagnies d'huile pouvaient plus avoir les bougs du Texas pour venir travailler ici, oh no !... On n'était pas des mauvais monde, mais il fallait pas

que le monde vient ici et se poussailler; eusses parlaient anglais et nous pas. Ça se croyait meilleur : Eusses a vite 'find out'. (W.C., 1977).

Des facteurs de stigmatisation de l'ethnicité cadjine, le plus important peut-être, est relaté dans cette citation :

... c'est comme le système d'école : Quand ça a arrivé on allait à l'école et les maîtresses ça venait de queq' place d'autre et ça voulait pas qu'on parle français. Alors ça ça a tué la langue française dret là; en d'autres mots, c'était tout anglais et ça voulait pas que tu parles français du tout, ni dans la classe ni dehors. (D.B., 1977).

Donc, les deux secteurs qui se sont manifestés le plus directement au groupe cadjin, l'industrialisation et l'éducation publique, sont aussi ceux qui ont le plus stigmatisé leur identité culturelle. Mais même si le groupe cadjin était attaqué dans son organisation sociale par un groupe plus fort, il n'y avait aucune conscience ethnique assez forte ni assez organisée pour contrer cette intrusion; d'autant plus que l'érosion était entreprise sur plusieurs fronts et affectait plusieurs secteurs de l'organisation sociale : socialisation (éducation), mode de vie (industrialisation), valeurs fondamentales (religion amenée par les étrangers, économie de salariat, famille nucléaire, etc.). L'anéantissement des frontières ethniques était presque total, sauf pour les petits pêcheurs (surtout causé par le type d'occupation).

C'est à ce moment que des individus, essayant de tirer quelque avantage de cette situation de contact, et voyant en même temps leurs possibilités d'intégration dans le mode de production industriel, commencèrent à y entrer, de force quelquefois. Aujourd'hui, la presque totalité de la vie économique du bayou Lafourche est contrôlée par leurs propres intérêts. Ils possèdent leurs banques, leurs chantiers maritimes et les compagnies de service maritime (bateaux et autres); la plupart des commerces leur appartiennent (sauf quelques chaînes nationales). Quand une compagnie multinationale d'exploitation de pétrole ou de gaz vient s'installer, elle amène avec elle une technologie de pointe et des investissements de fond; pour le reste elle fait affaire avec les Cadjins. Pour les Cadjins, le système d'éducation publique sert de plus en plus à atteindre les autres niveaux de contrôle (politique et technique). Les Cadjins aiment rattacher à leur appartenance ethnique leur réussite industrielle et financière, et ainsi revaloriser leur identité culturelle en arrachant la stigmatisation qui les entachait, depuis les débuts du contact. L'autonomie cadjine sur le bayou Lafourche est réelle, du moins sur le plan matériel (relativement au contexte américain), mais du point de vue culturel, la réussite n'est pas assurée.

En effet, les « Fourchus » (nom donné par les gens de Terrebonne Parish aux gens de Lafourche) se sont rapidement rendus compte que leur communauté se développait et s'industrialisait et qu'eux-mêmes participaient à ce développement. Mais ils découvrirent en même temps que ce qu'ils avaient connu de leur mode de vie et de leur culture entrait dans une phase de décadence. Le mode de vie était irrémédiablement changé et ils n'y reviendraient pas. D'ailleurs la plupart admettent ne pas regretter le « bon vieux temps ».

T'avais pas de l'air conditioned, pas de télévision, pas d'automobile. Nous autres on restait à Leeville et fallait qu'on va en bateau. On restait dans un camp avec juste une chambre, t'avais un ou deux lits là, un poêle à coal oil pour cuire, une cheminée faite avec de la mousse et de la terre, pas de grillage sus les portes et les fenêtres, le soir on rentrait et on barrait ça, t'avais pas d'air qui rentrait et on se plaignait pas de la chaleur. (D.B., 1977).

Pour que cette culture se perpétue pendant plus de 40 ans de changements et d'industrialisation, il a fallu que certains éléments demeurent vivants et dynamiques. Nous arrivons ainsi au niveau de la *commensalitas*. Pendant que d'un côté les entrepreneurs cadjins négociaient avec les multinationales du pétrole, de l'autre côté, ils s'entraidaient, organisaient des soupers d'amis, se prêtaient de l'argent et se conseillaient. La relation avec les compagnies de pétrole prenait un aspect officiel, tandis qu'entre Cadjins la parole suffisait :

> C'est du drôle de monde les Cadjins. Un Cadjin va te dire de quoi, même si c'est sus le téléphone, et c'est ça que c'est (ce sera ce qu'il t'a dit); on n'a pas besoin de contrat. Un Cadjin va se fier à ce que l'autre boug' dit. C'est après venir asteure que deux Cadjins entre eusses y a pas de tracas là-dedans, mais pas avec un étranger. C'est pour ça que les Cadjins sont après venir à faire des contrats.   (E.C., 1978)

Mais en plus de l'action des courtiers (brokers) et des entrepreneurs qui apprennent à se retirer dans leur groupe culturel pour y trouver appui, il y a tout un groupe, les pêcheurs côtiers, qui organise sa survie différemment : ceux-ci, une fois la transaction commerciale des crevettes effectuées, s'efforcent de garder aussi intacts que possible leur mode de vie et leur allégeance culturelle. Là, beaucoup plus qu'ailleurs, le voisinage familial est important et homogène. Le français est langue d'usage; les coutumes sont préservées.

La *commensalitas* s'élabore aussi dans d'autres domaines de la vie sociale de la communauté, démontrant son attachement à son caractère original et à sa vie culturelle. Par exemple, même si la musique cadjine française a été depuis longtemps remplacée par la radio, les juke box, les orchestres de l'extérieur, puis la télévision, tous les matins le poste de radio local KLEB, « met sus l'air » une émission de deux heures de musique exclusivement française avec messages et annonces destinés aux francophones. On y annonce les anniversaires, on y fait des messages aux pêcheurs et aux autres groupes de la communauté. Les nombreux festivals et foires qu'on organise sur le bayou le sont *par* et *pour* des Cadjins : le grand étalage d'argent qu'on y remarque sert strictement à recueillir des fonds pour les besoins de la communauté et permet à la plupart des « Fourchus » d'avoir « un bon temps » et de rencontrer leurs amis. Une énorme masse monétaire fournie par les riches industriels retourne à la communauté. Tous ces festivals ont des comités organisateurs composés exclusivement de Cadjins; on fait l'officiel en anglais, mais les gens parlent français entre eux. Les décisions concernant les foires se prennent souvent autour d'une table garnie de crabes bouillis ou d'un « jambalaya de chevrettes ». Un bar cadjin de l'endroit ouvre tous les matins à 4 heures pour permettre aux travailleurs et pêcheurs d'entendre les nouvelles fraîches et de prendre un café avant la journée. Dans une famille que nous connaissons, les enfants et gendres du père viennent tous les matins prendre un café à la maison paternelle et se communiquent les informations avant la journée de travail.

Du côté du *connubium*, nous notons au bayou un système qui ressemble fort à une endogamie culturelle. En fait, c'est plus que cela : en très grande majorité, les Fourchus marient des Fourchus. On nous a même rapporté qu'un mariage avec un étranger était hasardeux :

> Un Cadjin qui marie un pas Cadjin ça ressemble d'être plein plus dur à faire travailler (réussir). Eusses vit pas pareil et c'est pas la même chose, ça mange pas pareil.   (R.G., 1977)

Mais le mariage intra-ethnique n'est sûrement pas une garantie, puisque le taux de divorce est très élevé en général. À la différence de l'autre époque, les rencontres des futurs époux ne se font plus dans les bals ou les églises, mais à l'école. Mais le lieu n'est quand même pas trop hétéroclite, puisque l'école secondaire accueille des enfants de parents cadjins à plus de 90%. La cérémonie du mariage elle-même est toujours religieuse ou presque, et la noce demeure cadjine, c'est-à-dire soit dans la cour de la maison d'un des parents, avec orchestre, plats froids et une pirogue remplie de bouteilles de bière, soit dans une salle avec orchestre, assez de nourriture pour une foule, préparée par des parents des mariés, et assez de convives pour fonder un nouveau village[12]. La fête se continue dans les maisons après la veillée, avec les proches parents et quelques amis. La socialisation pré-scolaire des enfants est faite en grande partie par les grands-parents qui se chargent d'initier les « petits » à des bribes du langage cadjin, à leur cuisine et à leur mode de vie.

LA RENAISSANCE CULTURELLE ET LE BAYOU LAFOURCHE

Le projet de recherche dont cette étude fait partie s'appuie sur la prémisse qu'il y a en Louisiane un mouvement de renaissance culturelle, présent et ressenti internationalement autant que de façon interne. Afin de donner un bref aperçu de ce qu'est l'histoire de cette renaissance, disons qu'avant les années 60, le groupe francophone du sud de la Louisiane vivait dans une ère de honte. Leur identité avait été tellement stigmatisée et leur culture tellement érodée par l'industrialisation, l'idéologie de la société dominante (américaine), l'instruction publique, les mass média, que les Cadjins disparaissaient lentement, comme groupe distinct, dans le creuset américain. Le déblocage culturel des années 60 amena les folkloristes et d'autres spécialistes de l'exotisme culturel, à s'intéresser au groupe cadjin et à certains de leurs traits culturels. Cela commença surtout par la musique, suivie des manifestations culturelles entourant la cuisine et les coutumes ancestrales. Les Cadjins apparurent sur la carte nationale en tant que groupe singulier. L'intérêt se développant au niveau national et international donna naissance entre autre à CODOFIL, organisme qui opère la gérance de l'enseignement du français et de certaines autres activités « ethniques » telles que l'organisation de « festivals de musique acadienne », fêtes commémoratives, etc.

CODOFIL devient rapidement le centre névralgique de cette renaissance en canalisant toutes les ressources dynamiques régionales, nationales et internationales du fait français. Ainsi, activé par des ficelles politiques et des décisions administratives, cet organisme devient bientôt le seul représentant officiel de la Renaissance et en guide l'orientation. L'action principale de cet organisme a été d'instaurer et de réorganiser totalement l'enseignement du français dans certaines paroisses francophones et de créer des liens internationaux basés sur la communauté linguistique des pays coopérants. CODOFIL, avec l'aide des enseignants venus des pays coopérants (France, Belgique, Québec), enseigne uniquement le français standard, et organise des voyages d'échange culturel basés sur la communauté culturelle. L'influence de cet organisme a été aussi de concentrer et d'organiser la renaissance culturelle dite populaire et de déstigmatiser en partie l'identité culturelle cadjine. Nous disons bien en partie car, géographiquement, l'action de CODOFIL est surtout présente dans les paroisses entourant Lafayette et a eu tendance à négliger celles les plus éloignées. Également, le fait de ne pas vouloir reconnaître ni enseigner le dialecte cadjin dans les écoles a plus ou moins perpétué l'idée que le cadjin était quelque chose de « pas pareil », d'inférieur. Cette conception élitiste de l'organisme (français pur, relations internationales) a empêché, jusqu'à un certain point, la population de se sentir vraiment et directement concernée par le mouvement qui est vu comme manipulé d'en haut.

Pour ce qui est de la paroisse Lafourche, notons qu'elle est située à l'extrémité du triangle de l'Acadiana à partir duquel travaille CODOFIL. La paroisse en général, et surtout le « bas du bayou », se désintéressent de l'action de CODOFIL, pour plusieurs raisons :

1. Les gens du bayou n'ont pas eu besoin d'un organisme pour déstigmatiser leur identité. Ils l'ont fait à travers leur participation au système économique et ont mieux réussi

que CODOFIL. Quand celui-ci est arrivé, il n'est venu que confirmer et accentuer ce qui était déjà commencé;

2. CODOFIL a quitté le « bas du bayou » (au moins ses enseignants) en 1976, mais on y enseigne toujours le français[13]. On y enseigne officiellement le français standard malgré l'opinion très mitigée de la population sur le choix entre le français cadjin et standard. Au bayou on a adopté un genre de solution de compromis, en ce sens que ce sont des « autochtones » qui enseignent le français et qu'il leur est donc plus loisible de « glisser » un peu de cadjin dans leur cours. Les cours donnés par CODOFIL le sont par des étrangers. Et les gens ont bien vu la faillite de la refrancisation des jeunes par l'école en général et par CODOFIL en particulier : « Un enfant qui sort de l'école asteure parle aussi bien français qu'une vache espagnole » (R.G., 1978). Des promoteurs locaux essaient maintenant d'obtenir l'enseignement d'un français plus proche du cadjin en s'appuyant sur des lois fédérales. Mais il y a peu de chances de réussite, car CODOFIL a une bonne emprise officielle.

3. Cet aspect du problème est local et plus complexe. Dans la paroisse Lafourche, les gens divisent le territoire en deux régions et s'identifient à l'une ou l'autre : Thibodaux et le « bas du bayou ». Thibodaux est le centre urbain, politique et commercial. Le « bas du bayou » circonscrit les quatre villages pour lesquels les habitants manifestent un sentiment d'appartenance. Très densément peuplées, et de peuplement presque homogène, les communautés de pêcheurs se sont industrialisées très rapidement avec le pétrole : chantiers maritimes, compagnies maritimes, pêche industrielle de la crevette, forage pétrolier, etc. Le problème évident est celui des élites[14]. À Thibodaux, il s'agit d'une élite politique et intellectuelle (université, chef-lieu); dans le « bas du bayou », c'est une élite économique née de l'industrialisation (pétrole) et des pêcheries. Ce qui reste de CODOFIL dans la paroisse Lafourche est entièrement situé à Thibodaux et encadre des programmes d'échanges culturels ou de « sociétés historiques ». On assiste donc à une renaissance du type qu'on retrouve à Lafayette où est centré CODOFIL. En bas du bayou, l'élite économique étant beaucoup plus pragmatique et peu axée sur l'intellectualisme, le mouvement de revitalisation de la culture est plus diffus et plus difficile à circonscrire que lorsqu'il est centré sur une organisation officielle. Par contre la culture cadjine est plus vivante là, plus présente dans la vie quotidienne que dans certains autres endroits où CODOFIL est très actif. Il nous apparaît pour le moment que la seule participation active des gens du bayou à l'organisme officiel se fait au niveau des échanges culturels internationaux, entre autres parce qu'il leur est très facile de le faire économiquement et que localement ils en tirent un grand prestige.

Les Cadjins du bas du bayou n'ont pas eu besoin d'un mouvement centralisé et organisateur pour déstigmatiser leur identité. Ainsi, s'il y a présentement un mouvement, il semble qu'il faille plutôt l'appeler une orientation de la conscience populaire ou de l'esprit de communauté, une volonté diffuse de conserver une part de leur héritage culturel. Comme ce sont eux qui ont décidé en grande partie du degré et du type d'intégration à la société globale, il semble qu'ils veulent aussi décider de ce qu'il est avantageux de garder vivant et de ce qu'il serait mieux d'oublier. Ils paraîssent garder à l'esprit que l'accentuation trop prononcée de certains traits culturels pourrait nuire à ce jeu de transactions qu'ils jouent avec la société américaine. Mais le problème subsiste. Que cette renaissance ne soit pas organisée présente certains risques, entre autres celui de la perte de l'essentiel de leurs particularités culturelles. Ce qu'on valorise ethniquement au point de vue local, s'entremêle trop aisément avec les principes de commercialisation et de rentabilité économique immédiate, qui sont américains de valeur et de style. Par exemple, lors du « festival des Cadjins » de Galliano au bayou, l'anglais est la langue publique, on n'engage plus d'orchestre cadjin, on vend les produits locaux à gros prix (crevettes, crabes, huîtres) et on encante toute la fin de semaine pour des dizaines de milliers de dollars. Par contre, on fait un dîner cadjin, un concours de vêtements cadjin, un concours de danse, et tout le travail est fourni bénévolement. Mais ces quelques éléments ethniques sont tellement étouffés dans une production et une allure américaines que pour le non-initié il sera très difficile de remarquer le caractère ethnique de ce festival.

De telles manifestations font douter qu'il y ait un mouvement de renaissance dans cette région. Même si les buts des festivals cadjins sont louables (amasser de l'argent pour les besoins sociaux locaux), nous doutons qu'il y ait là motif suffisant pour abandonner la valeur première qui sous-tendait la tenue de ces festivals : faire revivre le passé par la musique, la rencontre de toute la communauté, le mode de vie basé sur la joviabilité rudimentaire, la langue, etc. Le sentiment de cohésion qui animait de telles manifestations au début a fait place à un désir, ou pire à une obligation, de participer économiquement au mieux-être matériel de la communauté. Un journaliste, impliqué dans l'organisation du festival, à qui nous affirmions qu'il n'y avait plus grand chose de cadjin dans cette manifestation, même plus d'orchestre de musique traditionnelle, et que c'était là une raison de la désertion et du désengagement de la population, répondit que c'était la vérité : « Faudrait qu'on ferait de quoi pour que ça soye plus cadjin » (P.C. 1978). Mais est-il possible que les gens du bayou trouvent assez de ressourcement pour vouloir renverser le courant des valeurs et du mode de vie américain qui s'infiltrent en eux. Localement, ils n'ont aucun organisme de promotion culturelle pouvant prendre en main une vraie renaissance ethnique. Si nous parlons surtout des festivals, c'est qu'il s'agit d'un parfait exemple du laisser-aller qui pourrait nuire bien plus que les politiques d'assimilation des gouvernements américains. Si les Cadjins ont déstigmatisé leur identité, il n'en reste pas moins que le grand bien-être matériel, l'industrialisation rapide et le changement de valeurs qui les accompagnent leur fassent oublier le pourquoi de la déstigmatisation entreprise.

CODOFIL ne peut pratiquement pas prendre racine au bayou Lafourche, parce que si un mouvement réel de renaissance devait y prendre naissance, il faudrait qu'il soit obligé localement et orienté selon les données locales du problème. C'est ici que le problème des élites resurgit car, pour une élite économique, les buts premiers sont la rentabilité et l'efficacité. Une grande partie de la population ne souscrit pas à cette idéologie et aimerait plutôt voir se tempérer les changements de valeurs. Elle aimerait que le développement futur se fasse plus en accord avec leurs traits ethniques. S'il reste une chance en ce sens, il faut regarder vers les petits pêcheurs qui ont encore de la difficulté à s'intégrer à leur « nouvelle » communauté, et du côté des jeunes dont certains prennent conscience des valeurs culturelles par les voyages ou l'université, et qui pourraient bien essayer de revitaliser leur appartenance ethnique et animer une certaine conscientisation. Il s'agit bien d'une certaine renaissance, car il faudrait qu'un tel mouvement soit adapté au niveau économique et au type de développement de la communauté. Il faudrait aussi qu'elle s'aménage dans les cadres de leur intégration à la société américaine.

CONCLUSION

La première question que quelqu'un se pose en arrivant au sud du bayou Lafourche est sans doute : « Comment un tel endroit, qui semble peu peuplé et si excentrique, peut-il être si développé ? » En effet, on y remarque un grand nombre de commerces, banques, compagnies de toutes sortes qui forment façade sur la seule route, en même temps rue principale de Canal Yankee. Quand on connaît un peu plus ce qui s'y passe, on se demande, peut-être encore plus perplexe, comment une culture autre que la culture américaine peut y survivre ?

En fait, le type de développement amorcé, et la manière dont les Cadjins en profitent et s'en accomodent, ne garantissent pas cette survivance culturelle pour longtemps encore. Même s'il est extrêmement heureux que le développement profite enfin à une minorité qui en ferait autrement les frais, il reste qu'une culture originale risque de décliner et même de disparaître si rien n'est entrepris. La génération des jeunes ne se soucie guère de certains traits importants de conscience ethnique, tels le langage et la musique, et les individus en général semblent peu intéressés à se défendre de l'assimilation douce qui les menace. En effet, à travers un train de vie trépidant et les facilités de la consommation à outrance, pourquoi se soucier de culture ?

Pour le moment, il nous apparaît qu'il se cache, derrière les apparences industrielles et l'*American Way of Life,* une vie discrètement masquée et visible seulement aux « initiés » : la langue cadjine, les soupers d'amis, l'adaptation et l'exploitation du milieu, l'appartenance historique, la religion catholique, la vie de famille, les réseaux instrumentaux intra-ethniques, une certaine joie de vivre et les nombreux « bon temps » qui la caractérisent. Si ces particularités subsistent toujours, il est possible qu'elles soient dues à la soif énorme qu'a le Cadjin d'utiliser à son maximum toutes les ressources et toutes les occasions qui lui sont offertes, pour en tirer avantage. C'est ainsi qu'en reprenant les trois niveaux d'analyse utilisés dans cet article, nous pouvons comprendre comment ils ont pu s'intégrer et profiter de l'invasion industrielle sur le plan matériel, tout en utilisant les profits retirés de cette alliance pour mieux profiter à leur culture (festoyer, relations avec les amis, festivals très ostentatoires, valorisation de la différence). On peut voir ici le lien dynamique qui relie le *commercium* et les deux autres niveaux de la *commensalitas* et du *connubium.* On peut même aller jusqu'à suggérer que si cette alliance avec la société dominante *(commercium)* ne servait qu'à réussir à garder les jeunes dans leur communauté, elle serait souhaitable. C'est ce qui se produit quand on est effrayé par la venue du superport pétrolier mais qu'on endosse quand même le projet[15]. Mais en même temps, cette interdépendance des deux cultures, le type d'interrelation qui s'effectue entre le public et le privé, semble avoir amené ce groupe au bord de la non-différenciation. Il est possible que cette intégration matérielle et l'acceptation trop enthousiaste et trop peu critique de cet *American Way of Life* pousse l'individu moyen à ne plus pouvoir articuler sa différentiation.

L'absence presque totale de CODOFIL en « bas du bayou », l'absence ressentie d'un mouvement sensibilisateur et organisateur peuvent bien accentuer le désintéressement face à la « chose culturelle ». Car, il semble logique que plus le développement et plus les valeurs typiquement américaines (individualisme, rentabilité, uniformité) vont prendre de la place, moins l'importance de la vie et des valeurs intra-groupe sera perçue. Ce qui s'est produit dans le cas des fêtes et foires communautaires, c'est-à-dire l'abandon de la cadjinicité comme centre d'intérêt, au profit de la commercialisation et de la rentabilité, peut bien se produire dans d'autres domaines. En effet, quand on demande à quelqu'un pourquoi il aimerait que le français soit conservé dans l'instruction des enfants, il répond la plupart du temps que c'est parce qu'un individu a plus de chances, d'opportunités de travail et de voyage, s'il parle deux langues. C'est donc même là l'instrumentalisation ou la langue rentabilisée. Ils sont trop rares ceux qui répondent : « Parce que c'est not' langage à nous autres, c'est comme ça qu'on a été élevé » (entrevue, été 1977).

Dans le réveil de la population à l'égard de leur survivance culturelle, une hypothèse paraît plausible : la tendance élitiste toujours plus grande de la population qui fait que la langue et certains autres traits comme la cuisine peuvent devenir objets de valorisation instrumentale, mais ethnique. Cette tendance peut permettre la canalisation de certaines énergies centripètes et du fait, la naissance d'une certaine conscientisation. De plus, un segment de la population, que nous avons à peine effleuré dans cet article, les petits pêcheurs, de par leur tendance conservatrice et même puriste, pourrait servir de miroir ou de cadre de référence à un tel mouvement qui deviendrait alors, pour la communauté, un point de ralliement.

La pierre angulaire de cette hypothèse est bien sûr que la jeunesse, qui est très active à cet endroit, se décide à prendre positivement la relève de la survie culturelle. Pour le moment elle est intéressée autant que ses aînés à matérialiser sa condition économique et sociale. Mais plusieurs jeunes sont passés et passeront dans les universités et cette instruction supérieure permet à certains de faire des prises de conscience qui pourraient s'avérer des outils sérieux de mobilisation, si jamais un revirement de l'idéologie culturelle se produisait. Il n'existe pas d'irréversibilité, malgré les apparences, car il semble bien que ce qui se produit actuellement soit le résultat du choc technologique et culturel. Il se pourrait donc que, une fois la surprise passée et la désorganisation surmontée, on voit poindre un réel mouvement de renaissance qui soit plus qu'une simple réaction conservatrice. Dans la structure sociale du bayou, deux niveaux sont clairement définis : le *commercium* et le *connubium*. Il nous apparaît donc que c'est au niveau de la *commensalitas* que se jouera l'avenir de cette communauté francophone. Avec l'acquisition de la stabilité économique, c'est le mode de vie qui change et le mode de vie est plus ou moins le domaine de la *commensalitas*. Plusieurs secteurs sont déjà passablement touchés : la vie de famille, les échanges communautaires, la langue, la nutrition, la religion, les associations volontaires, la musique. Ces secteurs, quoique passablement touchés, ne sont nullement irrécupérables. La situation est critique mais pas au stade terminal. Pourtant, si très bientôt un mouvement organisé de réveil et de conscientisation ne fait pas surface pour revitaliser ces aspects de la vie sociale intra-ethnique, il se peut bien que d'ici la prochaine génération le mot cadjin soit classé sous la rubrique folklore !

NOTES

[1] *Paroisse :* équivalent du comté canadien ou américain.

[2] *Bayou :* canal peu profond, avec un faible débit d'eau, qui serpente dans les prairies marécageuses du sud de la Louisiane.

[3] *Bas-du-Bayou :* expression locale. Désigne le territoire de peuplement ininterrompu d'environ 20 km, de Larose à Golden Meadow. Exprime aussi le sens de communauté sociale : « le monde du bas du bayou ».

[4] Voir Annexe.

[5] Au début du siècle, des Yankees du Nord étaient venus à Golden Meadow pour cultiver du riz dans les savanes. Ils durent draguer un canal pour permettre l'accès maritime à leurs terres. Ces Américains sont arrivés au temps de la floraison des boutons-d'or et ont surnommé l'endroit : Golden Meadow. Les Cadjins qui venaient toujours plus nombreux s'y installer le surnommèrent Canal Yankee. Pour les vieux, c'est toujours Canal Yankee. La rizière n'a jamais vu le jour.

[6] Quelques citations des informateurs reflétant l'effet stigmatisant du « contact » :

« Dès que j'ai commencé l'école, j'parlais pas un mot d'anglais, et là la maîtresse me battait parce que je parlais français; les maîtresses c'était pas du monde du bayou ». (R.G., 1977)

« Ya plein du monde ici qui s'a battu avec les Texiens : Eusses allaient dans les bars et places de danses et ça faisait du train et ça prenait les filles. Ça nous prenait pour moins qu'eusses parce que ça avait les bonnes jobs et que ça parlait anglais ». (V.J., 1977)

« Là ça s'a mis à ouvrir des places de danses partout et y avait des bals tous les soirs, so il fallait que ça engage des bands qui jouaient d'autre musique (que la musique cadjine). J'dirais à peu près en 32 ou 33, y a commencé à avoir le boum (pour le pétrole); avant ça le monde icitte c'était du monde tranquille, ça se mettait ensemble dans les maisons..., t'avais pas de télévision. (La Crise)... Ça nous a pas affecté beaucoup, on n'avait pas d'automobile, on avait un bateau, mon père piégeait et pêchait; alors on a jamais pâti, pour dire ». (D.S., 1977)

« Dans ce temps là avec une piastre t'avais ça que tu voulais, mais t'avais pas c'te piastre là... » (C.P., 1977)

[7] « En ville », c'est-à-dire à la Nouvelle-Orléans, surtout sur le Westbank, (rive-ouest) là où sont les chantiers maritimes.

[8] Voir Annexe.

[9] Stigmatiser : « Noter d'infamie, condamner définitivement et ignominieusement » (dictionnaire Robert). « Blesser d'une manière dure et publique. Ce dit d'un homme qui vient d'essuyer en public un déshonneur. Un stigmate flétrissait, une note d'infamie » (dictionnaire Littré).

[10] Horowitz, 1975, pp. 115-116. L'auteur remarque qu'en période de contact entre minorités ethniques et sociétés dominantes, les frontières ethniques et identités culturelles deviennent fluctuantes selon le statut des groupes concernés. Ces frontières peuvent devenir faibles au point de laisser libre cours à l'amalgamation des groupes dits inférieurs par la société dominante. D'autre part, si la valorisation de l'identité change on assiste à la différenciation des identités culturelles et possiblement à la prolifération des groupes.

[11] Il s'agit ici bien sûr de choix implicites ou inconscients; il s'agit de ne pas contredire ses allégeances ethniques par des activités sociales ou occupationnelles. Par exemple, les « brokers » (courtiers, intermédiaires ethniques), tels les gros entrepreneurs maritimes doivent faire converger leurs intérêts avec ceux du groupe ethnique, au moins superficiellement. Leur vie sociale se limite souvent au voisinage encore fort et structuré, et à leur cercle de travail (autres pêcheurs). Ils vivent en accord avec des valeurs plus traditionnelles que progressives : famille, religion, langue française, travail manuel, bonne vie (honnête), etc. Les arrangements de leur communauté avec la société américaine les satisfont rarement : « On n'a jamais été à l'école et on fait une bonne vie, toutes ces industries, ça amène juste des étrangers et du tracas, mais ça donne de l'ouvrage aux jeunes ».

[12] Au moins pour ce qui est du premier mariage.

[13] Nous ne disons pas *en* français mais bien *le* français : une ou deux heures par semaine.

[14] Au sujet de la perception des élites, en « bas du bayou » il y a dichotomisation : celles de Thibodaux étant vues comme les politiciens, des « offices » de gouvernements, et les « locaux » qui font partie intégrante de la « communauté », « du monde d'icitte » qui reconnaissent leur monde même quand ils sont riches et puissants. Les dons, lors des festivals communautaires, « en font preuve »...

[15] Un plan de superport pour le déchargement du pétrole en mer a été accepté par les gouvernements fédéraux, de l'état, les promoteurs locaux et un consortium de sept compagnies pétrolières américaines.

ANNEXE

LES NOIRS ET LES INDIENS

Nous ne donnerons ici que certains renseignements factuels qui aideront à mieux situer les Noirs et les Indiens par rapport au reste de la population du bayou Lafourche.

Les Noirs. Ils vivent au nord de Larose, sauf quelques-uns à Larose même, dans quelques voisinages identifiés. La grande majorité se trouve à Thibodaux. Ils ne viennent en « bas du bayou » que pour travailler (services, construction, huîtres) et ressortent toujours du territoire en dehors des heures d'affaire. Ils sont en majorité anglophones et en mauvaise relation avec les Blancs. Ils n'occupent que les emplois de subalternes et mal payés. Pour les Cadjins blancs, le Noir fait un peu figure de « Bonhomme Sept Heures » pour les plus vieux, et les femmes en ont une peur morbide.

Les Indiens. Sauf quelques-uns éparpillés sur le territoire, la plupart (environ 900) vivent dans une communauté identifiée et circonscrite au sud de Canal Yankee. « En bas de la corporation » (ou Indian Settlement), est le quartier mal famé de la place : terrain bas et humide, mal protégé des marées, maisons délabrées, déchets empilés, surpopulation des habitations. Ils sont tous francophones, beaucoup d'enfants le sont aussi. Leur vie sociale se déroule en marge de celle des Cadjins et leurs activités ont lieu dans leur communauté ou en ville, là où ils ne seront pas étiquetés automatiquement. Les Cadjins les dénomment « Sabines », terme préjudiciable faisant référence à leur « sang mêlé » et à leur culture de pauvreté. Les Cadjins ne reconnaissent pas aux Sabines leur statut d'Indien : « Asteure ça veut qu'on les appelle des Indiens, mais c'est des Sabines », est une remarque fréquemment entendue.

LES CAS DU FRANÇAIS À LAFOURCHE

Le cas du français parlé à Lafourche illustre très bien cette démarcation qui existe entre le privé et le public, l'ethnique et le non-ethnique; ceci exprime aussi le type d'intégration qu'ont accepté les Cadjins afin de ne pas disparaître après le contact. C'est aussi un bon exemple de ce « jeu de transactions » qui a été mis en place pour établir la relation mais aussi la différenciation entre les deux groupes.

Aux foires et festivals locaux. Tout le langage public est anglais : l'encan, les annonces, la publicité. Au « Cajun Festival », il n'y a rien de francophone. « Le Cajun Festival, c'est plus un festival de Cadjin, y a pus de Cadjins qui va là. Tu les a déjà entendu parler en français ou des affaires de cadjins, toi ? » (R.G. 1978). Pourtant, si on se promène dans l'assistance, on entend autant le français que l'anglais, et tout le monde a été capable de parler français. Les petits groupes d'amis (surtout occupationnels) parlent tous en français entre eux à moins qu'il y ait un on-cadjin avec eux.

Dans les associations. Quand nous demandons dans quelle langue se font les réunions : « Well, le meeting est en anglais, mais dès qu'on est avec des Cadjins on parle en français. Non j'vas pas parler à un Cadjin en anglais, si c'est un Cadjin on va parler français » (V.T. 1977).

À la pêche. « Sus les bateaux, dans l'affaire de pêche, tout l'affaire est toujours en français. Ya juste nous autres, les trôleurs (trawlers), qu'est des vrais Cadjins » (R.G. 1977). « Tu vois comme ça les Floridines et les Texiens peut pas nous comprendre » (E.E. 1977). Et la plupart du temps, les contacts avec la *base* (terre) ou avec les acheteurs de crevettes, pour les gros bateaux, se font par les femmes et en anglais.

Commerce et publicité. Dans les supermarchés nous voyons souvent deux ou trois femmes parler en français entre elles (mère-fille, amies) et au comptoir, elles parlent anglais à la caissière (qui est plutôt jeune). Dans les banques et le bureau de poste, on parle peu en français, sauf par nécessité.

À l'émission radiophonique française le matin, la plupart des annonces publicitaires vont se faire en anglais. La musique est française (importée de Lafayette), les annonces pour les trôleurs (trawler francisé) en français, même celles provenant de la Nouvelle-Orléans, les nouvelles et la température (vitesse et direction du vent, pression) en français. Les annonces sociales sont également en français.

BIBLIOGRAPHIE

BARTH, Frederick, (éd.) (1969) *Ethnic Groups and Boundaries*. Boston, Little, Brown & Co.
EIDHEIM, Harold (1969) When Ethnic Identity is a Social Stigma, *Ethnic Groups and Boundaries*, in F. Barth (éd.), Boston, Little Brown & Co.
FRANCIS, E.K. (1976) *Inter-ethnic Relations: An Essay in Sociological Theory*. New York, Elsevier Publishing.
GLAZER, N. and MOYNIHAN D.P. (1975) *Ethnicity: Theory and Experience,* Cambridge, Harvard University Press.
GOLD, G.L. (1977) *The French Movement in Louisiana.* Article non-publié présenté au congrès annuel de l'American Anthropological Association, Houston, Texas.
HOROWITZ, DONALD L. (1975) Ethnic Identity, in K. Glazer et D. Moynihan eds. *Ethnicity: Theory and Experience*, Cambridge, Harvard University Press.
MUMPHREY, A.J. et WAGNER, F.W. (1976) *The Impact of Outer Continental Shelf Development on Lafourche Parish.* Urban Studies Institute, University of New Orleans.
NAGATA J. (1976) The Status of Ethnicity and Ethnicity of Status. *International Journal of Comparative Sociology,* XVII(3-4).
U.S. CENSUS OF POPULATION (1970) *General Social and Economic Characteristics.* Louisiana, Final Report PC-1-C20.

Depuis un demi-siècle, plusieurs facteurs sont venus changer le mode de vie et modifier les rapports sociaux dans la région de Lafourche. Les apports technologiques venant de la société industrielle américaine ont été parmi les facteurs de changement les plus marquants. On voit ici la pirogue de piégeur, les petits bateaux de pêche à la crevette dont l'un est équipé d'un chalut et d'un treuil et l'autre, d'un filet papillon (butterfly net). Au centre on voit une pompe à pétrole dans le bayou et à l'arrière-plan on perçoit les mâts des gros chalutiers de la pêche hauturière.

Le bayou Lafourche, au début du siècle, était le noyau du transport et des communications régionales. De nos jours, en dépit de la route le longeant, le transport maritime est primordial pour l'économie régionale.

Les pêcheurs de crevette choisissent, à partir du bayou, l'affluent (bayou ou canal) qui les conduira à leur territoire de pêche. À noter la physiographie très uniforme et marécageuse de la région.

Pour les compagnies pétrolières, le bayou demeure la principale voie d'accès aux territoires de forage dans le golfe du Mexique ou dans les lacs intérieurs.

Mais, le taux élevé de l'industrialisation n'a pas réussi à anéantir tout à fait la spécificité culturelle des Cadjins au bayou. Ils ont donc élaboré un certain « modus vivendi » qui leur permet de participer activement à la société américaine tout en maintenant des secteurs de la vie sociale qu'ils contrôlent mieux, qui sont moins « publics ».

Par exemple, la famille a toujours été un des éléments clefs de l'organisation sociale des Cadjins. Avant l'industrialisation, la famille constituée en « voisinage » formait l'unité économique de base. Depuis un demi-siècle il semble que la famille, quoique nucléarisée, soit demeurée un élément moteur dans l'économie régionale en devenant un noyau d'entrepreneurship. La majorité des entreprises locales, petites ou grosses, dans les pêcheries ou dans l'industrie sont basées sur une participation familiale directe :

Atelier familial de préparation de filets de pêche.

Pour les pêcheurs, presque tout se fait en français : capture et mise en marché des crevettes, à la mer et à terre. Et les réseaux occupationnels sont très étanches vis-à-vis des non-Cadjins.

Au bar « Hubba Hubba » tenu par l'officieux « Cajun Ambassador, » les Cadjins commencent dès 4.00 heures du matin à échanger les nouvelles et les opinions de la communauté, en français. On s'y rend prendre un café avant la journée de travail ou avant de partir pour la pêche. Chaque vendredi soir, on y organise une « veillée » informelle : un habitué du bar apporte sa guitare et y chante en français.

Les nombreux festivals de la communauté cadjine du « bas du bayou » représentent des éléments de dynamique sociale et des facteurs de cohésion ethnique importants. Mais en plus ils démontrent ostensiblement le degré d'américanisation de la population. Une des questions que nous nous posons est celle à savoir si une telle érosion culturelle et sociale peut permettre encore longtemps la survie de l'identité différenciée des Cadjins.

Bénédiction des bateaux à Golden Meadow. À noter l'évêque, le drapeau français, le drapeau acadien et deux drapeaux américains.

XV

Les Cadjins de l'Est du Texas

Dean R. LOUDER et Michael J. LEBLANC[1]

Les contacts français avec le territoire qu'on appelle aujourd'hui le Texas remontent à trois cents ans. René Robert Cavelier sieur de Lasalle, grand explorateur français et découvreur du système fluvial du Mississippi, est mort en 1687 près de la baie de Matagorda sur la côte texane, incapable de retrouver l'embouchure du Mississippi, victime du soulèvement de son équipage (Dufour, 1967, p. 18). Trois décennies plus tard, l'intrépide Canadien français Louis Juchereau de St-Denis fonde le premier poste militaire et colonial en Louisiane, près de Natchitoches, à une vingtaine de kilomètres seulement du Présidio de Los Adaes, l'avant-poste le plus oriental du Texas espagnol. Ce poste empêchait l'agression espagnole en Louisiane et servait de base pour le commerce furtif entre Français et Espagnols (Mills, 1977, p. 1; Casanova, 1976, p. 112). Olmstead mentionne déjà en 1860 d'autres populations francophones demeurant le long de la frontière louisiane-texane, mais le premier peuplement massif et permanent du Texas par les francophones ne s'est produit qu'au début du vingtième siècle alors que des migrants, en grand nombre, traversaient la rivière Sabine, de Louisiane vers les villes du Golden Triangle : Port Arthur, Orange et Beaumont, ainsi que vers des villages et hameaux tels que China, Hamshire, Winnie, Fannett, Stowell, Raymond, Ames et Liberty. Le but de cet article est d'identifier et d'examiner les facteurs qui sous-tendent cette migration et de documenter la persistance, dans l'est du Texas, d'une conscience ethnique cadjine. Avant de ce faire, cependant, résumons le plus graphiquement possible la situation actuelle de la population francophone du Texas[2].

POPULATION DE LANGUE MATERNELLE FRANÇAISE, 1970

Grâce surtout à sa proximité du Mexique et à de forts liens historiques et politiques avec ce pays, la population hispanophone, qui compte au moins 2 000 000 d'habitants, est de loin la minorité la plus importante au Texas. Toutefois, il existe un petit coin de ce grand état américain, adjacent à la Louisiane, où les francophones sont cinq fois plus nombreux que les hispanophones. Il s'agit du comté Jefferson dont le territoire comprend la presque totalité de la conurbation du Golden Triangle, une aire de mille kilomètres carrés comprenant les villes de Beaumont, Port Arthur et Orange (figures 1 à 4). Un nombre aussi élevé s'observe pour le comté Harris (essentiellement la ville de Houston), mais il constitue, cependant, un pourcentage beaucoup moins fort (tableau 1). Bien entendu, la croissance de grands centres en dehors de l'axe Golden Triangle, Galveston, Houston a récemment attiré un nombre important de francophones : Bexar (San Antonio), Dallas et Tarrant (Fort Worth). Dans les comtés ruraux de Chambers et Liberty, surtout le premier, la population française représente une proportion significative de la population totale du comté, mais une part plutôt faible du total des francophones au Texas. À remarquer aussi le fait que des cent lieux urbains de 10 000 à 50 000 habitants, au Texas, seulement cinq possèdent des populations de langue maternelle française de plus de 500 habitants. Quatre de ceux-ci se situent à l'intérieur du Golden Triangle (Groves, 2425 h., Nederland, 1470 h., Port Neches, 1445 h., Orange, 1742 h.), l'autre se trouve près de Houston (Baytown, 896 h.).

Les données publiées sur la langue maternelle et compilées par Standard Metropolitan Statistical Area (SMSA) sont classées selon le lieu de naissance du répondant : « Native born » (né aux États-Unis) et « Foreign born » (né à l'étranger). L'étude des trois SMSA « les plus français » au Texas montre que la part de la population de langue maternelle française née à l'étranger n'est guère importante (tableau 2), n'atteignant même pas les trois pourcent. Ce chiffre arrive à peine à cinq pourcent au niveau de tout l'état (tableau 3). Évidemment, la part des francophones nés à l'étranger est encore plus petite là où la population est plutôt rurale. Le SMSA Beaumont-Port-Arthur-Orange est la zone urbaine la plus française du Texas en termes absolu et relatif. Port Arthur est la ville où les francophones constituent la part la plus importante de la population totale (14 pourcent)[3].

Tableau 1

**Comtés du Texas où la population
de langue maternelle française dépasse 1 000 en 1970**

		% de la population du comté	% de la population totale de langue maternelle françaises au Texas
Bexar	4 695	*	5,2
Brazoria	1 243	1,1	1,4
Chambers	1 252	10,3	1,4
Dallas	5 412	*	6,0
El Paso............................	1 458	*	1,6
Galveston.........................	3 184	1,9	3,5
Harris	26 796	1,5	29,2
Jefferson	24 049	9,8	26,7
Liberty.............................	1 267	3,8	1,4
Nueces	1 042	*	1,2
Orange	5 337	7,5	5,9
Tarrant	2 701	*	3,0
Travis	1 064	*	1,1
			87,6

* Moins de 1%.
Source :   U.S. Census of Population, PC (1) — 45, table 119.

Tableau 2

Les SMSA où la population francophone est la plus élevée

	Né aux États-Unis	Né à l'étranger
SMSA de Port Arthur, Orange, Beaumont	29 316	70
Beaumont	6 932	24
Orange	1 742	0
Port Arthur	8 097	19
Résidu urbain	9 144	27
Résidu rural*	3 401	6
SMSA de Galveston-Texas City	3 125	59
Texas City	776	0
Galveston.......................................	1 298	29
Résidu urbain	685	24
Résidu rural	366	6
SMSA de Houston	28 056	1 420
Houston	17 814	1 098
Pasadena.......................................	1 308	12
Résidu urbain	5 831	241
Résidu rural	3 103	69
TOTAL :	60 497	1 549

* Résidu rural est une catégorie résultant de l'addition des sous-totaux soustraits des totaux du SMSA, mais dans les lieux de moins de 2 500 habitants.

Figure 1

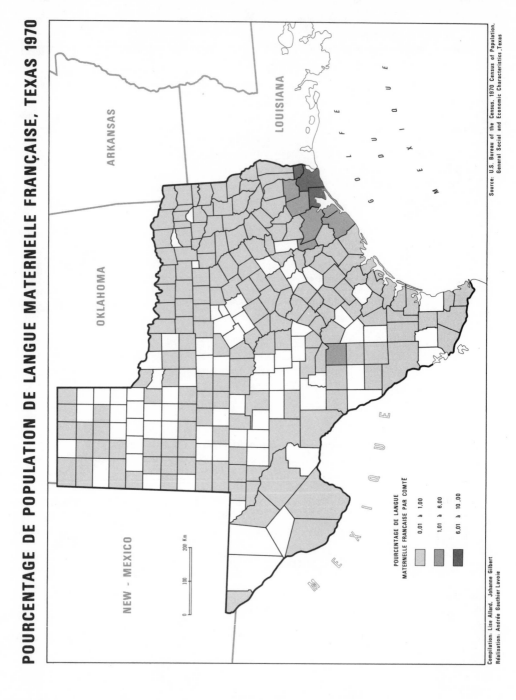

POURCENTAGE DE POPULATION DE LANGUE MATERNELLE FRANÇAISE, TEXAS 1970

POURCENTAGE DE LANGUE
MATERNELLE FRANCAISE PAR COMTÉ

0,01 à 1,00
1,01 à 6,00
6,01 à 10,00

Source: U.S. Bureau of the Census, 1970 Census of Population,
General Social and Economic Characteristics, Texas

Compilation: Lise Allard, Johanne Gilbert
Réalisation: Andrée Gauthier Lavoie

Figure 2

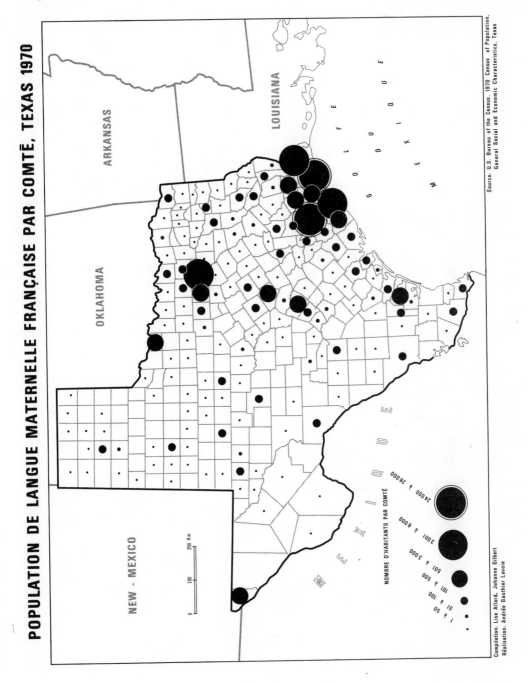

POPULATION DE LANGUE MATERNELLE FRANÇAISE PAR COMTÉ, TEXAS 1970

Source: U.S. Bureau of the Census, 1970 Census of Population.
General Social and Economic Characteristics, Texas

Compilation: Lise Allard, Johanne Gilbert
Réalisation: Andrée Gauthier Lavoie

Figure 3

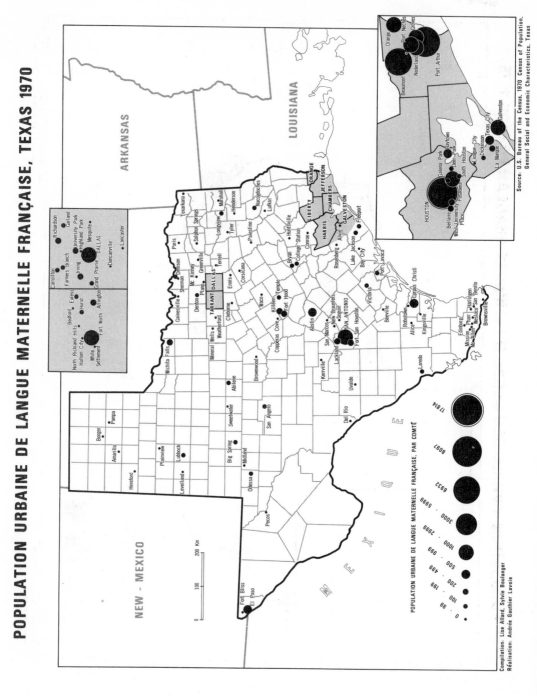

POPULATION URBAINE DE LANGUE MATERNELLE FRANÇAISE, TEXAS 1970

Source: U.S. Bureau of the Census, 1970 Census of Population, General Social and Economic Characteristics, Texas

POPULATION URBAINE DE LANGUE MATERNELLE FRANÇAISE, PAR COMTÉ

Compilation: Lise Allard, Sylvie Boulanger
Réalisation: Andrée Gauthier Lavoie

Figure 4

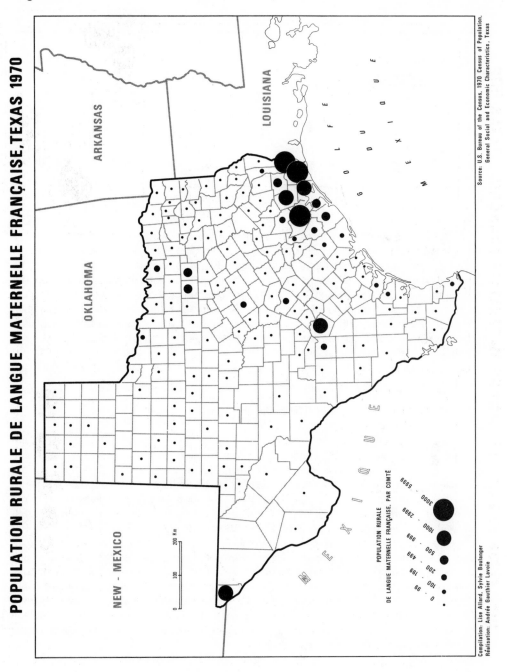

POPULATION RURALE DE LANGUE MATERNELLE FRANÇAISE, TEXAS 1970

Source: U.S. Bureau of the Census, 1970 Census of Population, General Social and Economic Characteristics, Texas

Compilation: Lise Allard, Sylvie Boulanger
Réalisation: Andrée Gauthier Lavoie

POPULATION RURALE
DE LANGUE MATERNELLE FRANÇAISE, PAR COMTÉ

3000 · 5999
1000 · 2999
500 · 999
200 · 499
100 · 199
0 · 99

Tableau 3

Langue maternelle française selon l'appartenance raciale

	Total	Blancs	Noirs
Langue maternelle française, né aux É.-U.	85 831	66 945	18 614
Langue maternelle, française, né à l'étranger	5 071	4 938	72

	Urbain	Blancs	Noirs
Langue maternelle française, né aux É.-T.	73 976	57 144	16 574
Langue maternelle française, né à l'étranger	4 747	4 614	72

	Rural	Blancs	Noirs
Langue maternelle française, né aux É.-U.	11 855	9 801	2 040
Langue maternelle française, né à l'étranger	324	0	0

Source :   1970 U.S. Census of Population, PC (1)-45, Tableau 49.

Étant donné la proximité physique entre la population française du Texas et la Louisiane et la faible proportion de cette population qui est d'origine étrangère, il est évident en soi que les francophones texans sont surtout des réfugiés louisianais. En effet, tout comme la population française de l'état des bayous, celle du Texas est extrêmement hétérogène. Toujours selon le recensement de 1970, les noirs francophones au Texas constituent vingt-deux pourcent de la population de langue maternelle française née aux États-Unis; en Louisiane ils en constituent seize pourcent. Tous les autres sont Cadjins, originaires presqu'exclusivement des régions louisianaises à l'ouest du bassin Atchafalaya et de la Grande Prairie du sud-ouest en particulier. C'est d'eux, les Cadjins ou « Coonasses » comme ils s'identifient eux-mêmes et comme ils sont connu par autrui au Texas que traitera le reste de cet article.

MIGRATION CADJINE VERS LE TEXAS

Le prolongement de la frontière cadjine au-delà des bornes de la Louisiane est né de nécessité et pour raisons de convenance. Les premiers Cadjins à s'implanter au Texas et dont les résidents ont souvenance sont arrivés au tournant du vingtième siècle. Ils ont occupé les vastes prairies à l'ouest de Beaumont. Plusieurs avaient été forcés de quitter les terres familiales de Louisiane par un système foncier qui obligeait la division des terres entre les héritiers (West, 1952). Le problème qui en résultait était le morcellement progressif des terres de génération en génération (Shugg, 1939, p. 8; Post, 1962, p. 77). Par conséquent, une nouvelle classe de travailleurs migrants fut créée à l'intérieur de la Louisiane française. Ces gens se faisaient souvent engager par les grands terriens (les bourgeois), recevant ainsi une part en échange de leur main-d'oeuvre. Comme petit cultivateur exploité, les options dont l'habitant disposait furent très limitées : chercher constamment un autre emploi à la part chez un autre bourgeois ou encore partir pour le Grand Texas. Pourquoi le Texas ? Évidemment, la proximité y était pour quelque chose. En dépit des distances relativement courtes qui séparaient les réfugiés de leur Louisiane natale (souvent moins de 100 kilomètres), les coûts fonciers au Texas étaient souvent deux fois moins élevés qu'en Louisiane. Un récolteur pouvait facilement doubler ses avoirs en vendant chez lui et en achetant au Texas. Même les Cadjins sans terre n'étaient pas obligés de travailler à la part au Texas. Ils pouvaient y travailler comme journalier ou louer une parcelle de terre, les deux sans crédit. Un certain nombre de Cadjins deviendraient eux-mêmes de gros terriens au Texas, se spécialisant d'abord dans l'élevage puis dans le riz.

Bien que certains Cadjins d'origine bourgeoise aient traversé la Sabine, ils constituaient des exceptions. Ainsi le Grand Texas devint un genre de terre promise — une vaste prairie ouverte, non seulement dans le sens physique du terme, mais aussi sociologique. Ici l'habitant pouvait regagner sa dignité et son indépendance dans un système socio-économique beaucoup plus fluide. Ici existait la possibilité d'une mobilité sociale ascendante. Donc, le premier peuplement cadjin au Texas fut et se fit le long des principales routes entre Beaumont et Houston. Il s'explique surtout par les conditions locales en Louisiane. Or, cette implantation agraire fut de courte durée, il arriverait d'autres événements qui feraient sauter les barrières d'émigration et auraient comme conséquence la fuite de plus en plus rapide de Cadjins vers l'ouest.

En 1902, la compagnie pétrolière Texaco met en marche sa première raffinerie dans l'est du Texas et établit une ville à industrie unique *(company town)* à quelques kilomètres seulement au nord-ouest de Port-Arthur. Les Cadjins qui se ruaient vers cette région pour y trouver du travail furent si nombreux que la ville fut vite surpeuplée. On l'appelait Tibéville (Petite-Abbéville ou Little Abbeville) en souvenir du village louisanais du même nom. D'un côté de la raffinerie se développa Tibéville, de l'autre, Port Neches, elle-même composée en grande partie de Cadjins nouvellement arrivés. Les gens arrivaient à Port Neches soit par bac, traversant la rivière Neches près de l'actuel pont Rainbow, soit par train interurbain, après avoir effectué un transbordement à Beaumont. Les vieux se rappellent vivement cette expérience :

> J'ai parti pou'venir icitte à Texas su' le treize décembre. C'était su' un vendredi. J'ai marché. J'ai parti à marche. J'avais pas d'argent, quat' piasses et quèque chose dans mon poche quand j'ai parti pou' venir icitte. J'ai venu icitte su' des *rides*. J'ai arrivé icitte au *ferry* su' le *Neches River*, et ben, quand j'ai traversé bord d'icitte, un boug' a me ramassé su' un *grader*. Il couri un *grader* pou' le *county* et il a *drive* icitte à Port Neches. Y'avait juste un chemin du *ferry* jusqu'au venir à Port Neches. Il m'amène jusqu'au icitte dessus un *grader*. Son nom était Labe Guidry, un bon homme.

En général la migration vers le Texas se basa sur les liens de parenté et d'amitié établis au lieu d'origine en Louisiane. Peu d'individus seuls furent impliqués. Par conséquent, les réseaux de parenté et d'amitié prirent très tôt une ampleur importante avec le résultat que le Texas devint un lieu de résidence permanente à partir duquel il serait très facile de maintenir, par le biais des visites, les liens culturels avec la Louisiane.

Le développement hâtif de l'industrie pétrolière dans la région de Port Arthur s'arrêta subitement en 1915, alors qu'un ouragan ravagea la côte texane, rasant ainsi les installations pétrolières. La reconstruction des structures endommagées et le déclenchement de la Première Guerre Mondiale engendrèrent une demande de main-d'oeuvre extrêmement forte. Les Cadjins, une fois de plus, en constituaient la principale composante.

Cette première vague de migration cadjine se termina en 1921. Une seconde reprit de plus belle au début des années quarante. Entre les deux, le débit se maintint, aussi faible soit-il. Durant les années de la Crise les plus marginaux des marginaux[4] se dirigèrent vers le Texas. Pour les Cadjins demeurant en Louisiane, il existe une image très vive de ceux qui sont partis :

> Nous, les Cadjins de Louisiane, avons toujours considéré les Cadjins du Texas comme des « durs ». Ils étaient de mauvaise humeur, manquaient de dents et avaient des cheveux malpropres et mal peignés. Ce sont des gens qui avaient moins que les gens des prairies, qui, eux, n'avaient rien... (traduction d'une conversation tenue à Pont-Breaux, Louisiane, en 1978).

Le commencement de la Deuxième Guerre Mondiale fut aussi marqué par la syndicalisation des travailleurs des raffineries. La première raffinerie à la subir fut celle de Port Neches et les Cadjins, y voyant de l'intérêt, jouèrent des rôles clés dans la formation des syndicats. C'étaient eux et leurs confrères de travail qui négocièrent les premières conventions avec la partie patronale américaine et avec les compagnies multinationales. Les Cadjins du Texas se vantent souvent que sans eux l'industrie pétrolière du Texas ne serait pas aujourd'hui ce qu'elle est. À la lumière de leurs nombreuses contributions significatives, cette vantardise paraît bien fondée.

La guerre créa une demande massive de main-d'oeuvre. De nouvelles industries connexes à l'industrie pétrolière s'établirent. L'une des plus importantes fut Goodyear, fabricant de caoutchouc synthétique. Contrairement à la période de croissance de la Première Guerre Mondiale, où les Cadjins se côtoyaient dans leurs nouveaux emplois, le « boom » de la Deuxième Guerre les mettait beaucoup plus en contact avec des Américains qui immigraient, eux aussi, en grand nombre. Durant la guerre, Port Arthur fourmillait d'activité navale, puisque c'était le port d'attache de la marine marchande américaine, Celle-ci fournissait des emplois sur une base temporaire à des centaines de Cadjins, la plupart d'entre eux rentrant en Louisiane une fois la guerre finie. Après le conflit, le débit de migrants en provenance de Louisiane diminue, mais se maintient quand même un certain temps grâce surtout à la mécanisation progressive de l'agriculture louisianaise et grâce aux salaires plus élevés dans les secteurs secondaires et tertiaires des villes de l'est du Texas, en plein essor[5].

Plus récemment, avec la diversification des emplois disponibles en Louisiane et la croissance de l'industrie pétrolière dans cet état, la migration cadjine vers le Texas est, à toute fin utile, au point mort. Les Cadjins du Texas ont aussi diversifié leur sphère d'activité économique à mesure qu'ils se sont adaptés au milieu américain et à une économie très différente de celle qu'ils avaient connue en Louisiane méridionale. D'un bout à l'autre de ce processus d'adaptation, la connaissance de leur propre identité ethnique a persisté.

PERSISTANCE DE L'IDENTITÉ CADJINE AU TEXAS

Au Texas, les Cadjins habitent un milieu urbain fort complexe dont la diversité ethnique est beaucoup plus prononcée qu'en Louisiane. Ils surnagent dans une vaste mer de valeurs anglo-protestantes. Ceci n'est pas sans créer des conflits. Il n'est pas rare qu'un francophone blanc du Texas s'identifie comme étant autre chose que Cadjin. Il semblerait que « Cadjin » soit le nom réservé à ceux de l'autre côté de la rivière en Louisiane. Le Texan a tendance à plutôt employer une autre étiquette choisie parmi plusieurs que la société dominante américaine lui aurait attribuées. Celle la plus souvent utilisée est, certes, « Coonass » employée à l'occasion aussi en Louisiane, surtout en plaisantant. Une autre appellation très courante est celle de « Coonie » qui n'est jamais utilisée en Louisiane française. Cependant, on l'entend dans la partie anglophone de la Louisiane lorsque les gens parlent avec mépris ou affectueusement de leurs voisins francophones. Moins courant, mais quand même reconnus sont les sobriquets « Frenchman » ou « Frenchie ». Certains vieux qui ont passé presque leur vie entière au Texas s'attachent au terme « créole », à ne pas confondre avec l'ancienne classe aristocratique de la Nouvelle Orléans ou avec les Créoles de couleur ou les Créoles noirs. Ce « créole » signifie tout simplement quelqu'un du sud de la Louisiane de souche française[6]. Jamais le nom « Acadien » qui porte une certaine valeur ethnique, n'est-il employé et cela probablement à cause des distinctions de classe maintenues traditionnellement entre les *Acadiens*, urbains et bien nantis, et les pauvres Cadjins des campagnes louisianaises. Les francophones blancs du Texas sont surtout d'origine rurale.

En Louisiane, quatre éléments, avant tout autre, définissent ce qu'est l'ethnicité cadjine : langue, cuisine, musique et religion. Il pourrait s'y en ajouter facilement un cinquième : l'enracinement. Pour les Cadjins du Texas, le premier et le dernier sont d'importance moindre alors que la religion l'est davantage.

En ce qui concerne la langue, la jeunesse cadjine du Texas, tout comme ses cousins de la Louisiane, opte pour l'anglais. Nulle part au Texas on ne retrouve le bilinguisme passif qui caractérise la jeunesse de beaucoup de régions louisianaises. En fait, ce bilinguisme passif existe surtout au niveau des gens d'âge moyen. Sur le plan individuel, les Cadjins du Texas se servent du français pour des raisons symboliques en l'utilisant à l'occasion et surtout en insistant sur la bonne prononciation de leur nom, même si l'épellation de ce nom a évolué : Lapointe, par exemple, devenant Lapoint.

Évidemment, les Cadjins du Texas sont plus déracinés que ceux de la Louisiane, autrement ils ne seraient jamais venus au Texas. La plupart d'entre eux avaient déjà déménagé plusieurs fois à l'intérieur même de la Louisiane avant de s'installer au Texas. Les Cadjins de la Louisiane possèdent un profond sentiment d'attachement au sol louisianais. Ils connaissent leur patelin et se montrent très peu enclins à le quitter, même pour rendre visite à la parenté au Texas. Les fréquentations entre Cadjins des deux états sont très peu symétriques, c'est-à-dire, il s'en fait beaucoup plus d'ouest en est que dans le sens contraire. Ceux du Texas semblent croire que malgré la situation favorable obtenue au Texas, la vie est quand même meilleure en Louisiane : « Ah, le monde connaît vivre en Louisiane ! Ils vivent un tas mieux qu'à Texas. Tu vois, icitte dans le Texas, les Baptistes va essayer te dire quoi faire ».

Voilà un problème qui fait de la religion un indice important de l'identité ethnique cadjine du Texas. Être catholique dans cette partie de l'est du Texas dominée par la religion baptiste veut probablement dire être Cadjin. Le catholicisme permet et encourage, surtout grâce à son club fraternel, les Chevaliers de Colomb, l'éthique du bon temps. Contrairement à leurs voisins protestants extrêmement conservateurs, les Cadjins peuvent boire de l'alcool, manger de la bonne nourriture, danser et même jouer — surtout le dimanche. Les festivals pour la promotion de telles activités attirent de grosses foules le jour du sabbat. Il va sans dire que ces festivals sont assez mal vus par la population anglo-baptiste et sont parfois interdits par les gouvernements municipaux. Il est évident, grâce à cet exemple, que les élections peuvent avoir des allures ethniques et religieuses extrêmement teintées. Les résultats correspondent très souvent à l'appartenance religieuse.

Les mets cadjins ont encore leur importance au Texas. En fait, la prolifération de restaurants cadjins indiquerait que cette cuisine est de plus en plus appréciée par l'ensemble de la population. Les ingrédients pour les mets cadjins ne sont pas aussi facilement disponibles qu'en Louisiane, mais il existe quand même des magasins de spécialités tel le French Market à Groves qui dessert une clientèle importante.

Quant à la musique cadjine, elle se joue à toutes les fins de semaine dans de nombreuses boîtes de nuit, que ce soit The Winnie Country Club, Sparkle Paradise à Bridge City ou le Rodair Club sur le « Coonass By-Pass » (route 365) à Port Acres. Les artistes cadjins du disque sont actifs et il y en a un, Johnny Janot, qui anime un programme de musique cadjine le dimanche matin sur les ondes du poste KVLI à Beaumont dont le rayonnement déborde le Golden Triangle pour desservir presque toute la Louisiane à l'ouest de l'Atchafalaya.

Contrairement aux zones urbaines en Louisiane, où les Cadjins se sont regroupés et où ils forment, dans quelques cas, des majorités (Westwego, en face de la Nouvelle-Orléans), trois organisations à caractère ethnique cadjine existent au Golden Triangle, en plus des Chevaliers de Colomb. Ayant souvent les mêmes membres, elles poursuivent des buts identiques. La première organisation, *Cajuns of Tomorrow*, fut fondée par la classe professionnelle dont l'âme créatrice était un politicien local cadjin. Ses membres ne sont pas, en général, francophones, quoique Cadjins et ses activités s'orientent surtout vers la population non cadjine. Autrement dit, il s'agit de vendre la « cadjinicité » par le biais des activités « culturelles » (festivals). Des trois organisations, c'est *Cajuns of Tomorrow*, à cause de son ancienneté et de la participation de l'élite régionale, qui est la plus connue.

La seconde est la *Golden Triangle Cajun Association* (GTCA). Elle témoigne d'un schisme par rapport à la première. Ses membres et sa direction sont surtout issus de la classe ouvrière. Ses objectifs sont similaires à ceux des *Cajuns of Tomorrow*, mais la GTCA met davantage en évidence l'importance de la langue.

Pour ce qui est de la langue, cependant, c'est la PREFAM *(Présence francophone Amérique)* qui s'y consacre le plus. En dépit de son membership très restreint, la PREFAM s'efforce depuis ses cinq années d'existence de maintenir le français comme langue vivante, parlée et écrite. Pour ce faire, elle sollicitait la collaboration d'un quotidien de Port Arthur, afin d'y faire paraître une fois par semaine un article en français. De plus, elle jouit de l'appui du Cercle Français de l'université Lamar (Beaumont), du chapitre régional de l'American Association of French Teachers, de l'Alliance française à Houston et du Conseil pour le développement du français en Louisiane (CODOFIL). PREFAM partage les préoccupations et objectifs de ce dernier, bien qu'à une échelle beaucoup plus restreinte. Il est peu probable que la PREFAM puisse jamais jouir du même degré de reconnaissance officielle de l'État ou qu'elle obtienne d'Austin, la capitale, l'appui financier dont jouit CODOFIL à Bâton Rouge. La petite population française effectivement assimilée sur le plan linguistique fait pitié comparée à l'énorme géant braillard non assimilé qu'est le groupe espagnol.

À remarquer que rien n'a été entrepris au niveau organisationnel pour faire fondre les différences sociales qui caractérisent la population francophone au Texas.

CONCLUSION

La génération de Coonass née depuis deux décennies décidera de l'impact que pourront avoir les développements que nous venons de décrire. L'expérience historique récente des Cadjins du Texas a créé une conscience ethnique très marquée. Elle a également donné lieu à une forte conscience de classe qui trouve son reflet dans la capacité de s'exprimer en français. Cette capacité est, certes, plus prononcée chez les Cadjins ruraux. En milieu urbain, ce sont les gens de plus de 40 ans travaillant à leur propre compte qui maîtrisent le mieux le français. C'est notamment le cas de ceux qui ont choisi d'abandonner le travail dans les complexes industriels, le percevant comme une répétition de l'exploitation bourgeoise déjà connue en Louisiane. Ceux qui ont perdu la langue ne se considèrent pas pour autant moins cadjins ou moins coonie que les autres. Ils s'identifient selon d'autres critères ethniques. La nouvelle génération de Cadjins d'expression anglaise et née au Texas est à peine consciente des circonstances qui ont amené leurs parents à changer de patrie. Maintenant coupée de la Louisiane, elle doit trouver d'autres moyens pour maintenir dans l'est du Texas son identité distincte. La culture cadjine a toujours eu la capacité de se modifier tout en retenant ses aspects essentiels. Le faire au Texas dans les années à venir constituera un vrai miracle.

NOTES

[1] Les auteurs remercient les personnes suivantes qui ont compilé les données cartographiées dans cet article : Lise Allard, Sylvie Boulanger et Johanne Gilbert.

[2] Il va sans dire que la vaste majorité des francophones parlent couramment l'anglais. Dans la plupart des cas, surtout chez les jeunes, ils sont même plus à l'aise en anglais. Les données présentées ici sont tirées des cahiers du recensement de 1970 portant sur la langue maternelle. Le nombre de personnes d'origine ethnique française est bien sûr beaucoup plus élevé que les chiffres présentés ici.

[3] Il est probable que les chiffres portant sur la langue française soient sous-comptés. À cause de la honte qu'on associe traditionnellement à ses origines françaises, un répondant va souvent refuser de déclarer le français comme langue maternelle même s'il l'est. À Port Neches, par exemple, ville où d'après le recensement une personne sur dix est de langue maternelle française, le nombre de noms français dans le bottin téléphonique dépasse de loin 10 pourcent du total.

[4] Beaucoup de Cadjins de Louisiane et surtout ceux situés à l'est de l'Atchafalaya prétendent avoir peu souffert durant la crise économique des années 30 parce qu'ils s'autosuffisaient étant par conséquent en dehors du système économique américain.

[5] Un barbier venu au Texas en 1951 de Broussard, Louisiane, recevait quatre fois plus cher la coupe qu'en Louisiane.

[6] Fait intéressant, ce terme était courant autrefois dans le sud-ouest de la Louisiane. La plupart des francophones de souche, peu importe leur appartenance raciale, se nommèrent ainsi, Voir WADDELL, chapitre XII du présent ouvrage.

RÉFÉRENCES

CASANOVA, J.-D. (1976) Une Amérique française. Québec, Éditeur officiel.

DUFOUR, C.L. (1967) Ten Flags in the Wind. New York, Harper & Row.

MAGUIRE, R. (1978) Les gros té mangé les petits : Black Creoles and the Shift from Agriculture in St. Martin Parish, Louisiana, Projet Louisiane, Québec, université Laval, Département de Géographie, Document de travail n° 3.

MILLS, G.B. (1977) The Forgotten People: Cane River's Creoles of Color. Baton Rouge, Louisiana State University Press.

OLMSTED, F.L. (1860) A Journey through Texas. New York, B. Franklin.

POST, L.C. (1962) Cajun Sketches. Baton Rouge, Louisiana State University Press.

SHUGG, R.W. (1939) Origins of Class Struggle in Louisiana. Baton Rouge, Louisiana State University Press.

U.S. (1970) Census, Census of Population General Social and Economic Characteristics, (PC(1)—C45 Texas.

LOUISIANA STATUTES (1952) Civil Code, Article 1220 1643, Volume 5, St. Paul. Minnesota : West's Publishing Co.

XVI

L'amorce du redressement des francophones hors-Québec : analyse critique des *Héritiers de Lord Durham* et de *Deux poids, deux mesures*

René-Jean RAVAULT

Comme un avion qui descend en vrille, la francophonie hors Québec, depuis le début du XXe siècle et surtout depuis la fin de la seconde guerre mondiale, est généralement considérée par les statisticiens spécialisés en démographie linguistique, comme devant inéluctablement s'abimer dans la mer anglophone. Toutefois, après une longue chute vertigineuse, certains signes tangibles montrent qu'un redressement spectaculaire est sur le point de s'amorcer. On peut mentionner comme indice de redressement la publication, par la Fédération des francophones hors Québec, des *Héritiers de Lord Durham*[1], en 1977, et, en 1978, du dossier comparatif de la situation des francophones hors Québec et des anglophones au Québec intitulé : *Deux poids, deux mesures*[2].

Aussi, après un bref survol du contexte historique dans lequel ces ouvrages ont été conçus, nous tenterons de les décrire sommairement. Ensuite, nous nous efforcerons d'analyser de façon critique leur contenu et les stratégies d'action qui s'en dégagent. Et, finalement, après avoir mis en lumière certaines lacunes, nous proposons certaines stratégies complémentaires qui, si elles étaient mises en pratique, devraient permettre d'accomplir totalement ce redressement.

Les contextes dans lesquels *Les Héritiers de Lord Durham* et *Deux poids, deux mesures* ont été publiés

Avant toutes choses il est peut-être important de préciser le contexte dans lequel ont été conçus *Les Héritiers de Lord Durham* (Vol. I et II) et le dossier : *Deux poids, deux mesures*. Contrairement à ce qu'on entend souvent dire, l'idée d'écrire *Les Héritiers de Lord Durham* date de plusieurs mois avant l'arrivée au pouvoir du Parti Québécois et est même antérieure à l'annonce des élections du 15 novembre 1976 par l'ancien leader du Parti Libéral du Québec, Robert Bourassa. C'est au mois de septembre 1976, après avoir fait circuler auprès des dirigeants des Associations provinciales francophones affiliées à la Fédération des francophones hors Québec (F.F.H.Q.), ainsi qu'auprès des leaders de cet organisme, le questionnaire d'une étude que la Direction des groupes minoritaires de langue officielle du Secrétariat d'État m'avait confiée, que j'ai appris de ces dirigeants de la francophonie hors Québec qu'ils avaient l'intention de faire eux-mêmes un travail semblable au mien. Ma recherche, dont les résultats ont été présentés au Secrétariat d'État en juin 1977 dans un rapport intitulé : *La francophonie clandestine*[3], avait, en effet, pour principaux objectifs d'évaluer l'impact de l'aide du Secrétariat d'État aux francophones hors Québec, de faire le point de la situation et de suggérer un plan d'action au Secrétariat d'État pour les années 1978-1983; les deux volumes des *Héritiers de Lord Durham*, de leur côté, proposent une vision plus globale de la situation des francophones hors Québec, ainsi qu'un plan d'action pour 1978-1983 qui dépasse de loin les cadres du Secrétariat d'État. *Les Héritiers de Lord Durham* s'inscrivent donc dans l'évolution propre des francophones hors Québec qui, pour la première fois de leur histoire, sortent de la clandestinité en prenant la parole publiquement, collectivement et solidairement.

Par contre, si la conception et la réalisation des *Héritiers de Lord Durham* n'ont pas été profondément affectées par l'évolution de la conjoncture politique au Québec, il est indéniable que la conception et la réalisation du dossier *Deux poids, deux mesures* sont étroitement liées à l'évolution de la situation québécoise. Toutefois, avant même la prise du pouvoir par le Parti Québécois, plusieurs des dirigeants francophones hors Québec que j'ai rencontrés dans le cadre de ma recherche, m'ont fait part de leur intention de rédiger également un document qui aurait eu pour principal objectif d'attirer l'attention des anglophones hors Québec (que la loi 22 du gouvernement libéral du Québec scandalisait alors) sur la situation des francophones de leurs propres provinces, situation qui était toujours infiniment plus précaire que celle des anglophones du Québec.

Aussi, en mai 1978, lorsque ce dossier choc fut porté à l'attention de la presse et malgré le remplacement, en 1977, de la loi 22 par la loi 101 au Québec, ainsi que la promulgation intégrale, au Nouveau-Brunswick, de la loi sur les langues officielles reconnaissant un statut officiel à l'anglais et au français, la situation des deux peuples fondateurs du Canada était encore suffisamment déséquilibrée au détriment des francophones pour justifier pleinement le titre et le contenu de ce dossier comparatif. C'est d'ailleurs probablement en fonction de la persistance de cette injustice flagrante, que le ministère des Affaires intergouvernementales du Québec, d'une part, la Société Saint-Jean-Baptiste d'autre part, ainsi, il est vrai, que le Secrétariat d'État, ont participé financièrement à ce projet.

Contrairement à ce que l'on avance parfois en insistant sur leurs dates de parution, *Les Héritiers de Lord Durham* et *Deux poids, deux mesures*, ne peuvent absolument pas être considérés comme des documents dont l'objectif aurait été de ralentir l'élan francophone au Québec en rappelant aux Québécois qu'il existe aussi des francophones hors Québec. En fait, ces documents publiés par la F.F.H.Q. s'inscrivent très nettement dans la lignée d'oeuvres telles que le film de Michel Brault et Pierre Perrault, *L'Acadie, l'Acadie*[4] tout en élargissant la situation de base à l'ensemble des francophones hors Québec. Cette précision (qui n'est pas sans importance sur le plan des relations francophones hors Québec — Québécois) étant apportée, nous pouvons maintenant passer à une description sommaire du contenu de ces documents cruciaux.

Description sommaire des *Héritiers de Lord Durham*

Pour plus de clarté, notre rapide description portera tout d'abord sur le premier volume des *Héritiers de Lord Durham*, puis sur le second volume et enfin sur *Deux poids, deux mesures*.

Le premier volume des *Héritiers de Lord Durham*, qui parut au printemps de 1977, aurait pu tout aussi bien s'appeler, comme on peut le lire sur la première page : « Les francophones hors Québec prennent la parole. » Toutefois, le titre officiel est pleinement justifié puisque cet ouvrage s'efforce de dépeindre la situation globale des francophones hors Québec face à l'inquiétante progression du virus de l'assimilation anglophone, virus qui fut, sinon injecté, au moins attisé et propagé par les recommandations que formula, il y a près d'un siècle et demi, Lord Durham dans son trop fameux rapport.

Dans cet ouvrage, l'assimilation à la langue anglaise des francophones hors Québec y est décrite sous toutes ses formes possibles. Véritable descente en vrille sur le plan historique, l'assimilation des francophones hors Québec s'est presque partout (le Nouveau-Brunswick excepté) accélérée depuis le début de ce siècle et surtout depuis la fin de la seconde guerre mondiale. De plus, toutes les situations ainsi que tous les facteurs envisagés dans cet ouvrage semblent converger vers l'aggravation de cet état de fait. Dans le monde du travail "English is the language of business" et c'est entre dix-huit et trente ans que le plus grand nombre de francophones s'assimile. De plus, pour gagner leur vie, les francophones viennent en nombre sans cesse croissant dans les villes où l'ambiance anglophone les assimile rapidement. Les mariages mixtes facilitent aussi ce processus. Et, face à tout cela, les institutions publiques ne présentent pratiquement pas de garantie. La justice offre parfois, et en fait plutôt rarement, « des droits illusoires ». L'école est un « foyer d'aliénation ». Les médias sont presque tous anglophones et Radio-Canada, pour les francophones hors Québec, est « le médium sans message ». La culture ambiante est « une denrée nord américaine nécessairement anglophone ». Le programme de bilinguisme du gouvernement fédéral frustre un bon nombre de fonctionnaires anglophones et n'aide pratiquement pas les communautés francophones.

Toutes les affirmations précédentes font chacune l'objet d'un chapitre dont la longueur peut varier entre huit et trente pages. Ces chapitres sont fort bien documentés et tous les développements et arguments s'appuient sur des données factuelles et des chiffres très détaillés. Un bon nombre de ces données chiffrées provient d'ailleurs de Statistique Canada ainsi que des compilations et de recherches faites par des experts fort respectés en démographie linguistique. Enfin, c'est à partir de « cet étalage public et définitif de leur désillusion collective » que les francophones hors Québec réclament du « pays » l'établissement d'« une politique globale, précise, cohérente et définitive de développement des communautés de langue et de culture françaises. » Et, pour être plus spécifique, Les Héritiers de Lord Durham concluent sans ambages que :

Cette politique devra toucher :

1) La maîtrise des moyens d'éducation.

2) Les moyens de communication relevant de la Société d'État devront refléter la vie même de nos communautés.

3) Les membres de nos communautés devront pouvoir développer leurs propres moyens de promotion économique, sociale et culturelle.

4) Au niveau politique, il est évident que ces exigences minimales ne seront réalisées qu'à la condition que soit établi un lien d'obligation stricte par la reconnaissance concrète, pratique et institutionnelle avec ses conséquences irrémédiablement engageantes.

5) Au plan fédéral, la politique du bilinguisme institutionnel devra se transformer en une politique de développement des communautés dans tous les domaines qui relèvent de sa compétence. C'est une exigence sans laquelle aucun effort partiel ne portera fruit.

6) Ultimement, dans le débat qui s'est engagé sur l'avenir, il faudra tenir compte de la présence des communautés francophones qui fait la différence de ce pays. Cela signifie que toute discussion et décision devront inclure des garanties fondamentales de leurs droits individuels et collectifs.[5]

Le second volume des Héritiers de Lord Durham, qui parut aussi en 1977, quelques mois après le premier, est beaucoup plus volumineux. Les auteurs de ce second volume y présentent avec un succès certain, mais assez irrégulier, et d'une façon généralement très détaillée, la situation des francophones dans chacune des neuf provinces où ils sont minoritaires. Cette « brique », que son épaisseur rend un peu rebutante, est en fait fort intéressante. L'histoire de chaque organisme « parapluie » y est dépeinte avec un souci d'objectivité, et parfois même d'auto-critique, que l'on ne s'attend pas à trouver dans un ouvrage rédigé par des militants. Si le style et l'approche varient d'une province à l'autre et trahissent par le fait même les variations dans le degré de combativité de chacune des associations provinciales, le plan et la table des matières sont standardisés, ce qui permet de procéder à des comparaisons très significatives.

En gros, les divers cahiers (un par province) qui composent le second volume des Héritiers de Lord Durham sont structurés de la façon suivante : tout d'abord, un portrait assez rigoureux de l'évolution de l'association provinciale puis, une description généralement très précise et très détaillée de la situation présente de la communauté francophone de la province en question. Ces descriptions recouvrent les aspects géographiques, démographiques, politiques, juridiques, sociaux, économiques, scolaires et, finalement, culturels de la situation des francophones en 1977. Enfin, chacun de ces cahiers se termine par un plan d'action au niveau provincial pour les années 1978-1983.

Description sommaire du pamphlet *Deux poids, deux mesures*

Alors que les *Héritiers de Lord Durham* font le bilan d'une situation et proposent des modalités d'actions, *Deux poids, deux mesures* démontre clairement que l'intervention des gouvernements des neuf provinces où les francophones sont minoritaires, ainsi que celle du gouvernement fédéral, est indispensable si l'on veut « sérieusement » parler, au Canada, d'égalité et d'équité dans le traitement des deux peuples fondateurs. Et, comme on peut le lire dans la première partie de la conclusion de ce document, les francophones hors Québec tiennent à souligner la persistance de cette situation de désavantage flagrant dans laquelle ils se trouvent encore, malgré les changements récents qui se sont produits au Québec et qui devraient diminuer le poids et la mesure des anglophones dans cette province :

> Si, au lieu d'un dossier comparatif sur la situation actuelle, il ne s'agissait que d'un exposé historique, on pourrait déplorer cette époque ténébreuse de l'histoire du Canada et se consoler en pensant que cette honteuse période est révolue.
>
> Mais ce n'est pas le cas. *Deux poids, deux mesures* révèle la situation telle qu'elle est aujourd'hui.
>
> Les anglophones du Québec ont toujours été traités et le sont encore, non seulement avec égalité, mais aussi avec décence, voire avec respect. Quant aux francophones vivant à l'extérieur du Québec, ils se sont trouvés dans une situation diamétralement opposée : leurs droits acquis ont été retirés, leurs légitimes aspirations ont été ignorées et leur langue a été bafouée.
>
> Qui osera nier encore aujourd'hui qu'on ne se trouve pas devant une situation de 'deux poids, deux mesures' ?[6]

En bref, ce « dossier de la preuve », après avoir énoncé les principales limites de la comparaison des deux minorités de langue officielle ainsi qu'après avoir succinctement décrit « la méthode de recherche » dont il découle, commence par un impressionnant profil historique de l'installation et de l'évolution des deux communautés fondatrices du pays. Après ces sept pages récapitulatives, modestement sous-titrées : « quelques faits et gestes », comme dans les *Héritiers de Lord Durham*, (Vol. I), *Deux poids, deux mesures*, nous présente les principaux aspects de la situation démographique et linguistique des francophones hors Québec, qui sont systématiquement comparés à ceux des anglophones du Québec et ce essentiellement à partir des statistiques des recensements de 1971 et, dans certains cas, de 1976. Enfin, les cinq autres chapitres que contient le document sont aussi abondamment et aussi scrupuleusement documentés que le premier. Le deuxième est consacré à la comparaison des statuts socio-économiques qui caractérisent les membres de chacun des deux groupes linguistiques. Les quatre derniers comparent, respectivement : les systèmes d'éducation, d'information, de justice et, enfin, de santé et de services sociaux qui sont censés desservir la communauté anglophone du Québec et les communautés francophones des autres provinces.

Après ce survol, que les nécessités de concision d'un tel article ont rendu un peu trop superficiel, il nous semble tout de même indispensable, d'une part, de procéder à une analyse critique tant du contenu que des stratégies d'actions proposées dans ces documents ou qui semblent en découler logiquement et, d'autre part, de tenter de dégager quelques-unes des principales significations que ces publications peuvent avoir dans la conjoncture canadienne et même nord-américaine actuelle. Toutefois, avant de procéder à cette analyse critique, il est indispensable de faire remarquer qu'il s'est écoulé près de quatre années depuis la parution de *Deux poids, deux mesures* et près de cinq années depuis la publication des deux volumes : *Les héritiers de Lord Durham*. C'est pourquoi nous nous empressons de préciser que cette partie critique a pour principal objectif de faire ressortir, non pas des faiblesses intrinsèques à ces documents, mais plutôt certains oublis ou certains manques que seul le temps nous a permis de déceler[7].

Analyse critique du « document de la preuve »

En ce qui concerne le contenu proprement dit de *Deux poids, deux mesures*, il ne semble pas possible de présenter des objections sérieuses. Il s'agit d'une compilation originale de données qui étaient, pour un grand nombre, déjà recensées mais réparties dans divers documents peu connus du grand public. De plus, certaines compilations ont été spécialement effectuées pour la réalisation de ce « document de la preuve ». D'autre part, lorsqu'il y a des divergences entre les données fournies par différents centres de collecte ou entre les avis de certains experts ou encore entre les compilations gouverne-mentales et celles de la F.F.H.Q., celles-ci sont clairement exposées et expliquées. Par exemple, sur ce dernier point, les divergences entre les données recueillies par le Conseil des Ministres de l'Éducation du Canada (C.M.E.C.) et celles recueillies par les associa-tions membres de la F.F.H.Q., qui sont présentées dans la plupart des tableaux compara-tifs du chapitre sur l'éducation, poussent le lecteur à se poser des questions sur les « bon-nes intentions » du C.M.E.C. De même les interprétations prudentes des écarts entre les données des experts en démographie linguistique, dus au manque de précision sur cette question dans le recensement de 1976 effectué par Statistique Canada, confirme (à l'ex-ception de la Colombie-Britannique où le nombre des francophones semble croître très légèrement et du Nouveau-Brunswick où l'augmentation du nombre des Acadiens de lan-gue maternelle française persiste) l'existence et l'accélération du courant d'assimilation rapporté, un an plus tôt, dans *Les Héritiers de Lord Durham*.

En bref, la preuve est là ! Tous les faits convergent pour démontrer encore et toujours l'extrême précarité de la situation et l'absolue nécessité de faire quelque chose pour la redresser. Et d'ailleurs c'est peut-être là un des points les moins bien saisis par certains leaders traditionnels des francophones hors Québec, que l'effet spiroïdal de cette situation de « piqué en vrille » semble avoir étourdis. En effet, certains membres de l'élite tradition-nelle semblent parfois déplorer le réalisme pessimiste qui ressort de documents tels que ceux que nous analysons ici. Ce type de jugement expéditif est assez difficile à compren-dre, car sur de nombreux points et de façon très évidente, leurs auteurs ne cessent d'in-sister sur la nécessité de passer à l'action. À ce propos, la seconde partie de la conclusion du pamphlet *Deux poids, deux mesures* est on ne peut plus explicite :

La Fédération des francophones hors Québec espère que cet exposé conduira à l'élabo-ration de politiques et de programmes concertés visant à changer la situation et à construire.

Mais on ne construit pas sans connaître les « faits accessoires ». Quelle sorte de terrain, de fondations, de matériaux seront nécessaires ? Avant tout, il faut une bonne connaissance de la réalité. Or, c'est celle-ci que nous venons d'esquisser sans détour et sans artifice dans « *Deux poids, deux mesures*.

Donc un défi s'ouvre maintenant à la société canadienne. Il s'agit de construire une nouvelle maison pour remplacer celle qui s'écroule sous le joug de l'injustice et des contrastes. Ce défi, la Fédération des francophones hors Québec veut le relever. Elle s'offre pour le faire avec ceux qui ont le pouvoir et la volonté de se « retrousser les manches ». Qu'attend-on pour s'y mettre ? [8]

Evidemment, ces derniers mots nous renvoient aux deux volumes des *Héritiers de Lord Durham* qui constituent le plan d'action de la F.F.H.Q. et des associations provincia-les qu'elle regroupe. Encore une fois, *Deux poids, deux mesures* est un document de sensibilisation de l'opinion publique et non un véritable plan d'action. À ce propos, on peut peut-être regretter, comme l'a fait très justement remarquer Lise Bissonnette dans l'éditorial intitulé « Deux poids, deux mesures, deux presses »[9], que la presse de langue anglaise ne lui ait pas accordé tout le « poids » et toute la publicité qu'il méritait. S'agit-il là d'une démonstration supplémentaire du légendaire « fair-play » qui caractérise la presse canadienne d'expression anglaise ou s'agit-il aussi et, peut-être en partie, d'une erreur stratégique de propagande de la F.F.H.Q. qui aurait dû faire paraître ce document simultanément dans les deux langues officielles ? Mais il est probablement beaucoup plus grave que ce document ne soit pas encore connu de tous les francophones, y compris un bon nombre de membres actifs et d'animateurs employés par les associations affiliées à la F.F.H.Q. Et, dans ce même ordre d'idées, on peut aussi déplorer que certaines commissions scolaires, majoritairement francophones, refusent de se servir de ce document pourtant très « factuel » et des plus instructifs et qu'un bon nombre d'enseignants francophones ne semble pas très soucieux de connaître des courants et des situations qui sont pourtant des plus cruciaux quant à leur propre sort et celui de leurs étudiants !

En d'autres termes, s'il est difficile de trouver quelque chose à redire quant au contenu de *Deux poids, deux mesures*, on peut se poser des questions quant aux méthodes de diffusion de ce document employées par la F.F.H.Q. et les organismes qui la constituent. Toutefois ce n'est là qu'un problème de publicité auquel il devrait être assez facile de remédier. Par contre, les stratégies d'actions dans lesquelles la F.F.H.Q. et les organisations provinciales qu'elle regroupe proposent de s'engager pour redresser cette situation de « piqué en vrille », constituent l'aspect le plus fondamental auquel nous devons accorder toute notre attention.

Analyse critique des *Héritiers de Lord Durham*

Comme le « plan d'action » de la F.F.H.Q., au niveau national, se trouve dans le volume I des *Héritiers de Lord Durham* et que les plans d'actions des « organismes parapluie », au niveau de chaque province, se trouvent dans le vol. II, c'est principalement à ces ouvrages qu'il faut maintenant se référer. Et, puisque ces « stratégies d'actions » découlent de la description quasi-exhaustive de la situation des francophones hors Québec qui en est faite dans ces ouvrages, c'est cette description qu'on se doit d'analyser en premier lieu.

Ainsi qu'il l'a été mentionné préalablement, cette description va parfois jusqu'à l'auto-critique et atteint un degré de réalisme des plus rares. Toutefois, comme il s'agit de documents dans lesquels et à partir desquels des stratégies d'actions sont élaborées, on peut regretter qu'ils ne présentent qu'*une description et non une analyse et une pondération* des forces qui sous-tendent les rapports assimilateurs anglophones-francophones à l'extérieur du Québec. Certes, les éléments fondamentaux indispensables à une telle analyse et à une telle pondération sont présents dans *Les Héritiers de Lord Durham* et *Deux poids, deux mesures*, mais les mécanismes de l'assimilation ou du transfert linguistique des francophones hors Québec n'y sont pas rigoureusement et systématiquement mis à jour et démontés. Dans une certaine mesure, on peut même se demander, en constatant l'ampleur de l'espace accordé dans ces documents à la description des situations dans lesquelles le processus d'assimilation se déroule, si les auteurs ne sont pas tombés dans le piège tendu par certains experts anglo-saxons, tels que Richard J. Joy, ou par certains Québécois « pure-laine » des années 60-70 pour qui la francophonie hors Québec est ou était vouée à disparaître à plus ou moins brève échéance. En effet, lorsque, comme ces experts, on ne fait pas de distinction rigoureuse entre, d'une part, les *causes* ou les *facteurs* fondamentaux de l'assimilation et, d'autre part, les *situations* où l'on peut constater l'existence de ce processus, ce dernier paraît être irréversible et semble découler des lois inéluctables de la « démographie linguistique ».

Il semble donc que, dans leur description du processus de l'assimilation, les auteurs des *Héritiers de Lord Durham* et de *Deux poids, deux mesures*, ne distinguent pas assez clairement d'une part les *causes* fondamentales du phénomène et, d'autre part, les *situations* dans lesquelles on peut l'observer et ce même si, ici et là, il y a quelques tentatives de pondération, d'ailleurs très qualitatives, des différentes situations. Par exemple, si on peut lire dans un extrait de journal présenté en épigraphe et intitulé « L'assimilation se fait surtout par le travail » que : « Le plus important facteur d'assimilation des francophones au groupe anglophone serait la langue de travail »[10], on constate, hélas, que même si ce facteur est repris ici et là, il est plus ou moins noyé parmi des situations et des facteurs très secondaires. Dans certains cas mêmes, les auteurs vont jusqu'à entériner les affirmations-pièges des experts en démographie linguistique, dont le parti pris a été mentionné plus haut, en concluant que les tableaux qu'ils ont présentés « tendent à confirmer les énoncés de certains spécialistes, notamment Frank Vallée, Norm Schulman, Richard Joy et plusieurs autres, qui ont démontré l'incidence de la concentration d'un groupe ethnique sur la prévention de l'assimilation. Selon eux, plus la concentration d'un groupe ethnique dans une région est élevée, moins vite s'entamera le processus de l'assimilation. »[11]

De même, si les auteurs concluent, en caractère gras, que « Tout cela tend à corroborer le fait que c'est surtout le milieu de travail qui est le plus anglicisant, puisqu'une fois passé l'âge de la retraite (65 ans) le taux d'anglicisation baisse dans toutes les provinces, sauf à l'Île-du-Prince-Edouard »[12]; ils mentionnaient sur la même page, quelques lignes plus haut, que « l'entrée sur le marché du travail où domine l'autre langue et les mariages entre partenaires d'origine ethnique différente seraient les causes principales de ces taux d'anglicisation. »[13] En fait, en parcourant les *Héritiers de Lord Durham*, vol. I, on finit par avoir la désagréable impression qu'à chaque fois qu'une situation ou qu'un facteur est appréhendé, c'est lui qui est le plus important. C'est ainsi qu'après que la langue de travail et les mariages mixtes aient été présentés comme « les principales causes » de l'anglicisation, on peut lire que : « Tous les sociologues s'accordent à dire que l'urbanisation constitue au Canada l'un des principaux facteurs d'assimilation d'une minorité[14] ».

Toutefois, il faut quand même reconnaître et faire remarquer que cette confusion dans la pondération, ou plutôt dans le manque de pondération, des situations ou des facteurs assimilateurs, est considérablement amoindrie par la conclusion plutôt catégorique du chapitre sur la situation démographique des francophones hors Québec où il est précisé sans ambage que :

> La situation globale des francophones hors-Québec est précaire : non seulement leur survie culturelle est menacée, mais leur situation socio-économique est dangereusement anémique.

> *C'est le tabou de l'économie qu'il faut relever car il est impossible de concevoir une politique de développement social des communautés francophones, en négligeant l'aspect économique. Il faut briser le cercle vicieux.* [15]

En lisant les lignes précédentes, on a l'impression que les francophones hors Québec ont de façon intuitive mis le doigt sur le noeud du problème; cette constatation est renforcée par certains passages de *Deux poids, deux mesures* où, à la lumière de la situation des anglophones du Québec, les autres « facteurs d'assimilation », souvent mis de l'avant par certains statisticiens démographes, perdent de leur importance, de même que leur aspect de « nécessité scientifique ». Par exemple, dans cet ordre d'idées, on peut lire dans *Deux poids, deux mesures* qu'au Québec, « contrairement à ce qui se passe dans les provinces où les francophones sont minoritaires, c'est la langue du groupe minoritaire, la langue anglaise, qui est utilisée par les époux de mariage mixte »[16]. Ansi l'exogamie n'apparaît plus comme une cause d'assimilation à la langue du groupe majoritaire mais une situation dans laquelle l'assimilation peut se produire quel que soit le rapport de forces minorité-majorité sur le plan de la démographie linguistique. De même, on peut lire aussi dans ce pamphlet qu'au Québec, où les anglophones sont minoritaires, « l'attraction (des immigrants) vers l'anglais est 60 fois plus forte que vers le français »[17]. Et tous ces états de fait finissent pas infirmer de façon irréfutable la proposition suivant laquelle la concentration démographique serait un « facteur fondamental », comme le prétendaient et le prétendent encore les démographes linguistiques dont nous avons parlé plus haut.

D'ailleurs, les choses se précisent encore plus quand on lit dans *Deux poids, deux mesures* : « il ressort entre autres des chiffres fournis... que pour un anglo-québécois l'unilinguisme n'a aucune conséquence néfaste sur son revenu de travail »[18]. Il devient alors des plus évident que l'anglais est la langue de travail au Canada non pas parce que c'est la langue de la majorité mais pour des « raisons » qu'une analyse systématique et rigoureuse du processus de l'assimilation aurait dû mettre à nu. Mais hélas, encore une fois, cette analyse systématique et rigoureuse des mécanismes qui sous-tendent le processus d'assimilation ne se trouve pas dans *Les Héritiers de Lord Durham* ni dans *Deux poids, deux mesures*. Aussi, les stratégies d'action élaborées pour contrebalancer cette assimilation paraissent, dans l'ensemble, assez timides et encore fortement endiguées par le carcan des programmes traditionnels du Secrétariat d'État et ce, surtout dans les plans provinciaux présentés dans le volume II des *Héritiers de Lord Durham*.

Même si l'économie et le milieu de travail ont été identifiés comme des secteurs clefs, peu d'actions sont envisagées dans ces secteurs. Certes, quelques associations provinciales songent à faire quelque chose pour accélérer le développement des coopératives et d'autres entreprises francophones de ce genre. Mais d'une façon générale, toutes les stratégies économiques envisagées au niveau des provinces sont de type défensif. De plus, de par leur caractère défensif (qui d'ailleurs, comme dans le domaine de l'enseignement, est dû à la confusion des *causes* avec les *situations*), ces stratégies risquent d'aggraver les clivages inévitables entre les différentes catégories sociales, économiques et idéologiques que l'on trouve aussi bien chez les francophones hors Québec que dans n'importe quel autre groupe ethnique ou linguistique. En effet, on peut se demander si cette insistance sur les aspects collectifs, communautaires et coopératifs[19] qui, il faut le reconnaître, correspondent à des aspirations ancrées depuis toujours dans la mentalité d'un bon nombre de Canadiens français et d'Acadiens, ne risque pas, d'abord, de rendre irrévocable le processus d'assimilation du français à l'anglais et, ensuite, de l'accélérer dans certains secteurs économiquement importants de la population francophone hors Québec. On a peut-être tendance à oublier, au moins depuis 1945, qu'au Canada, lorsqu'un francophone s'assimile psychologiquement il ne s'assimile pas à un Canadien anglais mais à un Américain[20]. Et, comme tout le monde le sait, l'idéologie américaine est beaucoup plus individualiste et capitaliste que collectiviste et socialiste.

Mais c'est surtout au niveau national, celui de la F.F.H.Q., qu'on peut déplorer qu'après avoir souligné l'importance des facteurs économiques, on n'envisage d'intervenir qu'au seul niveau politique et que le secteur de l'économie ne fasse pas l'objet d'un plan d'action spécifique. C'est d'ailleurs sur ce point précis qu'il semble de plus en plus évident, au fur et à mesure que le temps passe, que *Les Héritiers de Lord Durham* ont un peu « manqué le bateau ». Sur le plan national, en ne s'attaquant qu'au niveau politique, surtout pour demander davantage de choses « comme avant », on ne s'est peut-être pas suffisamment rendu compte que la problématique politique, pourtant historiquement fort importante — réformes constitutionnelles, possibilité de séparation du Québec, etc.—, prenait, malgré tout, une place de second ordre dans l'opinion publique canadienne[21] où la priorité est, de plus en plus, accordée au secteur de l'économie. Cela est d'autant plus regrettable que, si le secteur politique dans lequel *Les Héritiers de Lord Durham* semblent vouloir engager toutes leurs forces au niveau national est temporairement encombré par les retombées de la récession économique dans laquelle nous nous trouvons, il se pourrait que cette même récession fournisse précisément l'occasion jusqu'ici impensable d'un redressement sans précédent de la situation de la francophonie nord-américaine et des minorités linguistiques et culturelles de cette partie du continent.

Le redressement devrait s'effectuer prioritairement sur le plan de l'économie

On n'a peut-être pas assez pris au sérieux René Lévesque lorsqu'il a déclaré, peu de temps après avoir été élu à la tête du gouvernement du Québec, qu'une situation économique difficile pour le Canada favoriserait l'exécution du projet de séparation. On ne se rend probablement pas suffisamment compte, sur le continent nord-américain, que la crise économique que nous traversons en ce moment ne frappe pas l'ensemble de l'Occident, comme une certaine propagande voudrait nous le faire croire, mais frappe, en fait et surtout, les civilisations anglo-saxonnes. Pour s'en rendre compte, il suffit de regarder l'évolution, depuis les vingt dernières années, des balances de paiements et des balances commerciales des pays occidentaux. Il est de plus en plus évident que les civilisations anglo-saxonnes du continent nord-américain ne sont plus celles qui savent le mieux jouer aux jeux d'Adam Smith et de Ricardo. Pour la première fois, l'aspect mythique et contestable de l'axe psychologique sur lequel repose l'essentiel du processus d'assimilation des francophones à la langue anglaise (tel qu'il aurait dû être mis à nu par une analyse rigoureuse) est ainsi, et de façon fort inattendue, mis en évidence. Si l'anglais est la langue des affaires..., il semble que sur la scène internationale, du moins depuis quelques temps déjà, ces affaires ne se font plus au bénéfice de ceux qui ne savent parler que l'anglais.

En d'autres termes, l'impérialisme linguistique et culturel des Anglo-Saxons a mis leurs civilisations dans une situation économique internationale fort peu enviable. Les anglophones sont compris de tous ceux qui parlent anglais et qui connaissent les cultures anglo-saxonnes mais, par contre, ils ne parviennent pas à comprendre ceux qui, ailleurs, ne parlent pas anglais. Les autres ont plus de chances de pouvoir prévoir le comportement économique des anglophones mais ces derniers ont peu de chance de pouvoir prévoir le comportement de ceux qui ne parlent anglais qu'en la présence d'anglophones. Plus spécifiquement, alors que les Anglo-Saxons ont vu leur propre marché devenir de plus en plus limpide pour tous ceux qui parlent anglais et comprennent les cultures anglo-saxonnes, les marchés étrangers dont les anglophones ne comprennent ni la langue ni la culture leur sont devenus de plus en plus obscurs, « étrangers » et, finalement, impénétrables. Un examen rigoureux de l'évolution de la conjoncture économique internationale de 1945 à aujourd'hui, démontre très clairement que des facteurs tels que la connaissance des langues et des cultures jouent un rôle crucial dans l'évolution de l'importance et de la direction des rapports économiques internationaux.

Il est dramatique de constater que les francophones hors Québec, contrairement à la plupart des « experts » et des « économistes », sont conscients de l'indissociabilité de la langue, de la culture et de l'économie. Cet argument est effectivement présenté dans le rapport de la Société des Acadiens du Nouveau-Brunswick (S.A.N.B.) où l'on peut lire que « Très peu d'économistes ont incorporé le concept de culture à leur théorie du développement. Dans leur esprit, le développement a souvent été conçu comme étant composé de strictes fonctions économiques, telles que l'augmentation de la demande des biens de consommation, du stock, du capital ou l'accroissement des possibilités technologiques de la main-d'oeuvre »[22]. Mais le drame est que cette intuition géniale n'est pas exploitée de façon agressive. Au lieu de voir les avantages économiques considérables que leur donne le fait de parler la langue et d'avoir ainsi la possibilité de connaître et, conséquemment, d'exploiter les marchés mêmes de certains concurrents étrangers, et ainsi de contribuer au redressement de la situation économique dramatique de l'Amérique du Nord, ils préfèrent demander, encore une fois, aux institutions gouvernementales d'améliorer leurs interventions en conséquence. Au lieu de profiter de cette découverte pour dénoncer et se débarasser irrévocablement du mythe de l'*inutilité économique* d'une autre langue que l'anglais et d'une autre culture que les cultures anglo-saxonnes, on entérine une situation de sous-développement économique qui, en fait, est purement psychologique ou psychosomatique. En effet, comme on peut le lire dans le rapport de l'Association canadienne-française de l'Ontario, le problème se trouve fondamentalement au niveau des attitudes :

> Quant aux attitudes, les enquêteurs ont prouvé que les Franco-Ontariens entretiennent des idées plutôt défavorables à l'activité économique. Ainsi, ils perçoivent mal l'homme d'affaires, craignent l'emprunt et le crédit et sont peu enclins à investir autrement que dans un compte d'épargne. Cette même mentalité semble se retrouver parmi les institutions financières contrôlées par les Franco-Ontariens (caisses populaires, coopératives et compagnies d'assurance).[23]

Une analyse approfondie des mécanismes de l'assimilation aurait démontré que ce phénomène est dû, non pas à un quelconque « complexe d'infériorité » des non-anglophones, mais à une propagande habile des institutions anglo-saxonnes, d'ailleurs plus motivées, sur ce point, par le nationalisme passionnel qui sous-tend l'idéologie du « melting pot » que par un quelconque pragmatisme économique. L'aspect passionnel et quelque peu stupide et borné de cette propagande est, de plus en plus, mis en lumière par l'évolution de l'économie internationale qui est plus inquiétante pour les civilisations nord-américaines que l'est, en fait, l'assimilation pour les francophones hors Québec.

Un excellent exemple de cette propagande nous a été fourni lors de la publication, en 1977, par l'Institut de Recherche C.D. Howe, du rapport d'Albert Breton, professeur d'économie à l'Université de Toronto, intitulé : *Le bilinguisme : une approche économique*[24]. Ce rapport, dont le contenu est d'ailleurs purement hypothétique, puisqu'il ne comprend aucune analyse historique ou empirique et dont certains chapitres semblent laisser entendre que le fait qu'un pays ait des ressortissants qui maîtrisent des langues étrangères constitue un capital indéniable, stipule néanmoins, dans sa conclusion, que « le fait de naître dans un pays dont la langue (l'anglais) sert de *lingua franca* constitue en quelque sorte un seigneuriage, comme le fait de vivre dans un pays dont la monnaie est utilisée comme moyen international de paiement. Au Canada, ceci veut dire que ce sont « les francophones (qui) supportent presque exclusivement le coût de la communication entre anglophones et francophones ». La conclusion de ce rapport invite donc les francophones d'Amérique du Nord à s'assimiler puisque lorsque l'on est ou lorsque l'on devient anglophone, il est économiquement inutile d'apprendre d'autres langues et l'on a, par conséquent, la possibilité d'investir son « capital temps » dans des activités plus utiles et plus lucratives que le maintien ou l'apprentissage d'une autre langue.

Face à une argumentation aussi convaincante et elle doit l'être beaucoup puisque, au moins jusqu'à maintenant, elle n'a pas été contestée — on ne peut s'étonner que les francophones hors Québec n'aient pas réussi, dans leurs ouvrages, à développer des stratégies économiques qui, au niveau national, auraient été susceptibles de les faire sortir de ce « cercle vicieux ». Toutefois, ici encore, une analyse rigoureuse de cet axe psychologique de l'assimilation que le rapport d'Albert Breton contribue fortement à promouvoir, aurait démontré que ce « cercle vicieux » du « tabou de l'économie » est vicié à la base. En effet, des argumentations comme celles que propose Albert Breton dans son rapport, ne sont pas contestées parce qu'elles reposent sur des stéréotypes tels que : "English is the language of business' ou "English is the lingua franca of international exchange", que l'on a pris l'habitude d'accepter pour de l'argent comptant. Or, si ces stéréotypes sont fondés sur une certaine part de vérité, et peut-être même à cause de cela, il n'en reste

pas moins qu'ils cachent des aspects subtils mais néanmoins cruciaux de l'économie internationale.

Il est d'ailleurs consternant de constater que ces aspects cruciaux de l'économie internationale contemporaine ne sont pas du tout appréhendés par les instruments d'analyse et les principes fondamentaux de la théorie économique d'un Albert Breton. En plus
d'être purement théorique, purement hypothétique, le rapport d'Albert Breton repose sur
une théorie économique qui n'est plus celle qui prévaut dans notre seconde moitié du XXe
siècle, mais celle qui, à la rigueur, aurait pu expliquer certains échanges internationaux au
début du XIXe siècle. L'économie décrite par Albert Breton dans son exercice purement
spéculatif, est une économie de rareté où les échanges suivent la demande. Le système
économique international qui y est décrit est uniquement "production oriented" et néglige
totalement les activités de marketing qui visent, soit à créer de nouveaux débouchés, soit
à fabriquer ou à concevoir des produits ou des services en fonction des besoins des
marchés potentiels. En d'autres termes, dans son rapport sur *Le bilinguisme : une approche économique*, Albert Breton souffre tragiquement du mal que Theodore Levitt a dia-
gnostiqué dans un article très célèbre intitulé : "Marketing Myopia"[25]. De plus, Albert Breton n'envisage l'amortissement du capital linguistique que dans la traduction simultanée
des termes des échanges proprement dits; comme si la connaissance d'une langue donnée ne jouait pas un rôle crucial dans l'appréhension de la culture, des normes, des
valeurs, des attitudes, du comportement, du style de vie des consommateurs qui, précisément, parlent cette langue. En d'autres termes, Albert Breton néglige totalement les
avantages qu'apporte, sur le plan de l'élaboration des stratégies de marketing (qui in-
cluent la conception, le design, le prix, le système de distribution, l'emballage, la promotion des produits et des services exportables), la connaissance des langues utilisées sur
les marchés étrangers. De surcroît, cette lacune fondamentale est aggravée par le fait
que, dans la conclusion de son analyse, Albert Breton ne tient plus le moindre compte du
fait qu'il avait pourtant reconnu dans le corps de son rapport que l'apprentissage d'une
langue seconde n'entre pas en compétition avec l'apprentissage des connaissances générales, mais le complète.

Autrement dit, la conclusion des plus négatives quant à l'utilité économique de la
langue française à laquelle en arrive Albert Breton, repose sur une analyse qui est très
fortement handicapée par de très graves lacunes. Le fait d'avoir laissé dans l'ombre les
avantages que procure, dans des domaines aussi importants que le marketing international ainsi que ceux de la recherche et du développement, la connaissance d'autres langues que l'anglais, paraît quelque peu curieux. Face à la compétition économique internationale actuelle dont Albert Breton se garde de parler et qui, pourtant, exploite à fond la
connaissance de l'anglais comme langue seconde, cette lacune prend une allure catas-
trophique. Au lieu de suggérer indirectement aux Canadiens français d'oublier leur langue.
dont il prétend avoir démontré l'inutilité économique, Albert Breton aurait mieux fait, dans
l'intérêt même des économies anglo-saxonnes, de suggérer aux hommes d'affaires, à ses
collègues économistes, aux gouvernements des provinces et du Canada, en bref, à tous
les responsables des institutions qui se sont embourbées dans la récession économique
actuelle, de faire preuve de dynamisme et d'ingéniosité en se lançant à la conquête des
marchés que les francophones et les minorités culturelles connaissent ou peuvent
connaître grâce au capital linguistique qu'ils possèdent déjà. Et, c'est encore une autre
faiblesse majeure du rapport d'Albert Breton que de ne pas s'être rendu compte que grâce
aux francophones et aux minorités culturelles, le Canada et les États-Unis n'ont pas à
supporter les coûts que nécessite généralement l'acquisition de ce capital linguistique.

En bref, en réduisant, pour des raisons qu'Albert Breton se garde bien de nous donner, les marchés internationaux à la partie «Nord » du continent nord américain (alors que

l'Institut de Recherche C.D. Howe, qui a publié ce rapport, prétend étudier «le Canada avec une intention particulière pour le commerce international », Albert Breton gaspille un «capital » précieux, un «investissement » exceptionnel qui n'a d'ailleurs rien coûté à l'establishment anglo-saxon et qui, aujourd'hui, lui fait dramatiquement défaut. En diversifiant nos partenaires commerciaux et surtout en élargissant l'exportation de nos produits de consommation à des partenaires économiques que les francophones et les minorités culturelles peuvent comprendre et, par suite, tenter de manipuler, le Canada, en exploitant au mieux la totalité de son capital humain, pourrait progressivement rétablir l'équilibre qui fait lamentablement défaut à sa balance des paiements et, de ce fait, contribuerait à alléger substantiellement le déficit de la balance commerciale des U.S.A. Autrement dit, si le Canada cessait de s'acharner à prendre les solutions de ses problèmes économiques pour des problèmes politiques, il pourrait faire d'une pierre deux coups et résoudre simultanément son principal problème économique et son principal problème politique.

Toutefois, si les francophones hors Québec continuent à attendre que les politiciens, les experts ou les économistes constatent cette évidence, ils risquent d'être totalement anglicisés le jour où l'on s'apercevra que la langue qu'ils possédaient était un «capital » inestimable. Tant que les francophones hors Québec ne se montreront pas convaincus de la valeur de leur langue et de leur culture dans le domaine de l'économie et surtout de l'économie internationale, l'assimilation de ces derniers à la langue anglaise ne fera que croître. Et ce qui est peut-être encore plus grave, c'est que sans l'aide de ces derniers et des minorités culturelles et linguistiques, la situation de l'économie nord-américaine (dont nous dépendons tous) ne fera que de se détériorer, même si les découvertes de nouvelles ressources pourront, pour quelque temps encore, en prolonger l'agonie.

En conclusion

Même si nous nous sommes attardé à faire ressortir certaines lacunes des *Héritiers de Lord Durham* et de *Deux poids, deux mesures*, il n'en reste pas moins, comme nous l'avons laissé entendre dès le début, que ces ouvrages constituent l'amorce du redressement des francophones hors Québec. Comme le pilote compétent d'un avion qui se serait mis à piquer en vrille, les auteurs des *Héritiers de Lord Durham* et de *Deux poids, deux mesures* ne se sont pas laissés emporter par le vertige que provoque généralement ce mouvement spiroïdal. Mais surtout, comme le pilote entraîné, ils ont fait le geste «contrenature » qu'il fallait : au lieu de tirer le manche vers eux et de rester dans la clandestinité, ils ont poussé le manche en avant en prenant publiquement et solidairement la parole. De plus, comme il est nécessaire de le faire en pareille situation, ils ont mis les gaz à fond en empruntant un ton agressif et en dénonçant, dès le début de leur ouvrage, tous les arguments traditionnels qui sont généralement évoqués pour ralentir le mouvement et élargir la spirale étourdissante.

Toutefois, si les mouvements les plus fondamentaux pour mener à bon terme cette difficile manoeuvre acrobatique ont été bien pensés et exécutés avec sang froid, il n'en reste pas moins que, pour que l'appareil cesse de tourner sur lui-même, il est nécessaire de pousser la bonne pédale du palonnier et, en lançant l'offensive au niveau national, dans le domaine politique plutôt que dans le domaine économique, il semble que la F.F.H.Q. n'ait pas fait le mouvement adéquat. Si cette erreur mineure est corrigée à temps, elle peut ne pas être fatale et un redressement spectaculaire est plus que jamais possible.

Addendum

Comme le présent article a été écrit en 1978, on pourrait logiquement s'attendre à ce que l'essentiel de son aspect critique ait été rendu caduc par la parution du « Rapport du comité économique de la fédération des francophones hors Québec » intitulé : *Un Espace Économique à Inventer*[26].

Hélas, ce n'est pas le cas ! En 1978, on pouvait se demander si la Fédération des francophones hors Québec n'avait pas un peu manqué le bateau en négligeant l'économique au profit du politique. En 1982, on peut affirmer que si cet important organisme s'intéresse enfin indéniablement à l'économie, il manque définitivement le bateau en prenant une approche beaucoup trop timorée. En 1982, on peut dire que l'espace économique des francophones hors Québec reste encore à inventer.

En effet, les auteurs de cet ouvrage semblent s'embourber dans un marasme stérilisant où convergent l'analyse d'une démographie linguistique aux objectifs suspects, une vision des rapports bilinguisme-économie dont on sait qu'elle a pour but de défendre les intérêts des anglophones par l'entremise de l'Institut de Recherche C.D. Howe, une idéologie de petitesse dont la mode très romaine n'a été que de courte durée et, enfin, une interprétation des plus pessimistes de l'histoire selon laquelle les francophones hors Québec auraient perpétuellement oscillé entre la dépendance servile et l'auto-suffisance autarcique.

En fait, c'est, peut-être, ce chapitre II qui porte sur l'histoire et qui est intitulé : « Ce que nous avons été, notes historiques » qui explique le mieux cette incapacité de dépassement que l'on ressent dans tout le reste de l'ouvrage. D'après cette interprétation de l'histoire, il semblerait qu'ils aient eu pour objectif constant de former une collectivité fermée, une sorte de « terre promise » ou de « réserve indienne » sur laquelle ils auraient pu vivre d'agriculture, de chasse, de pêche et d'eau fraîche en restant à l'écart de l'industrialisation, du modernisme et, surtout, de l'urbanisme. Mais, hélas, toujours d'après cette interprétation quelque peu rousseauiste de l'histoire, les francophones hors Québec, aux moments mêmes où ils étaient sur le point d'atteindre cet idéal rustique, ont été détournés et parfois même « déménagés » et « déportés » pour être exploités en tant que main-d'œuvre à bon marché par les conquérants anglophones avides d'expansion commerciale et industrielle.

À chaque fois qu'elle se rapprochait de son but, « la nation canadienne-française se voyait ainsi enlever toute possibilité d'amorcer son décollage en partant de sa structure propre »[27] et, toujours selon l'auteur de ce chapitre, la nation canadienne-française n'avait plus qu'à se « complaire dans la marginalité ou à s'intégrer par le bas »[28]. Et cette interprétation de l'histoire explique parfaitement pourquoi, tout au long du livre, les concepts « d'utilité économique » et d'« intégration » se confondent inexorablement avec les concepts d'« exploitation », de « domination », et d'« assimilation ».

En fait, face à cette perpétuelle victimisation, les auteurs du livre semblent être beaucoup plus préoccupés par la recherche d'un espace, d'un territoire, d'un pays où ils pourraient développer la solitude francophone que par l'élaboration d'une stratégie économique qui permettrait le plein épanouissement des francophones en tant que tels. En fait, on peut très bien considérer cet ouvrage comme n'étant que la continuation, sous un prétexte économique, du document politique de la F.F.H.Q. intitulé : *Pour ne plus être sans Pays*[29]. L'accent dominant reste politique, une quête plus ou moins vaine pour un territoire, une collectivité, un pays et l'économie, malgré l'intensité et la prégnance de la crise actuelle, est encore une fois négligée.

Évidemment, cela est fort regrettable car, pour la première fois dans l'histoire des francophones hors Québec l'intégration par le haut est possible et ce, principalement, par la valorisation sur un plan économique de ce qui leur est le plus cher, à savoir, leurs ressources culturelles et linguistiques.

En effet, pour la première fois, l'économie nord-américaine subit une crise profonde qui résulte, dans une large mesure, de l'inaptitude des Anglo-Américains à saisir ce qui se passe dans le reste du monde. Comme l'ont récemment démontré l'ex-sénateur Fulbright[30] et le rapport Perkins[31] aux États-Unis, l'aveuglement culturel et linguistique des Anglo-Américains explique, en partie, l'incapacité de ces derniers à pénétrer avec succès les marchés étrangers tandis que les étrangers multilingues et bien informés pénètrent allègrement les marchés nord-américains.

Pour sortir de cette crise majeure, Perkins et Fulbright suggèrent de recourir à cette ressource économique inépuisable que constituent les minorités linguistiques et culturelles qui, jusqu'à maintenant, ont réussi à sauvegarder leur authenticité sur ce continent en dépit de l'augmentation et de la multiplication des forces assimilatrices du melting-pot.

Hélas, les auteurs d'*Un Espace Économique à Inventer* restent dans une vision passéiste et triomphante de l'économie nord-américaine et négligent d'analyser l'évolution de cette dernière au cours des quinze années passées. Alors que la mondialisation de l'économie force les Anglo-Américains à *intégrer par le haut* les minorités dont les langues et les cultures permettent de mieux saisir ce qui se passe en d'importantes régions de la planète, les leaders francophones hors Québec, qu'ils soient d'idéologie de conservation ou de participation, justement refroidis par le gigantisme économique d'envergure continentale et favorable à l'implantation de l'anglais comme unique langue de travail, préfèrent se replier timidement sur des « réserves communautaires » alors que l'idéologie de rattrapage, que leur ouvrage réfute par ailleurs, les inciterait à s'engager dans le défi mondial en permettant aux gens de s'intégrer par le haut. Une telle intégration individuelle cesserait d'être synonyme d'assimilation et si l'exploitation persiste, celle-ci devient tolérable et même souhaitable dans la mesure où elle incite les individus à se transcender dans ce qu'ils ont de plus cher et de plus authentique : leur propre langue et leur propre culture.

S'il est souhaitable de stimuler le développement communautaire, collectif et coopératif des francophones hors Québec, il est regrettable et même dangereux, d'exclure et de condamner, comme le fait ce livre, le développement économique individuel des francophones en milieu urbain. Cela est regrettable et dangereux dans la mesure où ceux qui, pour des raisons essentiellement économiques, se croient obligés de suivre cette voie, se sentant plus ou moins rejettés par leur communauté d'origine, n'auront pas d'autres alternative que de s'assimiler. Comme le nombre de francophones émigrant vers les villes majoritairement anglophones ne cesse de croître, l'idéologie qui imprègne cet ouvrage risque fort de devenir indirectement un autre facteur d'assimilation supplémentaire. Pour sortir de cette impasse, il faudra que les économistes de la F.F.H.Q. se penchent davantage sur l'étude des principales causes de la crise actuelle pour qu'ils se rendent compte que les francophones, en tant que tels, ont un rôle économique crucial à jouer dans le redressement de la situation économique de ce continent. Ce faisant, ils contribueront significativement à leur propre redressement...

NOTES

[1] La Fédération des francophones hors Québec, *Les Héritiers de Lord Durham*, Volume 1, Avril 1977.

[2] La Fédération des francophones hors Québec, *Deux poids, deux mesures, les francophones hors Québec et les anglophones au Québec : un dossier comparatif*, Mai 1978.

[3] RAVAULT, René-Jean *La francophonie clandestine ou : de l'aide du Secrétariat d'État aux communautés francophones hors Québec de 1968 à 1976*, Rapport présenté à la Direction des groupes minoritaires de langue officielle du Secrétariat d'État, Ottawa, Juin 1977.

[4] BRAULT, Michel et PERRAULT, Pierre, *L'Acadie, l'Acadie*, (Film), Office National du Film, 1971.

[5] *Les Héritiers de Lord Durham*, Volume I, p. 118.

[6] *Deux poids, deux mesures*, p. 59.

[7] Il serait effectivement injuste envers la Fédération des francophones hors Québec de ne pas insister sur le fait que les deux années qui se sont écoulées depuis la parution des *Héritiers de Lord Durham* m'ont permis d'approfondir et d'articuler des réflexions qui n'avaient été qu'entrevues et ébauchées dans la *Francophonie clandestine* que je présentais alors au Secrétariat d'État.

[8] *Deux poids, deux mesures*, p. 59.

[9] BISSONNETTE, Lise, «Deux poids, deux mesures, deux presses», *Le Devoir*, 30 mai 1978.

[10] *Les Héritiers de Lord Durham*, Volume I, p. 17.

[11] *Ibid.*, p. 24.

[12] *Ibid.*, p. 25.

[13] *Ibid.*, p. 25.

[14] *Ibid.*, p. 28.

[15] *Ibid.*, p. 43. (Emphase ajoutée par l'auteur de cet article.)

[16] *Deux poids, deux mesures*, p. 25.

[17] *Ibid.*, p. 19.

[18] *Ibid.*, p. 32.

[19] On peut trouver un bon exemple de ceci à la page 18 du rapport de la Fédération des Franco-colombiens (F.F.C.), du volume II des *Héritiers de Lord Durham* où il est écrit que :

«Des mécanismes d'auto-défense doivent exister, par exemple, contre le jeu de l'économie libérale qui échappe au contrôle des groupes minoritaires et qui force les individus à accepter les dénominateurs communs de la société majoritaire.

La société canadienne d'expression française doit donc, là où elle ne peut s'assurer un partage adéquat du contrôle des services publics et de la représentation au niveau des gouvernements et des institutions, là où les initiatives individuelles sont vouées à l'échec ou à la compromission, *recourir à la socialisation*.

La forme de socialisation la plus apte à répondre aux besoins d'un groupe minoritaire, la plus rapprochée de l'idéal démocratique, la plus respectueuse de la dignité des personnes et de la collectivité, c'est, sans contredit, la *Coopération*.»

[20] Historiquement, à l'exception de la déportation des Acadiens en 1755, où l'attrait de ce qui deviendra «Les États» a été provoqué «manu-militari», la région de la Nouvelle Angleterre a été un lieu de travail privilégié pour bon nombre d'Acadiens des Maritimes. Les Québécois eux-mêmes, d'après ce que nous en dit Richard J. Joy dans le XIe chapitre intitulé "The Fatal Hemorrhage" de son livre *Languages in Conflict* (Ottawa, Carleton Library, 1972), ont émigré en plus grand nombre vers les U.S.A. que vers le reste du Canada. Aussi, depuis 1945, avec la pénétration sur le territoire canadien des médias électroniques américains, on constate que la majeure partie des immigrants et des Canadiens français qui s'assimilent à la langue anglaise s'adaptent, sur le plan de la psychologie culturelle, non pas aux valeurs anglo-canadiennes mais aux réalités américaines, en trois mots à l'*American Way of Life*.

[21] On peut même craindre qu'en s'engageant à nouveau davantage sur le plan politique que sur le plan économique, l'on risque de confirmer le stéréotype des anglophones suivant lequel : «les francophones ne sont bons qu'à tergiverser sur les idéologies politiques, ce qui reviendrait à «pousser des nuages» et que le réalisme et le pragmatisme économiques ne seraient que des qualités purement anglo-saxonnes.»

[22] *Les Héritiers de Lord Durham*, Volume II, Rapport de la S.A.N.B. p. 54.

[23] *Ibid.* Rapport de l'A.C.F.O. p. 21.

[24] BRETON, Albert, *Le Bilinguisme, une approche économique*, Montréal, Institut de Recherche C.D. Howe, 1977.

[25] LEVITT, Theodore, «Marketing Myopia», *Harvard Business Review*, 38(4) : 45-56, July-August 1960.

[26] «Rapport du Comité économique de la Fédération des francophones hors Québec», *Un Espace Économique à Inventer*, Ottawa, la Fédération des francophones hors Québec, 1981.

[27] *Ibid.*, p. 21.

[28] *Ibid.*, p. 22.

[29] « Rapport du Comité politique de la Fédération des francophones hors Québec », *Pour ne plus être... Sans Pays*, Ottawa, la Fédération des francophones hors Québec, 1979.

[30] J. William Fulbright, « We're Tongue Tied », (« Our linguistic and cultural myopia is losing us friends, business and respect in the world. ») *Newsweek*, July 30, 1979.

[31] James A. Perkins, *Strength Through Wisdom, A Critique of U.S. Capability*, A Report to the President from the President's Commission on Foreign Language and International Studies, Washington D.C., Government Printing Office, Nov. 1979.

TABLE DES MATIÈRES

IMPRIMERIE
L'ÉCLAIREUR
BEAUCEVILLE

7919